D1263321

LE ROI DES MENSONGES

www.editions-jclattes.fr

John Hart

LE ROI DES MENSONGES

Roman

Traduit de l'anglais (États-Unis)
par Philippe Rouard

JC Lattès
17, rue Jacob 75006 Paris

Titre de l'édition originale
THE KING OF LIES
Publiée par Thomas Dunne Books, un département
de St. Martin's Press, New York

Pour l'éditeur, le principe est d'utiliser des papiers composés
de fibres naturelles, renouvelables, recyclables et fabriquées
à partir de bois issus de forêts qui adoptent un
système d'aménagement durable.
En outre, l'éditeur attend de ses fournisseurs de papier
qu'ils s'inscrivent dans une démarche de certification
environnementale reconnue.

ISBN : 978-2-7096-2884-6

1.

J'ai entendu dire que la prison pue le désespoir. Foutaises. Elle pue la peur et rien d'autre : peur des gardiens, peur de se faire castagner ou violer par les détenus, peur d'être oublié par ceux qui vous ont aimé, avant de vous lâcher. Mais surtout la peur du temps qui passe et de toute cette obscurité s'amassant dans les recoins inexplorés de votre esprit. Tirer sa peine, dit-on; ou encore faire son temps, mais j'ai assez traîné pour savoir ce qu'il en est : c'est le temps qui vous défait.

J'ai baigné pendant un bon moment dans ce parfum de prison, en compagnie d'un client qui venait de prendre perpète. Le verdict était couru d'avance, je le lui avais bien dit. Les preuves étaient accablantes, et le jury d'assises n'avait pas la moindre sympathie pour un bon à rien qui avait flingué son frère, parce que celui-ci lui disputait le contrôle de la télécommande. Aucun des douze jurés n'avait pris en considération que le gars était bourré comme un coing au moment des faits et qu'il n'avait pas eu l'intention de tuer. Pas un seul d'entre eux n'avait davantage estimé que le frère en question était un sale type, délinquant confirmé. Moi non plus d'ailleurs, je n'avais eu d'autre préoccupation que de lui expliquer ses droits, répondre aux questions légales qui seraient soulevées, et me tirer de là.

J'étais le plus souvent ambigu, c'est le moins qu'on puisse dire, à l'égard de la profession que j'avais choisie. Certains jours comme celui-ci, mon dégoût était si fort que je doutais de ma santé mentale. Je m'en cachais, comme d'une perversion. Ce jour-là, c'était pire encore. Peut-être était-ce l'affaire en soi ou le client ou encore les effets secondaires d'une inutile tragédie de plus. Je m'étais rendu dans cette cellule de parloir une centaine de fois et, je ne sais pour quelle raison, elle me semblait soudain différente. J'avais l'impression que les murs bougeaient, au point d'éprouver une brusque perte d'équilibre. Secouant la tête, je me raclai la gorge et me levai. Les faits étaient accablants mais ce n'était pas moi qui avais pris la décision d'aller au procès. Quand il était sorti en titubant de la caravane, taché de sang et sanglotant, il tenait d'une main le pistolet et, de l'autre la télécommande. Il faisait grand jour, et il était ivre mort. Le voisin vit tout de sa fenêtre, après que mon client se mit à hurler. Il vit le sang, l'arme, et appela les flics. Aucun avocat n'aurait pu gagner ce procès, je l'avais dit et répété à mon bonhomme. J'aurais pu toutefois le sortir de là mais il avait refusé de plaider coupable, comme je l'y engageais, car cela lui vaudrait une certaine clémence.

Peut-être le sentiment de culpabilité était-il trop fort et y avait-il en lui un désir de se punir. Quoi qu'il en soit, l'affaire était désormais scellée.

S'arrachant à la contemplation de ses tongs réglementaires qui avaient connu mille autres pieds avant les siens, il se força à me regarder dans les yeux. Ses narines humides luisaient dans la lumière crue, et dans ses yeux rougis brillait la terreur que lui inspiraient de secrètes et confuses pensées. Il avait pressé la détente, et cette vérité brutale lui apparaissait enfin. Le procès avait creusé un sillon sur ses traits au cours de ces dernières heures de conversation. Il avait cessé de nier, et j'avais vu ses espoirs se flétrir et mourir. La chose m'était familière.

Il se racla la gorge et, du revers de sa main droite, écrasa un filet de morve. « Alors, c'est terminé ? » demanda-t-il.

Je ne pris pas la peine de lui répondre. Il hocha la tête, et je pouvais lire dans ses pensées, comme si elles s'étaient inscrites dans l'air entre nous : la prison à vie, et lui qui n'avait pas encore vingt-trois ans. Il faut souvent des jours et des jours pour qu'une vérité aussi brutale pénètre l'esprit d'un de ces crétins de tueurs, qui arrivent ici comme marqués par je ne sais quelle malédiction à la naissance. Peut-être que ce type était moins abruti que je ne le soupçonnais. À peine le juge avait-il prononcé son verdict que mon client avait pris ce regard propre aux condamnés à la perpétuité. Cinquante, peut-être soixante années derrière les mêmes murs de briques. Aucun espoir de remise de peine. Pas vingt ans ni trente ni quarante, mais TOUTE LA VIE. Ça me tuerait, je le jure devant Dieu.

Un coup d'œil à ma montre m'apprit que nous étions là depuis deux heures, et c'était ma limite. Je savais par expérience que l'odeur avait déjà pénétré mes habits, et ses mains moites, quand il m'avait pris par les bras, avaient laissé une marque sur les manches de ma veste. Le coup d'œil à ma montre ne lui échappa point. Il baissa les yeux. Ses paroles se fondirent dans l'air, laissant comme un vide, alors que je me levais. Je ne lui tendis pas la main, lui non plus, mais je remarquai un nouveau tremblement dans ses doigts.

Il venait de vieillir avant l'heure, déjà brisé à vingt-trois ans, et il me vint soudain à son égard une compassion dont je ne me croyais plus capable. Il pleurait, maintenant, et ses larmes s'écrasaient sur le carrelage sale. Certes, il avait tué son propre frère mais c'étaient les portes de l'enfer qu'il franchirait le lendemain matin. Presque malgré moi, je posai ma main sur son épaule. La tête baissée, il me dit combien il regrettait, et je savais qu'il ne mentait pas. J'étais son dernier lien avec le monde, celui des champs et des arbres. Tout le reste avait disparu, tranché d'un coup par la réalité acérée du verdict. Je sentis son épaule se soulever sous ma main, et j'eus le sentiment d'un tel néant que c'en était presque physique. J'étais encore dans cette cellule quand quelqu'un vint m'apprendre que le corps de mon père avait enfin été retrouvé. L'ironie de la chose ne pouvait m'échapper.

*

L'huissier qui m'escorta depuis la prison du comté de Rowan jusqu'au bureau du procureur était un grand type osseux au cheveu gris et dru coupé court. Il ne se donna pas la peine de bavarder, alors que nous enfilions les couloirs encombrés de justiciables, et, peu loquace moi-même, je lui en sus gré.

D'une rondeur désarmante, le procureur était capable d'éteindre à volonté le pétillement naturel de son regard, une chose bien étonnante à observer. Certains voyaient en lui un magistrat ouvert, chaleureux. D'autres le considéraient comme l'instrument sans âme de sa charge. Pour quelques-uns d'entre nous, qui connaissions l'envers du décor, c'était un chic type, apprécié de nous. Il s'était pris deux balles dans la peau pour son pays et jamais, cependant, il ne prenait de haut les gens de mon âge, que mon père avait coutume d'appeler «le ventre mou de cette génération qui n'a pas connu le feu». Il respectait mon père, mais il semblait nourrir à mon égard une affection dont j'ignorais au juste la raison. Cela tenait peut-être au fait qu'à la différence de nombre de mes confrères, je ne me retranchais jamais derrière l'innocence présumée de mes clients. À moins que ce ne fût à cause de ma sœur, ce qui était une tout autre histoire.

— Work, me dit-il à mon entrée, sans prendre la peine de se lever, je suis vraiment navré. Ezra était un grand avocat.

Seul fils d'Ezra Pickens, j'étais connu de quelques-uns sous le patronyme de Jackson Workman Pickens. Tout le monde m'appelait Work, ce qui pouvait passer pour amusant, je suppose.

— Douglas, dis-je, en me retournant au bruit de la porte que l'huissier refermait derrière lui en repartant. Où l'a-t-on retrouvé ?

Son regard s'éteignit, alors qu'il sortait machinalement un stylo de la pochette de sa chemise.

— Les circonstances sont particulières, Work, aussi ne t'attends pas à un traitement de faveur. Je t'ai fait appeler, parce que tu devais connaître la nouvelle avant les autres. (Le regard tourné vers la fenêtre, il observa un bref silence.) Et puis j'ai pensé aussi, reprit-il, que tu pourrais en informer Jean.

— Qu'est-ce que ma sœur a à voir là-dedans ? rétorquai-je, conscient du volume de ma voix dans la petite pièce encombrée.

Il me regarda et, pendant un instant, j'eus le sentiment qu'on était deux étrangers.

— Je ne tiens pas à ce qu'elle l'apprenne dans les journaux. Pas toi ? dit-il d'une voix glacée. Je me devais de t'informer, Work, mais tout ce que je peux te dire c'est que nous avons découvert le corps.

— Douglas, ça fait dix-huit mois qu'il a disparu, dix-huit longs mois de questions, de murmures, et ce sentiment d'impuissance que te renvoient les regards des gens. Tu n'as pas idée de ce que peut être dur.

— Je compatis sincèrement, Work, mais ça ne change rien. Nous sommes encore en train de travailler sur la scène de crime, et il est impensable que je m'entretienne de l'affaire avec un membre du barreau. Tu sais très bien que ça ne passerait pas.

— Allons, Douglas, il s'agit de mon père, pas d'un quelconque dealer de came. (L'argument ne paraissait pas l'émouvoir.) Merde, tu me connais depuis toujours.

C'était la vérité – il m'avait vu grandir – mais si ce rappel le touchait, son regard froid n'en laissa rien paraître. Je pris un siège et passai sur mon visage une main qui exhalait encore la puanteur de cette cellule, me demandant si lui aussi ne l'avait pas décelée.

— On peut tourner autour du pot, repris-je d'une voix plus calme, mais le plus juste serait que tu m'en parles, tu le sais bien.

— Il s'agit d'un meurtre, Work, et ça sera la plus grosse affaire que le comté ait connue depuis des années. La presse va se déchaîner, et c'est moi qui serai sur la sellette.

— J'ai besoin de savoir, Douglas. C'est Jean qui a été la plus touchée. Elle n'est plus la même depuis cette nuit-là, comme tu en as été témoin. Si je dois lui annoncer la mort de notre père, elle exigera des détails, et il faudra bien que je lui en donne. Merde, elle a le droit de savoir. Et si l'affaire est vraiment moche, je devrai l'y préparer. Comme tu le dis toi-même, ce n'est pas dans les journaux qu'elle devra l'apprendre.

Je laissai passer un silence. Il me fallait absolument voir le lieu du crime et, pour cela, j'avais besoin de l'accord de Douglas.

— Je te le répète, je dois préparer Jean à cette nouvelle.

Il croisa les doigts sous son menton, un geste qui m'était familier. Ma sœur était mon atout maître, et il le savait. Jean avait entretenu une amitié particulière avec la fille du district attorney. Elles avaient grandi ensemble et avaient été très proches. Elles étaient en voiture quand un chauffard ivre les avait percutées de plein fouet. Jean s'en était tirée avec de légères blessures ; la fille de Douglas, elle, avait eu le crâne broyé. C'était le destin, comme on dit, et ç'aurait pu être Jean, la morte. Elle avait chanté à l'enterrement de son amie, et le souvenir mouillait encore les yeux de Douglas. Ma sœur avait pratiquement grandi sous son toit et, en dehors de moi-même, je savais que personne d'autre ne comprenait aussi bien sa douleur.

Le silence s'étirait. Je savais que ma flèche avait trouvé le défaut de la cuirasse. Je poussai mon avantage, avant qu'il ne réfléchisse trop.

— Cela fait bien longtemps. Tu es sûr qu'il s'agit de mon père ?

— Oui, c'est Ezra. Le coroner est sur les lieux, et j'attends qu'il me le confirme, mais je me suis entretenu avec l'inspecteur Mills. C'est elle qui dirige l'enquête, et elle m'a assuré que c'était lui.

— Je veux voir où c'est.

Il se figea, la bouche ouverte.

— Pas avant qu'ils en aient fini avec la scène du crime...

— Non, Douglas. Je veux y aller, maintenant. Je t'en prie.

C'était peut-être mon expression ou peut-être le fait de m'avoir connu petit et de m'apprécier depuis que j'étais devenu un homme. Peut-être était-ce à cause de Jean. Peu importe, je savais que je l'avais convaincu.

— Cinq minutes, me dit-il. Et tu ne quitteras pas l'inspecteur Mills d'une semelle.

*

Mills me rejoignit sur le parking d'un centre commercial abandonné, où le corps avait été retrouvé. Elle n'était pas contente de me voir. Ses bottines de luxe, sa coûteuse coupe de cheveux, tout en elle respirait la contrariété. Elle avait un visage aigu, qui accentuait cette éternelle expression de méfiance qu'elle arborait. C'était la raison pour laquelle on avait du mal à la trouver belle, en dépit d'un corps parfait. Elle avait mon âge, la trentaine, mais vivait seule depuis toujours. Contrairement à la rumeur, elle n'était pas lesbienne. Elle détestait les avocats, en vérité, ce qui était loin de me choquer.

— Vous avez dû drôlement lécher le cul à Douglas, Work. Je n'arrive pas à croire qu'il ait pu autoriser une chose pareille.

Mills ne dépassait pas le mètre soixante-dix, mais elle faisait plus grande. Sa vivacité d'esprit compensait pleinement la faiblesse de sa constitution physique. Je l'avais vue mettre en déroute plus d'un confrère qui avait cru pouvoir la défier.

— Il m'a fait jurer que je ne vous quitterais pas d'une semelle, et c'est ce que je ferai. J'ai juste besoin de voir. C'est tout.

Elle m'étudia dans la lueur grisâtre de l'après-midi, et son animosité parut s'effacer. Cette soudaine douceur sur un visage rigoureusement armé contre toute faiblesse avait quelque chose de vaguement dérangeant, mais je n'allais pas faire la fine bouche.

— Restez derrière moi et ne touchez à rien, vous entendez, Work ? Ne touchez à rien.

Sur ce, elle avança d'un pas déterminé sur la chaussée fissurée et envahie d'herbes folles et, pendant un bref instant, mes jambes refusèrent de la suivre. Mon regard balaya le parking et les bâtiments, jusqu'au ruisseau dont les eaux sales charriant des déchets se déversaient dans un gros conduit en béton. Je me souvenais de l'odeur qu'il dégageait, une puanteur d'essence et de boue et, pendant un instant, j'oubliai la raison de ma présence en ces lieux.

Cela aurait pu se passer la veille, me dis-je.

J'entendis Mills qui m'appelait et j'arrachai mon regard de ce sinistre endroit et des lointains souvenirs qu'il ressuscitait. J'avais maintenant trente-cinq ans, et j'étais ici pour de tout autres raisons. Je rejoignis Mills et, ensemble nous gagnâmes ce qui avait été le centre commercial de Towne. Même neuf, ça n'avait été qu'un triste et laid bâtiment préfabriqué, pris en sandwich entre l'autoroute et un imposant générateur d'électricité, dont les câbles à haute tension cisaillaient le ciel. Construit à la fin des années soixante, le centre avait longtemps lutté contre sa mort programmée. Il y a à peine un an, un tiers des commerces tenaient encore le coup mais le dernier avait fermé l'hiver dernier. À présent, les lieux étaient livrés aux bulldozers, aux manœuvres et aux terrassiers. C'était l'un d'eux, me rapporta Mills, qui avait découvert le corps dans la réserve d'un des magasins.

Je lui demandai des détails, et elle me les donna en quelques phrases sèches et amères que la douce brise printanière n'aurait pu adoucir.

— Quand il est tombé dessus, il a d'abord pensé que c'était un squelette de chien.

Je hochai bêtement la tête, comme s'il ne s'agissait pas de mon père. Un peu loin, sur ma droite, un marteau piqueur attaquait un mur de béton ; à ma gauche, le terrain s'élevait doucement jusqu'à Salisbury, dont les constructions paraissaient étinceler, comme si elles étaient faites d'or, ce qui, d'une certaine manière, était le cas. Salisbury était une ville riche ; il y avait là de vieilles fortunes et de plus récentes. Mais, par endroits, cette beauté était aussi mince qu'une couche de vernis et cachait à peine les fissures, car ici aussi il y avait de la pauvreté, bien qu'ils fussent nombreux à prétendre le contraire.

Mills souleva le cordon jaune de la scène de crime et me fit signe de passer. Nous entrâmes dans le bâtiment par la porte principale, qui n'était plus qu'une ouverture déchiquetée entre deux murs de parpaings. Nous passâmes devant une suite de commerces aux devantures obstruées de planches, pour faire halte devant le dernier : une animalerie dont l'enseigne annonçait *Animaux Familiers et Exotiques*. Cela faisait longtemps qu'il n'y avait plus que des rats derrière ces plaques de contreplaqué – des rats et les restes de mon père, Ezra Pickens.

L'électricité était coupée, mais l'unité de la scène de crime avait installé une batterie de lampes à piles. Je reconnus le coroner, dont je n'avais pas oublié l'expression atterrée, la nuit où ma mère était morte. Il se garda bien de croiser mon regard, ce qui ne me surprit pas, car bien des questions avaient été posées cette même nuit. Je glanai quelques saluts polis de quelques policiers mais vis bien que la plupart d'entre eux n'étaient pas heureux de me voir. Ils s'écartèrent cependant, tandis que Mills m'entraînait vers l'arrière du magasin. Je savais que s'ils taisaient ainsi leur réprobation, c'était davantage par respect envers l'inspecteur Mills et la personnalité qu'avait été mon père que par compassion envers mon propre deuil.

Il était là, la cage thoracique luisant faiblement sous le tissu déchiré d'une chemise dont le souvenir me revint soudainement. Il ressemblait à un crucifix brisé, un bras étendu sur le côté, et les jambes croisées. La tête disparaissait sous une chemisette à rayures multicolores encore accrochée à son cintre, mais la vision d'un bout de mâchoire me rappela ses moustaches, pâles et luisantes de sueur sous la lumière crue d'un lampadaire la nuit où je le vis pour la dernière fois.

Le poids des regards que je sentais peser sur moi m'arracha à ma contemplation. Je jetai un coup d'œil au groupe de policiers. Certains étaient simplement curieux mais d'autres éprouvaient, je le sentais bien, une secrète satisfaction. Ils étaient là pour me voir, moi, un avocat de la défense, face à un meurtre qui ne serait pas pour moi une simple affaire criminelle, car la victime, cette fois, était ma propre chair, mon propre sang.

Je savais ce qu'ils attendaient, et j'abaissai de nouveau les yeux sur ces ossements pâles. Mais rien dans mon regard ni mon corps ne me trahit, ce dont je me félicitai. Parce que ce que j'éprouvais, en vérité, c'était le retour d'une longue et patiente rage et la ferme conviction que c'était dans la mort que mon père me paraissait le plus humain.

2.

J'étais là, à contempler le cadavre de mon père en doutant que je puisse un jour en oublier la vision, même en m'y efforçant. Je me penchai en avant, comme pour le toucher, et sentis Mills bouger derrière moi. Posant une main sur mon épaule, elle me tira en arrière.

— Ça suffit, dit-elle.

Le regard durci, elle me raccompagna jusqu'à ma belle quoique vieillissante voiture. Je la suivis des yeux, tandis qu'elle regagnait la scène de crime, et la saluai d'un signe de tête, quand elle se retourna pour me regarder avant de disparaître dans le bâtiment. J'essayai ensuite de joindre Jean sur mon portable. Sa compagne, prénommée Alex, décrocha à la première sonnerie. C'était une femme rugueuse, aux lèvres serrées, le regard dur. Nous ne nous entendions pas très bien, et ma liste de questions dépassait de loin sa capacité de réponses. Sa liaison avec ma sœur empoisonnait depuis longtemps la famille, et elle n'avait jamais caché son antipathie pour moi. Elle me considérait comme une menace.

— Est-ce que je pourrais parler à Jean? lui demandai-je.

— Non.

— Pourquoi ça?

— Elle n'est pas là.

— Où puis-je la joindre ? C'est important, lui dis-je.

Dans le silence qui suivit, je l'entendis allumer une cigarette et tirer une longue bouffée, comme pour prendre le temps de réfléchir, mais son petit jeu ne me trompait pas. Je ne savais que trop bien qu'avec moi elle ne baisserait jamais la garde.

— À son travail, lâcha-t-elle enfin, et je me demandai si ma voix avait été une seule fois la bienvenue dans cette maison.

Elle raccrocha aussitôt.

Je n'avais vraiment aucune envie de me confronter à ma sœur, à plus forte raison sur son lieu de travail, où la déchéance se lisait sur son visage.

Ce fut une forte odeur de poivrons et de champignons qui m'accueillit quand je poussai la porte du Pizza Hut dans West Innes Street. Une odeur rance, qui réveilla des souvenirs de lycée et de baisers volés. Ados, nous avions l'habitude de charrier les serveuses, et le poids de ces souvenirs pesa un peu plus sur moi, tandis que je gagnais le comptoir.

Je connaissais de vue le gérant, et il m'apprit que Jean s'était absentée.

— Elle est en livraison, me dit-il. Vous pouvez l'attendre ici, si vous voulez.

Je m'installai dans l'un des boxes en vinyle rouge et commandai une bière. Celle-ci était glacée et sans goût, ce qui s'accordait parfaitement à cette journée. Sirotant ma bibine, je surveillai un instant la porte puis jetai un regard discret aux quelques clients attablés là. Une jeune serveuse maigrelette portant deux piercings – un anneau à la langue et une petite croix à la paupière, vint servir un séduisant couple d'Afro-américains, qui lui sourit comme s'il y avait entre eux je ne sais quoi en commun. Un peu plus loin, deux matrones avachies sur des chaises dont les pieds me paraissaient bien grêles pour leur poids encourageaient leur progéniture à s'en foutre plein la lampe, car c'était la journée buffet à volonté.

À la table voisine, trois collégiens éclusaient de la bière ; ils parlaient fort et grossièrement. Je les écoutais d'une oreille discrète. J'avais eu leur âge... et leurs illusions.

La porte s'ouvrit, laissant entrer un pâle rayon de soleil. Tournant la tête, je vis ma sœur entrer, et ma mélancolie pesa soudain plus fort. Elle semblait afficher sa déchéance d'un air détaché, et trimballait sous son bras un conteneur à pizzas avec le même naturel que je mettais moi-même à porter mon attaché-case. Mais la pâleur de sa peau et l'expression hagarde de ses yeux étaient étrangères au souvenir que je gardais d'elle, de même que son jean rapiécé et ses tennis avachis. Comme elle s'arrêtait devant le comptoir, j'eus le loisir de l'étudier de profil. Toute douceur semblait avoir disparu de son visage, et il y avait dans les yeux et la bouche une sécheresse que je ne lui avais jamais connue. Son expression était difficile à lire. Ma sœur m'était devenue une étrangère.

Elle avait trente et un an, et était encore très séduisante, physiquement du moins. Mais cela faisait longtemps qu'elle déprimait et n'était plus la même. On aurait dit qu'elle avait cessé de lutter.

Elle posa le conteneur sur le comptoir et regarda fixement la rangée de fours à pâte. Elle ne bougeait pas, et je ressentis cruellement le mal-être qu'elle dégageait.

Le silence soudain à la table des jeunes gens attira mon attention. Ils avaient le regard braqué sur ma sœur, qui se tenait d'un air absent sous la lumière glauque du comptoir.

— Hé ! appela l'un d'eux. (Un silence passa.) Hé ! reprit-il plus fort.

Ses copains le regardaient, hilares. Il se pencha en avant sur son siège.

— Hé ! tu pourrais me livrer tes fesses à domicile ?

Un de ses amis sifflota doucement. Ils ne quittaient plus ma sœur des yeux.

Je commençai à me lever par pur réflexe, quand elle se tourna vers la table des jeunes cons. Je me figeai. Une ombre passa dans son regard. Un bref instant, je ne la reconnus plus. Elle aurait pu être l'importe qui. Je la vis lever une main et tendre longuement le doigt aux importuns.

Puis le gérant sortit de la cuisine. Remontant sa ceinture, il appuya sa panse au comptoir. Je ne pus entendre ce qu'il dit à Jean, mais je la vis qui hochait la tête, les épaules voûtées. Il jeta un regard à la table des jeunes, puis lui désigna la stalle où j'étais assis. Elle se tourna dans ma direction. Un instant, je crus qu'elle ne me reconnaissait pas. Un pli d'écœurement à la bouche, elle se dirigea vers moi, pointant de nouveau son majeur aux jeunes en passant devant leur table, la main contre sa poitrine pour ne pas se faire voir du patron.

S'esclaffant, les lycéens retournèrent à leurs bières. Elle se glissa sur la banquette en face de moi.

— Que fais-tu ici ? me demanda-t-elle sans préambule ni sourire, le regard vide.

L'observant attentivement, je m'interrogeai sur cette hostilité à mon égard. Elle avait toujours le même teint clair et si pâle que sa peau en paraissait translucide, un visage délicat, et des cheveux noirs qui lui tombaient sur le front et chutaient en vrac sur ses épaules. De près, elle paraissait solide, mais il y avait cette fêlure en elle qui me faisait penser qu'il n'en était rien.

Quelque chose dans les yeux, peut-être.

— Qu'est-ce qu'il t'a dit? lui demandai-je avec un signe de tête en direction du gérant. Elle ne se donna pas la peine de suivre mon regard. Elle gardait les yeux fixés sur moi, et il n'y avait pas la moindre chaleur en eux.

— Qu'est-ce que ça peut foutre ? dit-elle.

— Rien, je suppose.

— Alors ? dit-elle, le sourcil interrogateur et les mains écartées.

Je ne savais par où commencer. J'écartai les doigts sur la nappe à carreaux rouges recouvrant la table.

— Tu ne viens jamais, ici, dit-elle. Pas même pour manger.

Je ne l'avais pratiquement pas revue depuis un an, et ne pouvais lui en vouloir. Ma conduite était certainement répréhensible, mais éviter ma sœur était devenu pour moi une nécessité qui tenait de la religion. Je ne voulais pas me l'avouer mais, en vérité, son regard blessé me serrait le cœur. Il me rappelait trop les yeux de ma mère, à qui la vie n'avait pas souri non plus.

L'indécision scellait mes lèvres.

— Ils ont découvert le corps d'Ezra, dit-elle soudain.

Ce n'était pas une question et, un bref instant, je ressentis une pression derrière mes yeux.

— Je suppose que c'est pour ça que tu es venu.

Je ne lisais aucune clémence sur son visage, juste une soudaine intensité, et cette absence totale de surprise, voire de regret, me déstabilisa un peu plus.

— Oui, confirmai-je.

— Où çà ?

Je le lui dis.

— Il est mort comment ?

— Pour la police, il s'agirait d'un meurtre, lui indiquai-je, notant une fois de plus l'absence d'étonnement. Mais personne n'en sait plus, pour le moment.

— C'est Douglas qui te l'a appris ?

— Effectivement.

— Savent-ils qui a fait le coup ?

— Non.

Elle prit soudain mes mains dans les siennes, et sentant la moiteur de ses paumes, je m'étonnai de cette chaleur, comme si j'avais inconsciemment pensé qu'elle pût être un animal à sang froid. Elle me tint les mains pendant un instant en me regardant dans les yeux, puis s'écarta de la table.

— Et comment encaisses-tu la nouvelle ? me demanda-t-elle.

— Je suis allé voir le corps, répondis-je, regrettant aussitôt ma réponse, car malgré ce que j'avais promis à Douglas, je n'avais pas envisagé de le lui dire.

— Et...

— Ce n'est plus qu'un squelette, dis-je, avant de me réfugier dans un silence qui dura une bonne minute.

— Le roi est mort, donc, dit-elle enfin, son regard toujours planté sur moi. J'espère qu'il est en train de pourrir en enfer.

— Tu es dure.

— Peut-être bien.

— La nouvelle n'a pas l'air de te surprendre.

— J'étais persuadée qu'il était mort, dit-elle en haussant les épaules.

— Pourquoi ? la pressai-je, le ventre soudain noué.

— Parce qu'Ezra n'aurait jamais délaissé aussi longtemps la scène du pouvoir et de l'argent. Rien n'aurait pu l'en éloigner.

— Il a été assassiné, lui fis-je remarquer.

Elle porta son regard vers la moquette tachée.

— Notre père s'était fait beaucoup d'ennemis.

Je sirotai ma bière pour gagner quelques secondes, essayant de comprendre l'attitude de ma sœur.

— Tu vas bien ? lui demandai-je enfin.

Elle eut un rire, son perdu qui ne s'accordait pas à son regard.

— Non, dit-elle, c'est pas la grande forme, mais ça n'a rien à voir avec sa disparition. Pour moi, il est mort la même nuit que maman, au moment précis où elle est tombée dans l'escalier. Et si tu ne vois pas les choses de la même façon, c'est ton problème, pas le mien.

Je m'étais attendu à des larmes, et je rencontrais une colère qui me visait autant qu'Ezra. J'en étais troublé. Comment nos chemins avaient-ils pu autant s'écarter en si peu de temps ?

— Écoute, Jean, maman a fait une chute dans l'escalier, et elle en est morte. J'en souffre encore autant que toi.

Elle ricana avec mépris.

— Une chute, hein ? dit-elle. Ça, c'est fort, Work. Vraiment le top. (Elle passa le dos de sa main sous son nez en reniflant bruyamment.) Maman, reprit-elle, mais sa voix se brisa, et des larmes perlèrent dans ses yeux, et je réalisai que, depuis l'enterrement de notre mère, jamais je n'avais été témoin d'une émotion en elle. (Se reprenant, elle me regarda d'un air de regret.) Il est mort, Work, et tu es toujours son petit singe savant, dit-elle d'une voix qui avait repris de l'assurance. Et sa vérité aussi est morte. (Elle se moucha et, froissant son mouchoir en papier, le balança sur la nappe.) Plus vite tu accepteras la seule vérité qui compte, mieux tu te porteras.

— Pardonne-moi, Jean, si je t'ai blessée.

Elle tourna son regard vers la fenêtre. Sur le parking, une bande d'étourneaux se querellait. Elle ne pleurait plus et, sans la rougeur de son visage, on n'aurait jamais deviné son émotion.

Je sentis une odeur d'ail et, soudain, deux boîtes de pizza apparurent sur la table. Je levai la tête vers le gérant. M'ignorant, il s'adressa à Jean.

— Ton adresse préférée. Désolé.

Sur ce, il regagna sa cuisine, remportant avec lui le parfum aillé.

— J'ai une livraison, dit Jean. Faut que j'y aille.

Se glissant hors du box, elle ébranla la table, secouant ma bière. Elle évitait mon regard, et je savais que mon silence l'éloignerait de moi sans que ne soit échangé un seul mot de plus. Mais avant que je ne trouve quelque chose à dire, elle avait pris les boîtes et s'éloignait déjà.

Sortant d'une main fébrile mon portefeuille, je jetai deux dollars sur la table et la rejoignis juste au moment où elle poussait la porte. Je la suivis sur le parking jusqu'à sa voiture rongée par l'âge. J'ignorais ce que je voulais lui dire. Peut-être... Comment oses-tu me juger ? Tu es la seule personne que j'ai au monde, et je t'aime. Quelque chose comme ça.

— Que voulait-il dire? m'enquis-je en lui posant la main sur le bras, alors qu'elle ouvrait la portière.

— Qui ça?

— Ton patron, en parlant de ton adresse préférée?

— Rien, répondit-elle, un pli amer à la bouche. C'est rien qu'une livraison.

Je ne sais pourquoi je répugnais à la laisser partir, mais je fus incapable de trouver un quelconque prétexte.

— Écoute, on pourrait dîner ensemble un soir? Avec Alex, bien entendu.

— Mais bien sûr, répondit-elle de cette voix que je connaissais trop bien. J'en parlerai à Alex, et on t'appellera.

Je savais qu'Alex veillerait à ce que cela n'arrive pas.

— Transmets-lui mes amitiés, lui dis-je encore, alors qu'elle se glissait derrière le volant et démarrait le moteur.

Je tapai d'un plat de la main sur le toit, alors qu'elle accélérait. La voir dans cette misérable caisse à l'enseigne de Pizza Hut était un vrai crève-cœur pour moi.

Je faillis remonter sur-le-champ dans ma voiture, et regrette maintenant de ne pas l'avoir fait. Au lieu de ça, je retournai voir le gérant pour lui demander à quelle adresse se rendait Jean. Sa réponse me rappela le genre de supplice qu'enfant on inflige aux mouches en leur arrachant les ailes, torture qui faisait partie du quotidien de ma sœur. J'avais sauté dans ma voiture et démarré, avant que le battant de la porte du restaurant ne se referme derrière moi.

Confronté aux clochards croisés dans la rue, je m'efforçais d'imaginer ce qu'ils avaient pu être avant leur chute. Sous le masque de crasse et de déchéance, il y avait eu un visage aimé. C'était là une évidence qui vous faisait détourner pudiquement les yeux. Il était arrivé un malheur dans cette existence, et ce n'était ni une famine ni une peste. C'était une petite chose, une qui pouvait frapper chacun d'entre nous; une vérité bien laide, comme ma sœur le savait trop bien. Elle n'était pas une SDF mais le destin et l'inhumanité de certains l'avaient privée d'un bel avenir et d'une vie heureuse. Elle débordait alors de confiance, souriant aux prometteuses années qui s'étendaient devant elle sur des rails d'argent.

Mais la destinée peut être une belle saloperie.

Les gens aussi.

C'est machinalement que je pris cette route que je connaissais si bien. Je passai bientôt devant l'imposante demeure que j'avais connue enfant, désormais vide à l'exception des poussiéreuses possessions de mon père. Deux rues plus loin se trouvait ma propre maison. Bâtie au faîte d'une colline, elle dominait la rue en contrebas et le parc qui s'étendait au-delà. C'était une belle construction ancienne, solide comme un chêne, aimait à dire ma femme. Pourtant, elle avait besoin d'un bon coup de peinture, et le toit était tapissé de mousse.

Au-delà de la maison s'étendant le country-club, avec son parcours de golf Donald Ross, ses courts de tennis en terre battue, le club-house et la piscine au bord de laquelle lézardaient des corps bronzés. Ma femme devait sûrement s'y trouver, à faire comme si nous étions riches et heureux.

De l'autre côté du terrain de golf, on pouvait découvrir un lotissement de luxe alignant les plus belles maisons de Salisbury. On y trouvait de nombreux chirurgiens et avocats renommés, parmi lesquels le Dr Bert Werster et sa femme Glena, la reine des salopes. Glena et Jean faisaient leur jogging ensemble, à l'époque où Jean aussi avait épousé un médecin et avait les jambes galbées et brunies d'une joueuse de tennis, sans parler d'un bracelet serti de brillants. Elles étaient alors une bande de six ou sept jeunes femmes qui alternaient bridge, tennis et margaritas, et longs week-ends entre filles à Figure Eight Island.

Le patron de Jean m'avait dit que la petite bande jouait au bridge tous les mardis, et qu'elles commandaient souvent des pizzas.

Voilà ce qu'était devenue la vie de ma sœur.

Je m'arrêtai au coin de la rue où se dressait la maison du Dr Werster, grande bâtisse en pierre de taille couverte de lierre. Je vis Jean grimper les marches du perron et imaginai combien cette boîte de pizza devait peser entre ses mains.

Je voulais la porter à sa place. Quant à Glena, je lui aurais volontiers fait sauter la tête d'un coup de fusil.

Au lieu de ça, je fis doucement marche arrière, craignant de me faire repérer, ce qui ne ferait que peser davantage sur les fragiles épaules de ma sœur.

Je repartis, passant de nouveau devant le club, sans un regard pour ses nantis insouciants. Arrivé en haut de l'allée, je coupai le moteur, et restai dans la voiture, sous les murs à la peinture écaillée. M'assurant d'un regard que j'étais seul, je baissai la vitre, et pleurai pour ma sœur.

3.

Je mis vingt bonnes minutes à me ressaisir, puis rentrai dans la maison me chercher une bière. Du courrier jonchait le comptoir de la cuisine, et le répondeur téléphonique affichait cinq messages. Je pris deux canettes dans le frigo. Je sirotai la première tout en me débarrassant de mon manteau que j'abandonnai sur une chaise, puis traversai le rez-de-chaussée glacé jusqu'à la porte de devant, qui ouvrait sur le monde en dessous. M'asseyant sur la première marche du perron, je bus une longue gorgée, les yeux clos face à l'éclat du soleil.

J'avais acheté cette maison quelques années plus tôt, quand la présence d'Ezra conférait à l'exercice du droit une patine de respectabilité, et que de pauvres bougres payaient gros pour toucher l'ourlet de sa robe. Il avait été le meilleur avocat du comté, ce qui m'avait facilité la tâche. Nous avions partagé le même cabinet et le même nom. Je pouvais ainsi choisir mes affaires et, six mois après que le fourgon d'une épicerie locale eut écrasé un gamin de six ans en faisant une marche arrière, je décrochai cent mille dollars de dédommagement pour les parents.

Pris d'une soudaine panique à l'idée que je ne me souvenais plus du nom de la victime, je m'envoyai une nouvelle lampée. Pendant une longue minute, je m'abîmai douloureusement dans mon insupportable légèreté, avant que le souvenir me revienne.

Leon William McRae. Je me rappelais le visage de la mère, à l'enterrement, ses larmes traçant de longs sillons sur son visage plissé de douleur et perlant sur la dentelle de sa plus belle robe. Je me souvenais de ses paroles étranglées, de la honte que lui causait le petit cercueil en pin brut et de sa tombe creusée dans le carré des pauvres, à l'ombre du château d'eau, là où jamais le soleil ne chauffait.

Je me demandai ce qu'elle avait bien pu faire de l'argent que ce deuil lui avait valu, et espérai qu'elle en avait fait meilleur usage que moi. En vérité, je n'aimais pas ma maison, la trouvant trop grande, trop visible. Je m'y agitais comme une pièce de monnaie dans une boîte en fer. Mais j'aimais bien me poser là, sur le perron, à la fin de la journée, sous le soleil couchant, écoutant bruisser les chênes dans le parc. Je m'efforçais de ne pas penser aux choix que j'avais faits, bref, d'oublier le passé. C'était le seul endroit de la baraque où je trouvais un vide salutaire, une espèce d'absolution. Hélas, ce refuge ne m'appartenait pas réellement. Le plus souvent, Barbara s'arrangeait pour me gâcher mon plaisir.

Ma deuxième bibine terminée, je me levai, époussetai mon pantalon et allai m'en chercher une troisième. Passant dans la cuisine, je remarquai de nouveau le répondeur, qui affichait deux messages de plus, et me demandai vaguement si l'un d'eux n'était pas de ma femme. De retour au perron, je repris mon poste, juste à temps pour voir passer l'un de mes promeneurs préférés.

Il y avait une certaine grandeur dans sa laideur. Il portait toujours une casquette de chasseur ourlée de fourrure, avec les oreillettes rabattues, quel que fût le temps, et un pantalon kaki usé à la corde, dans lequel flottaient deux cannes maigres. D'épaisses lunettes pendaient à son nez, et sa bouche mangée de barbe semblait grimacer de douleur. Ses passages étaient imprévisibles, et il marchait de manière compulsive : on pouvait l'apercevoir en peine nuit, longeant la voix ferrée sous une pluie battante ou arpentant le quartier historique au lever du soleil.

Personne ne savait grand-chose sur lui, bien qu'il résidât ici depuis longtemps. J'avais entendu son nom une fois, dans une soirée, Maxwell Creason. On avait donc parlé de lui, ce soir-là. Il était devenu une figure familière dans le coin mais, apparemment, personne ne lui avait jamais adressé la parole ni ne savait de quoi il vivait. On en avait rapidement conclu qu'il devait être un de ces SDF fréquentant les asiles, peut-être même un pensionnaire de l'hospice des Anciens Combattants. Les spéculations n'étaient pas allées plus loin ; on avait ricané, moqué son allure, sa façon de marcher, et aucun de ces commentaires n'avait été charitable.

Quant à moi, je le voyais différemment. Il incarnait à mes yeux un grand point d'interrogation et, d'une certaine façon, le personnage le plus excentrique de tout le comté de Rowan. En vérité, je rêvais de lui emboîter le pas, un jour, et lui demander : – Que voyez-vous quand vous vous promenez ainsi ?

Je n'entendis pas la porte s'ouvrir, et soudain Barbara était derrière moi. Sa voix me fit sursauter.

— Vraiment, Work, combien de fois je devrai te demander d'aller boire ta bière dans le patio de derrière ? Tu as l'air d'un petit Blanc se débraillant devant tout le monde.

— Bonsoir, Barbara, répondis-je sans quitter mon mystérieux promeneur des yeux.

Prenant conscience de la brutalité de ses mots, elle adoucit le ton.

— Oh, désolée, mon chéri. Bonsoir à toi.

Sa présence se fit plus sensible, alors qu'elle avançait d'un pas, un mélange de parfum et de dédain qui tombait autour de moi comme une pluie de cendres.

— Que regardes-tu ? me demanda-t-elle.

Je ne savais que lui répondre. Que pouvais-je bien dire ? Et ce fut sans y penser que je lâchai avec un geste de la main : – Il est magnifique, ce type, tu ne trouves pas ?

— Quel type ? Oh, lui ? dit-elle, comme on pointe un revolver.

— Oui, lui.

— Pour l'amour du ciel, Work. Il y a des fois où, vraiment, je ne te comprends pas.

Je me tournai de côté pour la regarder. Elle était belle.

— Viens t'asseoir à côté de moi, comme nous le faisions avant.

Elle eut un rire qui l'enlaidit soudain, et je sus que tout espoir était perdu.

— Je portais aussi des jeans à l'époque, mais, pour le moment, j'ai le dîner à préparer.

— S'il te plaît, Barbara, juste une minute ou deux.

Il devait y avoir dans ma voix quelque chose qui la fit se retourner pour se rapprocher de moi. Ses lèvres esquissèrent un sourire flirteur, mais dont la brièveté me rappela qu'il y avait eu un temps où ces sourires n'étaient pas aussi froids et faux, un temps où ils pouvaient même m'aveugler. Je l'avais aimée ou cru l'aimer, sans jamais douter de mes choix. Elle avait alors une telle confiance en nous deux. Elle parlait de notre avenir avec une passion qui semblait prophétique. Nous étions, disait-elle, un couple parfait destiné à une vie parfaite. Je la croyais. J'étais son disciple, et, à travers ses yeux s'offrait à moi un avenir radieux.

C'était il y a longtemps mais, encore maintenant, je pouvais en fermant les yeux revoir un peu de cette éblouissante lumière. Cela nous avait paru si facile.

Je balayai du plat de la main quelques aiguilles de pain et tapotai le carrelage fendu à côté de moi. Elle se pencha doucement et, quand elle s'assit et croisa les bras autour de ses genoux, il me sembla voir passer dans ses yeux la lueur de cet ancien amour.

— Tu vas bien ? demanda-t-elle, soudain attentive.

Ma gorge se serra un instant, et je sentis que si je libérais les mots, les larmes pourraient suivre. Alors, je désignai de nouveau la silhouette dansante qui s'éloignait.

— Il est incroyable, non ?

— Bon Dieu, Work, dit-elle, se relevant. C'est rien qu'un vieux clochard, et j'aimerais bien qu'il arrête de passer devant chez nous. (Elle me regardait comme si j'étais un étranger, et je ne trouvais rien à lui dire.) Pourquoi crées-tu toujours des problèmes, Work ? Prends ta bière et va la boire derrière. Tu veux bien faire ça pour moi ?

Elle s'éloigna. Il ne m'était encore jamais venu à l'esprit que mon bonhomme pût être un vieux clochard, et la remarque de Barbara me troublait. Je le suivis des yeux, tandis qu'il descendait la pente herbeuse menant au petit lac qui formait le cœur du parc, avant de se fondre dans l'aire de jeux.

Il faisait froid dans la maison. J'appelai ma femme et, comme elle ne répondait pas, entrai dans la cuisine pour prendre une autre bière – une de trop, je le savais. J'aperçus Barbara par la porte ouverte du salon. Elle était penchée sur le journal, un verre de vin blanc à côté d'elle. Je ne l'avais jamais vue aussi immobile.

— Quoi de neuf dans le canard ? m'enquis-je d'une petite voix.

Transportant ma bière dans le salon silencieux, je me laissai choir dans mon fauteuil préféré. Elle avait la tête penchée, et sa peau avait la pâleur des ossements d'Ezra. Deux ombres comblaient les creux de ses joues. Elle pinçait les lèvres, et une expression de peur passa sur son visage, avant qu'elle ne lève vers moi un regard radouci.

— Oh, Work, dit-elle, les larmes roulant sur ses traits réguliers. Je suis vraiment désolée.

Je vis le titre à la une, et m'étonnai qu'elle puisse pleurer, quand j'en étais moi-même bien incapable.

Ce soir-là, au lit, attendant que Barbara ait terminé dans la salle de bains, je repensai à cet article, à ces choses qu'il dévoilait et à celles qu'il taisait. Mon père y était présenté comme une espèce de saint, défenseur de la veuve et de l'orphelin et pilier de la communauté. La vérité, décidément, se serait bien passée de tant de conformisme poisseux. Mon père aurait vu là une juste épitaphe. Moi, ça me donnait envie de vomir.

Je contemplais une belle lune par la fenêtre, quand un bruit de gorge me fit tourner la tête vers Barbara, qui se tenait entre la douce lueur astrale et un rai de lumière venant de la salle de bains. Elle portait un déshabillé vaporeux que je ne lui avais jamais vu. Elle bougea légèrement sous mon regard, et je vis ses seins lourds trembler sous le tissu arachnéen. Elle avait toujours les mêmes longues jambes au galbe parfait, et le triangle noir de son bas-ventre mobilisait soudain toute mon attention.

Nous n'avions pas fait l'amour depuis des semaines, et je savais qu'elle venait s'offrir, mue par quelque sentiment de devoir. Bizarrement, cela eut pour effet de m'exciter follement. Je ressentais un besoin si dur qu'il en était presque douloureux. Ce n'était pas d'une épouse dont j'avais besoin. Je ne cherchais ni complicité ni sentiment. Je voulais m'enfoncer dans cette chair et effacer de mes os la réalité de cette journée.

Elle prit la main que je lui tendais et se glissa sans un mot sous le drap, comme si pour elle aussi l'acte devait rester impersonnel. Je l'embrassai durement sur la bouche, sentis le sel de ses larmes séchées. Mes mains la pétrissaient, fouillaient son corps. Sa robe de nuit disparut. Elle offrit ses seins à mes baisers, mes morsures lui arrachant des cris étouffés, et puis il n'y eut plus que le bruit mouillé des chairs emboîtées et heureuses.

4.

J'avais remarqué qu'en l'absence de ma femme régnait dans la maison un silence particulier. On avait l'impression que les lieux respiraient enfin. À mon réveil, le lendemain matin, je savais que Barbara ne m'aimait plus. Je ne sais pourquoi ce sentiment s'imposait ainsi à moi, mais je ne pouvais le nier. C'était une réalité, et une aussi palpable que l'étaient mes propres os.

Je jetai un regard à la table de nuit mais ne remarquai rien d'autre que la lampe de chevet et un verre d'eau marqué d'une trace de rouge à lèvres. Elle me laissait toujours de petits mots, pour me dire qu'elle était à la bibliothèque ou prenait le café avec les copines, qu'elle m'aimait et pensait à moi, mais tout cela, bien sûr, c'était avant que, financièrement parlant, on ne devienne un peu juste. Cette fois, elle était sûrement partie à son club de gym pour y éliminer toute trace de ma personne, après cette baise sacrificielle. Elle aurait tout loisir de s'examiner devant la glace, d'effacer d'un sourire toute trace de souci et d'oublier qu'elle avait prostitué sa vie pour un mariage sans passion et des revenus de misère.

Je me levai du lit. Il était sept heures au réveil. La journée qui s'annonçait serait lourde. La nouvelle de la mort d'Ezra devait s'être répandue dans tout le comté, à présent, et je serais la cible de tous les regards. Cette pensée en tête, je passai dans la salle de bains pour une toilette compulsive. Il ne me restait qu'un seul costume propre, que je décrochai sans plaisir de son cintre, regrettant de ne pouvoir enfiler un jean et blouson. Il restait du café dans la cafetière. Je m'en servis une tasse, que j'emportai avec moi dehors, sous un ciel voilé.

Il était trop tôt pour me rendre à mon bureau, et le tribunal n'ouvrait qu'à neuf heures. Je décidai d'aller faire un tour en voiture, sans me fixer de destination particulière tout en sachant bien que les routes menaient toujours quelque part, que c'était juste une question de choix. Je sortis de la ville et traversai Grant's Creek. Puis, comme je passais devant un centre Johnson, une annonce sur une pancarte attira mon attention : on cherchait de bons foyers pour placer des chiots. Je levai le pied, caressant l'idée d'une adoption, mais en songeant à la réaction de Barbara, je sus que je ne m'arrêterais pas. Je poursuivis mollement mon chemin, le regard collé au rétroviseur jusqu'à ce que la pancarte disparaisse de ma vue. Passé le virage, la vitesse remontait à quatre-vingts, et j'accélérai, baissant les vitres. J'avais perdu mon chien il y a deux ans, et il me manquait. J'aurais voulu ne pas y penser, mais c'était difficile, c'était une si brave bête. Attentif à la route, je continuai de rouler, passant devant de petites maisons de briques et des lotissements baptisés de noms ronflants, tels *La Plantation* ou *Les Bois de Saint John*.

« Les bouseux montent à la ville », aurait commenté ma femme, oubliant que mon père venait d'une famille de pauvres.

Quinze bornes plus loin, j'arrivai au panneau déglingué indiquant la ferme Stolen. Je ralentis pour m'y engager et sentis le crissement du gravier sous les pneus et le volant vibrer dans mes mains. Le chemin était bordé de grands arbres et s'enfonçait en pays vierge.

C'était une vieille ferme, aussi vieille que les champs eux-mêmes. Ses murs avaient abrité plusieurs générations, et de grands cèdres flanquaient des allées datant d'avant la guerre de Sécession. Ç'avait été une immense propriété, mais avec le temps elle ne comptait plus qu'une cinquantaine d'hectares, et je la savais menacée par la faillite depuis des années. Il ne restait de la famille Stolen que Vanessa, tenue elle aussi depuis l'enfance pour de la racaille blanche.

De quel droit venais-je alourdir ces lieux de mon propre fardeau ? Bien entendu, je connaissais la réponse, mais la tentation était la plus forte. La rosée perlait l'herbe, et Vanessa serait à l'arrière de la maison, un bol de café à la main. Je lirais de l'inquiétude sur son visage quand elle porterait son regard vers ces prairies qui vous donnaient du baume au cœur, et je savais qu'elle serait nue sous ces vieilles robes de coton qu'elle affectionnait. Je désirais aller à elle parce que je savais qu'elle me prendrait comme elle l'avait toujours fait, qu'elle attirerait mes mains vers la chaleur de son ventre, embrasserait mes yeux et me dirait que tout allait bien. Et je ne demanderais qu'à la croire, comme je l'avais si souvent fait. Mais cette fois, elle se tromperait. J'arrêtai la voiture avant le dernier tournant dans l'allée, d'où je pouvais voir la maison. Celle-ci semblait s'affaisser sur elle-même, et cela me fit mal de voir des planches de bois brut barrer les fenêtres à l'étage, où je m'étais tenu, il y a bien longtemps de ça, à regarder la rivière couler au loin. Ma dernière visite ici remontait à un an et demi, mais je me souvenais si bien de ses bras autour de moi.

— À quoi penses-tu ? m'avait-elle demandé, son visage dans le creux de mon épaule, un fantôme à la fenêtre.

— À notre rencontre, lui avais-je répondu.

— Ne pense pas à des bêtises pareilles. Viens dans le lit, plutôt.

C'était la dernière fois que je l'avais vue, mais la lumière qui brillait toujours au-dessus de la porte d'entrée m'était destinée, je le savais.

J'enclenchai la marche arrière, mais restai encore un peu. J'avais toujours été sensible à l'attachement de Vanessa pour sa ferme. Elle n'en partirait jamais, et serait un jour enterrée dans le petit cimetière de famille enfoncé dans les bois. Je m'étais souvent dit que ce devait être apaisant de savoir où vous passeriez l'éternité, tout en me demandant si une telle assurance vous apportait la paix. Peut-être.

Je fis demi-tour et partis, laissant comme toujours un peu de ma chair derrière moi.

De retour sur la route, le monde perdit de sa clémence, et le trajet jusqu'à mon travail me parut âpre et plein de bruit. J'officiais depuis neuf ans dans un bureau donnant sur ce qu'on appelait "la rue des avocats", qui était située entre le palais de Justice et l'église anglicane. En dehors de deux ou trois jolies secrétaires des cabinets voisins, cette église était bien la seule architecture à valoir le coup d'œil. J'en connaissais par cœur tous les vitraux.

Je me garai. Le ciel s'assombrissait, et le météorologiste de Charlotte avait vu juste en annonçant de la pluie en fin de matinée. Sortant de la voiture, je jetai un coup d'œil aux roues et vis la terre ocre ornant les pneus de rouge à lèvres.

Ma secrétaire, la dernière qui me restait, m'accueillit à la porte avec un gobelet de café et une accolade qui dégénéra en sanglots. Pour je ne sais quelles raisons, elle avait aimé mon père, et elle s'était plu à l'imaginer retiré dans quelque île paradisiaque, rechargeant ses accus avant de revenir dans sa vie. Elle m'informa qu'il y avait un grand nombre d'appels, la plupart de confrères présentant leurs condoléances mais aussi de journalistes, dont un depuis Raleigh ! Apparemment, les meurtres d'avocat n'avaient pas encore perdu tout intérêt pour le public.

Elle me remit un paquet de papiers dont j'aurais besoin au tribunal – pour la plupart des infractions au code de la route et une affaire de délinquance juvénile – et me promis qu'elle garderait la maison.

Il n'était pas neuf heures quand je quittai le bureau, prévoyant d'être au tribunal au début des audiences, et me soustrayant ainsi à l'avalanche probable de condoléances m'attendant dans les couloirs.

J'entrai dans le bureau du juge qui, même à cette heure matinale, avait déjà fait le plein de délinquants et autres parasites. Deux hommes étaient menottés au banc sur lequel ils étaient assis, et leurs deux gardes trompaient leur ennui en partageant le journal. Dans un coin, deux hommes qui devaient avoir la soixantaine, les vêtements déchirés, portaient des traces de coups au visage mais ils étaient trop épuisés ou dégrisés pour s'en vouloir encore. Je connaissais près de la moitié d'entre eux. Ils étaient ce qu'on appelle dans le métier les abonnés, revenant régulièrement pour divers délits : agression, vol, possession de stupéfiants et autres. Me reconnaissant, l'un d'eux me demanda une carte de visite. Tâtonnant mes poches vides, je passai mon chemin.

Sorti des bureaux du juge, je me dirigeai vers la partie du bâtiment où était située la cour fédérale. Je passai devant l'office des concessions que tenait une femme à moitié aveugle, prénommée Alice, puis poussai une porte à battants dont la plaque précisait RÉSERVÉ AUX AVOCATS. Au-delà il y avait une autre porte, celle-ci équipée d'un code d'accès.

J'entrai dans la salle par l'arrière, et l'un des huissiers me salua. J'avais devant moi tant de visages graves et douloureux que je me figeai sans le vouloir. Quand votre existence est à ce point merdique, il est facile d'oublier qu'il y a tout de même pas mal de braves gens sur terre. Même la juge, une femme âgée au beau visage, interrompit sa lecture des affaires du jour pour me faire signe d'approcher. Elle me présenta ses condoléances avec une tendre sympathie. C'était la première fois que je remarquais qu'elle avait les yeux bleus. Elle pressa légèrement ma main dans la sienne, et je baissai malgré moi la tête sous une gêne passagère, remarquant le dessin enfantin qu'elle avait griffonné sur son bloc-notes. Elle m'offrit de prendre en charge mes affaires de la journée, mais je refusai. Elle me tapota de nouveau la main, me disant combien Ezra avait été un grand avocat, et enfin m'invita à prendre mon siège.

Durant les deux heures suivantes, je négociai en commis d'office pour des clients que je ne connaissais pas, puis je me rendis au tribunal des mineurs. J'avais à défendre un gamin accusé d'avoir incendié une caravane abandonnée, dans laquelle des gosses allaient se défoncer et baiser. Le gosse avait mis le feu, c'était indiscutable, mais il jurait que c'était un accident, ce que je ne croyais pas.

L'assistant du procureur n'était qu'un jeune crétin prétentieux, frais émoulu de la fac de droit. Il roulait des mécaniques, et s'était attiré les antipathies de l'accusation comme de la défense – un idiot qui n'avait jamais compris que le tribunal des mineurs avait davantage pour mission d'aider ces derniers que de les accabler de sanctions. Le juge, lui, pensait que le gamin avait probablement rendu un service à la communauté et il se contenta de prononcer une mise en liberté surveillée, ce qui était une manière d'impliquer les parents. Pour moi, c'était là une sage décision. Le gosse avait besoin d'aide.

Le procureur assistant salua la décision d'un ricanement. Puis, s'approchant de moi, les lèvres retroussées sur des dents comme des pelles, me dit qu'il avait appris pour mon père et me fit remarquer que sa mort posait autant de questions que celle de ma mère en son temps.

Une folle envie me prit de lui décoller la tête, mais je me retins à la pensée que cela lui ferait trop plaisir. Au lieu de ça, je lui plantai sous le nez mon majeur dressé. Et puis j'aperçus l'inspecteur Mills. Elle se tenait dans l'ombre près de la porte, et je pris conscience qu'elle devait être là depuis un bon moment déjà. Si je n'avais pas été dans un tel état de stupeur, j'en aurais conçu quelque crainte, car elle était du genre à surveiller de près. Je rangeai mes papiers dans ma serviette et me dirigeai vers elle.

— Sortons, me dit-elle.

Je la suivis.

Il y avait foule dans le couloir, et nous faisions l'objet de tous les regards. Mills avait l'enquête en charge, et j'étais le fils de la victime. Je ne pouvais leur reprocher leur curiosité.

— Que se passe-t-il ? lui demandai-je.

— Pas ici.

Et, me prenant par le bras, elle se dirigea vers l'escalier puis tourna dans le couloir qui menait au bureau du district attorney.

— Douglas voudrait vous voir, dit-elle, comme si je lui avais reposé la question.

— Je m'y attendais, dis-je. Une piste quelconque ?

Son visage exprimait encore une contrariété à laquelle ma visite de la veille sur la scène de crime n'était sûrement pas étrangère. J'avais enfreint tous les tabous, et les flics ne permettaient jamais aux avocats de faire un tour sur le lieu d'un homicide, de crainte de saloper indices et empreintes. Mills, avec son intelligence et sa prudence politique, avait probablement recueilli et enregistré les témoignages de ses collègues, de manière à bien établir ce que j'avais pu ou non toucher. Quant à Douglas, nul doute qu'il ne fût lui aussi explicitement mentionné.

Aussi son mutisme ne me surprenait-il pas.

Douglas avait la tête d'un homme qui n'a pas dormi de la nuit.

— Je ne sais pas comment ces foutus journaux ont eu vent de la chose si vite, dit-il, à peine avions-nous franchi le seuil. Mais tu ferais bien de n'y être pour rien, Work, ajouta-t-il.

Je me contentai de le regarder sans broncher.

— Eh bien, entrez, dit-il en se renversant sur sa chaise. Mills, fermez la porte.

Elle fit ce qu'on lui demandait et traversa la petite pièce pour se placer à la droite de Douglas. Enfonçant les mains dans les poches de son jean, la crosse de son arme bien en vue dans son holster, elle s'adossa au mur, son regard fixé sur moi comme sur un suspect.

C'était là une bien vieille ficelle, une de ces habitudes tenaces mais, ainsi campée, elle respirait le chien hargneux qu'elle était. Quant à Douglas, le dos calé contre son fauteuil, il avait cessé de bomber le torse. C'était un brave homme, et il savait que moi aussi j'étais un bon bougre.

— Des indices ? demandai-je.

— Rien de solide.

— Des suspects ? insistai-je.

— Une foule. Ton père s'était fait un tas d'ennemis. Clients mécontents, hommes d'affaires malmenés, bien d'autres encore. Ezra faisait beaucoup de choses, mais il n'a jamais su y aller en douceur.

C'était un euphémisme.

— Mais personne qui se détache ? repris-je.

— Non, répondit-il en se frottant un sourcil.

Mills se racla la gorge, et Douglas abaissa sa main. Cet entretien lui déplaisait fort, et il était évident qu'elle avait préalablement défini avec lui ce qu'on pouvait ou non me dire.

— Quoi d'autre ?

— Nous pensons qu'il est mort la nuit même de sa disparition.

Mills roulait de grands yeux, et, incapable de rester sans bouger, se mit à arpenter la pièce à petits pas rentrés.

— Comment peut-on le savoir ? demandai-je, conscient qu'aucun médecin légiste n'aurait pu être aussi précis.

Pas après dix-huit mois !

— La montre de ton père, reprit Douglas, depuis trop longtemps dans le métier pour se vanter de sa propre perspicacité. Son mécanisme était activé par les mouvements du poignet. D'après le bijoutier, son autonomie de fonctionnement est de trente-six heures, après que cesse toute sollicitation. Il nous a suffi de faire la soustraction.

Me souvenant de cette montre, je ne savais plus si elle indiquait aussi la date.

— Il a été tué par balle ?

— Dans la tête. Deux fois.

Je me souvenais de la chemise à rayures étalée sur le crâne de mon père, et de la courbe ivoire de la mâchoire. Son assassin lui avait couvert le visage, une fois sa besogne accomplie, c'était inhabituel pour un meurtre.

Mills s'arrêta devant les grandes fenêtres donnant sur Main Street et la banque locale. Une pluie fine tombait, et le ciel était couvert d'une gaze grise à travers laquelle luisait un pâle soleil. Je me souvins soudain que ma mère disait toujours que pluie et soleil réunis signifiaient que le diable était en train de battre sa femme.

Se retournant vers nous, Mills s'adossa à la vitre et croisa les bras, tandis que le soleil disparaissait enfin et que, probablement, la femme du diable était maintenant en sang.

— Nous allons devoir inspecter la maison d'Ezra, reprit Douglas, récoltant un hochement de tête fatigué de ma part. Il nous faudra aussi fouiller son bureau et chercher parmi ses dossiers qui aurait pu trouver un intérêt à sa mort.

Je levai soudain la tête, mesurant ce qu'impliquaient ces paroles. Ezra mort, le cabinet était désormais mien, et donc les flics avaient besoin de moi. Laisser la police mettre ses pattes dans les dossiers des clients d'un avocat, ma foi, cela revenait à laisser entrer un avocat de la défense sur le lieu d'un crime. Si je refusais, il leur faudrait un mandat. Il y aurait donc une audition devant le juge, et j'obtiendrais gain de cause, cela va sans dire. Jamais un juge ne toucherait à la sacro-sainte relation entre le défenseur et son client.

Je compris aussi que le procureur avait pesé cela avant de me convoquer à son bureau, la veille, et j'en conçus une grande tristesse. Les quiproquos ne sont pas de mise entre amis.

— Je vais y réfléchir, si vous n'y voyez pas d'inconvénient, dis-je, tandis que Douglas jetait un regard énigmatique à Mills.

— Nous avons retrouvé les balles, reprit-il. Toutes deux dans le réduit. Une dans le mur, l'autre dans le sol.

Je savais ce que cela signifiait et me doutais bien qu'Ezra n'était pas entré de son plein gré dans la réserve de cette boutique. Il avait obéi sous la menace d'une arme. La première balle l'avait atteint alors qu'il était encore debout ; elle lui avait traversé le crâne pour se ficher dans la paroi. La seconde avait été tirée alors qu'il était tombé, le tueur s'assurant de sa besogne.

— Et alors ? demandai-je.

Douglas, portant machinalement sa main à son sourcil, jeta de nouveau un regard à Mills.

— Nous n'avons pas encore tous les résultats de la balistique, mais l'arme est un 357 Magnum, dit-il en se penchant en avant sur son fauteuil d'un air douloureux. Ton père avait une arme de poing de ce calibre, un Smith & Wesson chromé. Il faut absolument qu'on mette la main dessus, Work. Saurais-tu où il se trouve ?

Je fis très attention à ma réponse.

— Non, je ne sais vraiment pas où il pourrait se trouver.

Il se pencha en avant, les mains sur ses genoux.

— Tu veux bien le chercher ? Et nous dire si tu l'as retrouvé ?

— Bien entendu. C'est tout ?

— Oui, pour le moment. Appelle-moi quand tu te seras décidé en ce qui concerne les dossiers. On en a besoin, et je préférerais qu'on s'évite le passage devant le juge.

— Je comprends, dis-je me levant.

— Attendez une seconde, intervint Mills. Il faut qu'on parle de la nuit où votre père a disparu. Il y a bien des questions sans réponse.

La nuit de la disparition d'Ezra avait été celle de la mort de ma mère. Ce n'était pas un sujet facile pour moi.

— Plus tard, vous voulez bien ?

Elle jeta un regard à l'attorney, qui ne broncha pas.

— Plus tard dans la journée ?

— D'accord, acceptai-je. Dans la journée.

Douglas resta assis, laissant Mills ouvrir la porte.

— On garde le contact, me dit-il en me saluant de la main, tandis que Mills claquait la porte derrière moi.

Dans le couloir, avec tous les regards pointés sur moi, je me sentis soudain très seul.

Redescendant par l'escalier de derrière, je passai de nouveau par le bureau du juge d'instance; il était vide à l'exception d'une employée derrière la fenêtre grillagée. Mastiquant sa gomme, elle ne daigna pas répondre à mon salut. Dehors, le soleil était caché, mais il ne tombait qu'une légère bruine, alors que j'aurais aimé une pluie battante. J'avais envie de déluge, d'eau pure sur mon visage, envie de me dissoudre, de disparaître aux regards.

Il n'était pas encore midi quand je regagnai le bureau. Ma secrétaire parut troublée quand je lui dis qu'elle pouvait rentrer chez elle. Elle rangea ses affaires, emportant le sandwich auquel elle n'avait pas touché, et s'en fut d'un pas blessé. Je voulais monter dans le bureau d'Ezra mais son fantôme m'arrêta dans l'escalier. Cela faisait six mois que j'étais trop déprimé pour affronter la splendeur poussiéreuse d'un empire de paille que la providence avait fait mien. Je décidai à la place d'aller manger un morceau, avant de trouver le courage d'affronter de nouveau la maison de mon enfance et le souvenir d'un corps brisé au bas de l'escalier.

Je roulai pendant une vingtaine de minutes à la recherche d'une gargote où je ne sois pas connu. Finalement, je m'arrêtai au guichet automatique d'un Burger King et, le temps d'engloutir deux cheeseburgers, je passai par deux fois devant la maison de mon père. Elle semblait me défier avec ses épaisses colonnades, ses fenêtres fermées et sa façade blanche. Plus manoir que maison, elle se dressait derrière d'épaisses haies taillées en gros cubes qui me rappelaient les blockhaus des plages normandes où mon père nous avait une fois emmenés en voyage. Mon père m'avait tanné pour que je poursuive sa guerre contre les riches et prétentieuses familles de la ville, qui à ses yeux avaient terni l'éclat de sa formidable réussite. Exalter la guerre exigeait de la conviction et, même si je comprenais ce qui motivait mon père, je ne pouvais faire mien son combat. Il existe toutes sortes de drogues, et je n'étais pas un idiot.

Je tournai dans l'allée, passant sous la voûte sentinelle des arbres et entrai ainsi dans le temps de mon enfance, gisant autour de moi comme des éclats de verre brisé. Sous la soudaine nappe de silence, je revoyais mon premier vélo, le visage de mon père réjoui par la réussite; et ma mère, encore en vie, contemplant le sourire de la petite Jean. Je revoyais toutes ces choses que le temps n'avait pas encore patiné. Une sensation de rougeur me fit cligner les yeux et, tout disparut, cendres emportées pas le vent.

La police n'était pas encore venue ici, et je dus pousser fort sur la porte pour l'ouvrir. Je débranchai l'alarme et fis de la lumière à mesure que je m'enfonçais à l'intérieur. Le sol et les housses drapant les meubles étaient gris de poussière. Je passai devant les deux salons, le bureau, la salle du billard, et la porte menant à la cave à vin. Les éclats d'acier dans la cuisine me rappelaient les couteaux aux manches en os et les mains pâles de ma mère.

Je commençai mes recherches par le bureau, pensant y trouver le pistolet dans le tiroir du haut, à côté du coupe-papier en argent et du cahier relié de cuir que Jean lui avait offert à la place d'un bébé. L'arme n'y était plus. Je m'assis un instant dans son fauteuil, contemplant la seule photo encadrée – une photo noir et blanc d'une masure devant laquelle posait sans un sourire la famille d'Ezra. Il était le plus jeune, un solide garçon aux jambes crottées sous un short en jeans, les pieds nus. Scrutant les taches noires de ses yeux, je me demandai quelles avaient pu être ses pensées, ce jour-là. Ouvrant le cahier j'en feuilletai les pages tout en sachant que jamais mon père n'aurait exposé par écrit ses pensées secrètes. Je ne me trompais pas, il était vierge. Je le remis à sa place, puis promenai mon regard dans la pièce, tentant de redécouvrir cet homme que j'avais jadis prétendu connaître, mais rien ne me paraissait signifiant. C'était une noble pièce, décorée d'antiques cartes et de meubles gainés de cuir, et cependant il s'en dégageait une impression de vide. Le lieu était lui-même une espèce de trophée. Je l'imaginais assis là, sachant qu'il était capable de sourire, alors que sa femme était en pleurs dans la grande chambre à l'étage.

Ressentant soudain un vague sentiment incestueux à être assis là dans son fauteuil, je me levai et, faisant quelques pas dans la pièce, remarquai que je n'étais pas le seul à avoir laissé des traces de pas sur le plancher poussiéreux. Il y en avait d'autres, plus petites, et je compris que Jean aussi était venue là. Elles partaient du bureau pour aller vers le grand escalier, où elles disparaissaient sur le tapis recouvrant les marches, pour reparaître sur le palier menant à la chambre de mes parents. Je n'étais pas monté à l'étage depuis un an, et les traces étaient parfaitement nettes, avant de se fondre sur le tapis persan qui recouvrait le sol. Près du lit, là où il y avait une table de nuit, dans le tiroir de laquelle j'avais espéré trouver le revolver, je remarquai l'empreinte d'une main. Le couvre-lit présentait un creux, comme quelque animal s'était couché là. Je m'assis et lissai le lit de la main. Je restai là un instant, en proie à d'obscures pensées, puis me levai et, comme je quittais la maison, je traînai des semelles pour effacer toute trace de ce sol sur lequel avaient joué deux enfants.

Une fois dehors, je m'adossai à la porte d'entrée, m'attendant presque à voir l'inspecteur Mills remonter l'allée, une file de voitures de police dans son sillage. Je m'efforçai de maîtriser ma respiration qui me semblait haletante dans un monde d'une étrange tranquillité. La brise charriait une odeur d'herbe fraîchement coupée.

Je ne risquais pas d'avoir oublié le revolver de mon père, qu'une nuit je l'avais vu coller sur le visage de ma mère. Quand il m'aperçut à l'entrée de leur chambre, il prétendit que c'était une plaisanterie, mais la terreur de ma mère n'était que bien trop réelle. Je le voyais dans ses yeux noyés de larmes et le tremblement de ses mains, quand elle me demanda de regagner ma chambre. Je fis ce qu'elle me demandait, mais je me souvenais des grincements du sommier plus tard, alors qu'elle s'efforçait de rétablir la paix de la seule façon qu'elle connaissait. Cette nuit-là, je me pris pour mon père d'une haine dont je mis longtemps à mesurer la violence.

Je n'ai jamais su quelle était la cause de cette querelle, mais jamais ces images ne s'effacèrent. Et, comme je commençais de m'éloigner, je pensai aux larmes de ma propre épouse la nuit dernière, et au morne plaisir que j'avais pris à la prendre avec force. Elle avait crié, et j'avais goûté le sel de ses larmes, pensant alors qu'à cet instant je savais ce que le diable ressentait. Le sexe et les larmes, comme la pluie et le soleil, n'étaient pas faits pour s'accorder; cependant, pour une âme perdue, un acte répréhensible pouvait parfois paraître légitime, et cette pensée me fichait la trouille.

Je remontai dans ma voiture et démarrai. Comme je passais de nouveau sous les arbres et tournais sur la route pour rentrer chez moi, la poussière de lieux où l'esprit ne devrait jamais s'aventurer voilait mes pensées.

5.

Tout ce que je voulais, c'était me déshabiller, me coucher et trouver quelque chose de mieux de l'autre côté de ce golfe sombre et sablonneux ; mais sitôt que j'eus tourné dans ma rue, je vis que ça ne serait pas le cas. L'allée en pente qui devrait accueillir un homme en de pareilles circonstances scintillait de carrosseries étincelantes. Les requins avaient foncé à la curée. Les amies de ma femme s'étaient rassemblées, les bras chargés de plats maison et les langues impatientes de questions. Comment était-il mort ? Comment Work encaissait-il le coup ? Puis, à voix basse, sitôt que Barbara ne pouvait les entendre : serait-il dans le coup ? Deux balles dans la tête, m'a-t-on dit. Et d'ajouter, plus bas encore : *il l'aura bien cherché*. Et, tôt ou tard, quelqu'un dirait ce que beaucoup pensaient. Racaille blanche, et des yeux brilleraient au-dessus de lèvres dessinées par tant de sourires pincés. Pauvre Barbara. Elle aurait dû le savoir.

Rien, en principe, n'aurait pu me chasser de ma propre maison mais je ne pus me résoudre à tourner dans l'allée. Poursuivant ma route, j'allai acheter de la bière et des cigarettes au drugstore le plus proche. J'eus envie de boire ma bibine au stade de foot, assis sur un des gradins, devant le grand carré de pelouse. Mais, trouvant la grille fermée par une grosse chaîne, je regagnai la maison de mon père, pour siroter dans son allée. Là, je sifflai mon pack de six, gardant la dernière pour la route.

De retour à maison, je vis que le nombre de voitures avait encore augmenté, la soirée dégénérait en fiesta. Je dus me garer plus loin dans la rue.

À l'intérieur, je découvris la foule que je m'étais imaginée : les voisins, quelques connaissances de la ville, des médecins et leurs épouses, des entrepreneurs, ainsi que la moitié du barreau local, y compris Clarence Hambly qui, de bien des manières, avait été le rival déclaré de mon père. Il attira aussitôt mon regard. Grand, raide, il promenait un air hautain sur ces notables dont il faisait cependant partie. Il se tenait le dos au mur, un verre à la main et le bras appuyé sur le manteau de la cheminée. Il me repéra le premier mais s'empressa de détourner les yeux quand il croisa mon regard. Je l'ignorai et, cherchant des yeux ma femme, la repérai à l'autre bout de la pièce. Il suffisait d'un coup d'œil pour voir qu'elle était belle. Une peau éclatante, de hautes pommettes, de grands yeux brillants. Ce soir-là, elle arborait une coiffure parfaite et une robe d'un chic coûteux. Elle se tenait parmi ses compagnes de toujours, femmes aux mains lourdes de bagues et au sang peu généreux. M'apercevant, elle se tut soudain, et ses amies suivirent son regard. Leurs yeux me disséquèrent, s'immobilisant sur la canette de bière que je tenais à la main; et, quand Barbara se détacha du cercle, elles se turent, mais je sentais leurs langues de serpent dardées dans mon dos. J'allumai une cigarette et pensai à l'enterrement qu'il me fallait organiser. Puis Barbara vint à moi, et nous fûmes seuls un instant.

— Jolie fête, remarquai-je avec un sourire pour atténuer l'amertume de ma remarque.

Elle pressa sa bouche contre ma joue.

— Tu es ivre, souffla-t-elle. Ne me fais pas honte.

Ces paroles m'auraient touché si, au même moment, je n'avais vu Glena Werster franchir le seuil. Elle arborait un sourire qui découvrait des dents tellement brillantes qu'elles paraissaient vernies. Elle portait une robe moulante et courte. J'en étais malade de la voir. Je pensais à Jean et à la croix pesant sur elle, quand elle allait livrer ses pizzas dans la grande maison à colonnades de Glena Werster.

— Qu'est-ce qu'elle vient foutre ici ? grognai-je.

Barbara jeta un coup d'œil en direction de sa petite clique, et je lus de l'inquiétude dans son regard. Se tournant vers moi, elle me siffla d'une voix sourde et dure :

— Sois sage, Work. C'est une femme très importante dans cette ville.

Par "importante", ma femme voulait dire que Glena Werster était membre du conseil d'administration du country club, qu'elle était richissime et assez vicieuse pour ternir par pur plaisir la réputation des uns et des autres.

— Je ne veux pas d'elle ici, dis-je en désignant vaguement le groupe de femmes rassemblées sous le portrait du père de Barbara. Ni d'elle ni des autres.

Elle ne put réprimer un léger mouvement de recul, quand je me penchai vers elle.

— Il faut qu'on parle, toi et moi, Barbara.

— Ta chemise est trempée de sueur, répondit-elle en effleurant de la main le col entrouvert. Tu pourrais te changer et... peut-être te raser ?

Sur ce, elle regagna son cercle de harpies aux lèvres pincées.

Je restai seul, perdu dans ma propre maison, répondant d'un hochement de tête à tous ceux dont les condoléances déferlaient sur moi comme des vagues sur le rivage. Certains étaient sincères, mais jamais un seul d'entre eux n'avait mesuré qui était réellement mon père et ce qui en faisait un être aussi singulier, aussi diabolique.

Dans un sillage de mots de réconfort, je me rendis à la cuisine, dans l'espoir d'y trouver une bière fraîche. Je tombai sur un véritable bar, qui me fit m'émerveiller de la capacité de mon épouse à improviser de telles agapes dans le sillage d'une mort. Elle avait même engagé un barman. Je demandai à celui-ci de me servir un bourbon, quand je sentis une main sur mon épaule et une voix métallique demander la même chose. Me retournant, je vis le Dr Stokes, mon voisin, dont les traits burinés et la barbe blanche le faisaient ressembler à Mark Twain.

Il remercia le barman, avant de m'entraîner plus loin d'une main ferme.

— Allons faire un petit tour, me dit-il en quittant la cuisine par l'arrière pour entrer dans la réserve, qu'éclairait un pâle soleil.

Me lâchant enfin le bras, il s'assit sur le banc, sirota une gorgée de bourbon et claqua la langue.

— Un bon verre est toujours un ami, répondit-il.

— Oui, approuvai-je, il peut l'être.

Posant son bourbon à côté de lui, il alluma un cigare sans me quitter des yeux.

— Je t'observais, me dit-il enfin, et ça n'a pas l'air d'aller.

— Sale journée.

— Je ne parle pas d'aujourd'hui. Ça fait des années que je m'inquiète à ton sujet, je devrais sans doute le garder pour moi.

— Alors, pourquoi en parler, aujourd'hui ?

Il me regarda à travers un nuage de fumée bleue.

— Je suis marié depuis cinquante-quatre ans, dit-il. Penses-tu que je n'aie jamais connu cette expression de douleur, comme si ton meilleur ami venait de te frapper dans les couilles ? Pas besoin d'être devin, mon épouse aussi l'a remarqué. Maintenant, poursuivit-il en tournant son cigare dans ses doigts, je ne peux rien faire au sujet de ta femme – ton mariage ne regarde que toi – mais il y a une ou deux choses que tu ferais bien d'entendre, et je sais que personne d'autre n'osera te les dire.

Perplexe, je posai mon verre sur une brouette, et allumai une cigarette. Un silence passa. Le regard du vieux médecin s'était assombri, et j'en éprouvais de la tristesse. C'était un homme bon.

— Ton père était un tordu de première, reprit-il dans un nuage de fumée. Il n'a jamais été qu'un sale égoïste, qui voulait posséder le monde entier, mais tu le sais, ça.

— Oui, je le sais.

— C'était un homme haïssable, capable de te regarder dans les yeux tout en te plantant un couteau dans le cœur, si tu vois ce que je veux dire.

— Non.

— Il n'a jamais dissimulé ses appétits, il faut lui reconnaître cette franchise.

— Et alors ?

— Je n'ai pas fini, mon garçon, alors laisse-moi parler, tu veux bien ?

Un bref silence passa.

— Il y avait ta sœur Jean aussi. Je n'ai jamais apprécié son attitude envers elle. Mais on ne choisit pas ses parents, malheureusement, et on peut dire qu'elle n'a pas eu de chance. Je l'ai bien observée, elle aussi, et je pense qu'elle s'en sortira, maintenant qu'Ezra n'est plus.

Je ne pus retenir un rire.

— Tu l'as bien observée, dis-tu ? lui demandai-je, pensant combien Jean était loin d'être tirée d'affaire.

Il se pencha en avant, une lueur vive dans les yeux.

— Mieux que tu ne l'as jamais fait, me dit-il, ce qui me fit d'autant plus mal que c'était vrai. Et je ne suis pas inquiet à son sujet, ajouta-t-il. C'est toi qui me donnes des soucis.

— Moi ?

— Oui, et ferme-la, tu veux bien ? Je ne suis venu ici que pour te dire une chose, alors ouvre bien tes oreilles. Ton père était un grand homme, plein de grands projets et de grands rêves. Mais toi, Work, tu es meilleur que lui.

Je sentais les larmes me brûler les yeux et regrettais terriblement que cet homme ne fût pas mon père. Son visage respirait la sincérité, et j'avais la plus grande confiance en lui.

— Tu es meilleur parce que tu ne prends pas tes désirs pour des réalités. Tu es meilleur, parce que tu te soucies de tes proches, de tes amis, de ce qui est bien et de ce qui est mal. Cela, tu le tiens de ta mère. (Il se tut un instant, hochant la tête.) Ne jalouse pas les ambitions d'Ezra, Work. J'ai quatre-vingt-trois ans, et suis assez vieux pour savoir une chose ou deux, et la plus importante, c'est que la vie est foutrement courte. Réfléchis à ce que tu veux vraiment. Sois ton propre maître, et tu t'en porteras mieux, crois-moi.

Il se leva lentement dans un craquement d'articulations et vida son verre.

— Enterre ton père, Work, puis, quand tu te sentiras prêt, fais-nous plaisir, viens dîner à la maison. Je connaissais bien ta mère, paix à son âme, et je te parlerai d'elle, du temps où elle était heureuse. Et une dernière chose, ne te gâche pas le sommeil avec Barbara. La méchanceté est une seconde nature chez elle, et tu aurais tort de te reprocher quoi que ce soit.

Il me fit un clin d'œil, la bouche grimaçant un sourire autour de son cigare. Je le remerciai d'être venu, parce que je ne savais que lui dire d'autre. Je fermai ensuite la porte derrière lui et revins m'asseoir à sa place, sur le banc qui gardait encore la chaleur de son maigre séant. Sirotant le reste de mon bourbon, je pensai à ma vie, avec l'espoir que le vieil homme ne se trompait pas en me disant tout cela.

Finalement, mon verre vide, je me relevai. Il était cinq heures de l'après-midi à ma montre, et je pensai un instant à l'inspecteur Mills. Je ne l'avais pas appelée, comme convenu, mais je m'en foutais pas mal. Pour le moment, j'avais surtout besoin d'un deuxième verre. Je fis un aller-retour éclair à la cuisine, me fichant pareillement de choquer les gens. J'en avais ma claque. Je retournai dans la réserve, pour voir les ombres s'allonger et siroter mon bourbon tiède.

Je restai là jusqu'à ce que la lumière décline. Je n'étais pas un buveur querelleur, pas pleurnicheur non plus. Je tombai la veste et la balançai dans un carton rempli de mauvaises herbes que je n'avais pas encore jetées ; ma cravate finit accrochée à un clou dans le mur. J'eus du mal à ne pas me défaire du reste de mes vêtements. J'avais envie de casser quelque chose, briser le joug de la complaisance et, pendant un instant, je m'imaginai courant à poil à travers la maison. Je bavarderais avec les amies de mon épouse, et les défierais de prétendre, au prochain raout mondain, que cela fût réellement arrivé. Je choisis de rester vêtu. Tous ceux et celles que je reverrais à un dîner ou un cocktail la semaine suivante pourraient me demander comment allaient les affaires et me féliciter pour les funérailles de mon père.

J'avais envie de rire et de tuer quelqu'un.

Je ne fis ni l'un ni l'autre. Je restai vêtu, me montrai sociable, ne me donnai pas en spectacle, et personne ne parla de moi. À la fin, je quittai de nouveau la maison pour me réfugier dans ma voiture, cette fois. Je remerciai Dieu de n'avoir pas prononcé l'imprononçable en dépit de mon ébriété. Et, rencontrant mon regard dans le miroir de courtoisie, je dus m'avouer enfin que je savais peut-être qui avait tué mon père.

Mobile, moyen, circonstances.

C'était évident si on savait où chercher.

Mais je n'avais pas envie de chercher. Je ne l'avais jamais fait. Je relevai le miroir d'une main impatiente. Fermant les yeux, je pensai à ma sœur et à des temps plus innocents que la dureté, toutefois, n'avait pas épargnés.

*

— Ça va ? demandai-je à Jean.

Elle hocha la tête, les larmes coulant de son menton pour s'écraser sur son jean blanc comme de la pluie sur le sable. Secouée de sanglots, elle se tenait le buste penché, comme brisée, ses cheveux tombant sur son visage. Je m'efforçais de ne pas regarder la tache de sang qui s'étendait entre ses jambes, maculant de rouge ce nouveau jean dont elle était si fière, et que notre mère lui avait offert le matin même, à l'occasion de ses douze ans.

— J'ai appelé papa, et il va venir nous chercher. Le plus vite possible, c'est promis, il a dit.

Elle garda le silence, les yeux baissés sur son entrejambe, où le sang brunissait. Soudain, j'enlevai mon blouson et l'étendis en travers de ses genoux. Elle leva alors vers moi un regard qui me rendit fier d'être son grand frère, son protecteur. Je passai mon bras autour de ses épaules, feignant de ne pas être mort de trouille.

— Je suis désolée, dit-elle.

— Tout va aller bien, la rassurai-je. Ne t'inquiète pas.

Nous nous trouvions en ville, chez le glacier. Maman nous avait déposés là, avant de se rendre à Charlotte pour l'après-midi. Nous avions quatre dollars pour nos crèmes glacées et mission de rentrer à pied à la maison. Je ne savais pas vraiment ce qu'étaient les premières règles pour une fille. À la vue du sang, je crus d'abord qu'elle s'était blessée, et puis je la vis pleurer et baisser la tête en murmurant :

— Ne regarde pas.

Mon père ne vint pas nous chercher et, après avoir attendu une heure, nous prîmes à pied le chemin de la maison, mon blouson passé autour de la taille de Jean. Il nous fallut marcher pendant cinq bons kilomètres.

Quand nous fûmes arrivés, Jean s'enferma dans la salle de bains, jusqu'au retour de ma mère. J'allai m'asseoir sous le porche, rassemblant mon courage pour dire à mon père quel salaud il était de se foutre de ce qui pouvait arriver à sa propre fille et de m'avoir fait passer pour un menteur. Mais, finalement, je n'en eus pas le cran. Comme j'ai pu me haïr, ce jour-là.

*

Je me réveillai dans la pénombre. Un visage se découpait à la fenêtre de la voiture. Je distinguai d'épaisses lunettes et une moustache fournie. J'eus malgré moi un mouvement de recul.

— Bon, dit l'homme. J'ai cru un instant que vous étiez mort.

Il avait une voix gutturale, avec un épais accent du Sud.

— Quoi ?

— Vous devriez pas dormir dans votre voiture, c'est dangereux. (Il me jaugea du regard.) Un type comme vous devrait le savoir.

Puis le visage parut s'effacer et, l'instant d'après le bonhomme avait disparu, me laissant à moitié endormi et encore soûl. J'ouvris la portière et sortis, les membres raides et douloureux. Une silhouette disparaissait dans la rue, un long manteau lui battant les jambes et la casquette en bataille. C'était mon promeneur solitaire et, après dix ans d'allées et venues silencieuses, nous nous étions enfin adressé la parole. C'était là pour moi l'occasion ou jamais de le rattraper et de lui demander qui il était vraiment.

Mais cloué par l'indécision, je ne bougeai pas. Je rentrai de nouveau dans la voiture, la bouche pâteuse, mais j'eus beau fouiller dans la boîte à gants, je ne trouvai ni pastilles ni gomme. J'allumai une cigarette. Elle avait un goût atroce. Je la jetai. Il était dix heures à ma montre. J'avais dormi deux, trois heures. Je tournai la tête en direction de la maison. Les voitures étaient parties, mais les lumières étaient restées allumées. Barbara devait être encore debout. La seule idée de sa présence aggravait ma migraine. Ce que je voulais, c'était une bière fraîche et un lit pour moi tout seul. Or, il y avait une tout autre chose qu'il me fallait accomplir – une chose que j'avais repoussée jusque-là. Je devais me rendre dans le bureau de mon père, faire la paix avec son fantôme et retrouver ce revolver.

Je démarrai le moteur en pensant à tous ces crétins de buveurs poursuivis pour conduite en état d'ivresse, que j'avais si souvent défendus, et pris la direction de la ville. Je me garai à l'arrière du bâtiment, comme je le fais toujours, et enfilai l'étroit couloir menant à mon bureau. Je fis de la lumière et balançai mes clés de voiture sur la table.

Soudain je perçus un bruit sourd, suivi d'un raclement sur le plancher à l'étage, qu'Ezra s'était réservé. Je me figeai, tendant l'oreille, et, dans le silence revenu, pensai bêtement au fantôme de mon père, avant de pencher pour une hallucination auditive. J'allumai toutes les lampes. L'escalier menant au domaine d'Ezra n'était qu'un puits noir. Mon cœur battait fort et mon haleine empestait le bourbon. Aurais-je peur, me demandai-je ? M'exhortant au calme, je me rassurai à la pensée que toutes les vieilles maisons grinçaient et que les buveurs hallucinaient. Ezra, mon père, était mort.

Je jetai un regard autour de moi mais tout – armoire, table, classeurs – était en ordre. Je m'engageai lentement dans l'escalier, la main sur la balustrade. Je n'avais pas grimpé cinq ou six marches que je crus percevoir un mouvement. J'osai un pas de plus et, au moment où je m'immobilisais de nouveau, quelque chose de dur, d'énorme et pesant, me percuta en pleine poitrine. Je ressentis un instant de douleur aveuglante avant que tout devienne noir autour de moi.

6.

Un rai de lumière dansa dans mes yeux, disparut, revint. C'était douloureux, et je ne voulais pas de cette chose.

— Il revient à lui, dit une voix.

— C'est pas trop tôt, dit une autre que je reconnus.

L'inspecteur Mills.

J'ouvris les yeux. La lumière était forte, et ma tête douloureuse.

— Où suis-je ?

— À l'hosto, répondit Mills en se penchant vers moi. Elle ne souriait pas, mais je sentais son parfum trop mûr, comme une pêche oubliée dans une corbeille.

— Que s'est-il passé ?

— C'est à vous de nous le dire, dit-elle.

— Je ne me souviens de rien.

— Votre secrétaire vous a retrouvé ce matin au bas de l'escalier. Vous avez de la chance de ne pas vous être rompu le cou.

Je me redressai tant bien que mal contre les oreillers et regardai autour de moi. Un rideau vert entourait mon lit. Une infirmière corpulente se tenait à mes pieds, un sourire bucolique au visage. Je percevais des voix, des odeurs d'hôpital. Je cherchai des yeux Barbara. Elle n'était pas là.

— Quelqu'un a projeté un fauteuil sur moi.

— Je vous demande pardon ? dit Mills.

— Le fauteuil de mon père, je suppose. Je montais les marches menant à son bureau, quand on me l'a balancé dessus.

Mills observa un silence avant de me dire :

— J'ai parlé avec votre femme. Selon elle, vous étiez soûl, hier au soir.

— Et alors ?

— Très soûl.

Je la regardai, stupéfait.

— Vous voulez dire que je me serais cassé la gueule tout seul dans l'escalier, c'est ça ? dis-je, sentant la colère monter en moi. Pour ma chère épouse, on est ivre dès qu'on décapsule une canette de bière.

— J'ai confronté ses dires avec ceux d'autres personnes qui étaient chez vous, hier au soir.

— Qui ça ?

— Cela ne vous regarde pas.

— Quoi ? Vous vous prenez pour une avocate, maintenant ? criai-je furieux, à présent, parce que j'avais le sentiment qu'on me prenait pour un imbécile. Vous êtes allée voir à mon cabinet, inspecteur Mills ?

— Non.

— Alors, allez-y, avant de raconter n'importe quoi. Vous verrez s'il y a un fauteuil ou pas.

Elle me regarda attentivement, et j'avais le sentiment qu'elle se demandait si je parlais sérieusement ou bien si je n'étais qu'un idiot. Si jamais elle avait eu pour moi la moindre considération, je mesurais que ce n'était plus le cas. Son regard était glacé, et je me dis que la pression générée par l'enquête commençait de faire son effet. La presse n'avait pas été avare d'articles sur la carrière d'Ezra, sur sa mort elle-même et enfin sur les investigations en cours. Le nom de Mills était souvent apparu. Je savais que cette affaire était un challenge pour elle, qu'elle en sortirait cassée ou grandie mais, pour Dieu sait quelle raison, j'avais supposé que nos relations n'en souffriraient pas.

— Le nom de votre secrétaire ? demanda-t-elle. (Je le lui dis, et elle se tourna vers l'infirmière, qui ne souriait plus.) Vous avez un téléphone ?

L'infirmière lui dit d'utiliser celui du bureau dans le couloir.

» Ne bougez pas, me dit Mills, et je faillis sourire avant de comprendre qu'elle ne plaisantait pas.

Elle écarta le rideau et disparut. J'entendis le claquement de ses talons et me retrouvai seul avec l'infirmière, qui tapota mes oreillers.

— On est au service des urgences ? demandai-je.

— Oui, c'est plutôt calme le samedi matin. Il faudra attendre ce soir pour que le sang coule vraiment.

Elle souriait de nouveau.

— Et moi, je souffre de quoi ?

— Oh, pas grand-chose. Quelques ecchymoses, et un mal au crâne qui durera un peu plus longtemps que la normale. (Et, comme elle souriait encore, je compris que je n'étais pas le premier soûlot du samedi matin qu'elle voyait.) Vous allez sortir bientôt.

Je posai ma main sur son bras charnu.

— Est-ce que mon épouse m'a rendu visite ? Un mètre soixante-dix, cheveux noirs coupés court, jolie femme.

Elle secoua la tête. Non, elle ne se souvenait pas de l'avoir vue.

— Un regard froid, j'ajoutai, grimaçant un sourire. L'air hautain.

— Désolée, mais je ne pense pas qu'elle soit passée.

Je détournai les yeux.

— Vous êtes mariée ?

— Depuis vingt-deux ans.

— Et vous ne rendriez pas visite à votre mari hospitalisé à la suite d'une agression ?

Elle hésita un instant.

— Ça dépendrait, dit-elle enfin, lissant mes couvertures.

— De quoi ?

Elle me regarda.

— Ben, s'il ne l'a pas volé, d'atterrir aux urgences.

Et voilà, me dis-je, quelle était la différence entre elle et moi. Jamais je n'aurais mis une quelconque condition. Soudain, cette infirmière n'était plus l'amie inattendue, et toute chaleur humaine disparut. Elle essaya bien de renouer la conversation, mais je me réfugiai derrière mon mal au crâne et les images hachées de la veille.

Je me souvenais de ce bruit sourd, suivi d'un raclement sur le parquet dans le bureau de mon père. Quelqu'un avait poussé le lourd fauteuil, avant de le balancer dans l'escalier au moment où je montais. J'en avais une certitude absolue. J'en ressentais encore l'impact.

Et je n'étais pas soûl.

Mills revint, et elle n'avait pas l'air jouasse.

— J'ai parlé avec votre secrétaire, dit-elle. Elle n'a pas trouvé de fauteuil au bas des marches, quand elle a vous découvert, ce matin. Par ailleurs, on n'a relevé aucune trace de fouille et encore moins d'effraction.

— Mais le fauteuil de mon père...

— À sa table de travail, comme il l'a toujours été.

Je repensai à ce qui s'était passé la veille. J'avais libéré ma secrétaire plus tôt que d'habitude.

— J'ai peut-être oublié de fermer la porte d'entrée en partant, dis-je. Écoutez, je n'invente rien. Je sais ce qui s'est passé. (Mills et l'infirmière me regardaient en silence.) Bon sang, quelqu'un m'a balancé ce fauteuil au moment où je montais l'escalier !

— Écoutez, monsieur Pickens, vous ne comptez pas parmi mes préférés, pour le moment. J'ai perdu une heure hier à essayer de vous joindre, et je ne vais pas perdre une minute de plus parce que vous vous êtes bourré la gueule. Est-ce que je me fais bien comprendre ?

Je ne savais pas ce qui me révoltait le plus, le refus de Mills de croire en ma version ou l'indécence de ma femme, qui s'était dispensée de me rendre visite. J'avais l'impression que ma tête allait éclater, que je n'étais qu'un boxeur amateur face à un Mike Tyson et qu'il se pourrait bien que je vomisse vert, comme la blouse de cette infirmière.

— Très bien, pensez ce que vous voulez, dis-je à Mills.

Elle me fixa, comme si elle était déçue que je ne me défende pas mieux. L'infirmière déclara qu'elle avait des papiers à me faire signer, et s'en fut chercher lesdits papiers. Je sentais le regard de Mills sur moi mais j'étais déterminé à garder le silence. Finalement, ce fut elle qui reprit la parole.

— Il faut qu'on parle de la nuit où Ezra a disparu, dit-elle, adoucissant la voix, comme s'il allait de soi que je sache quelque chose à ce sujet.

Mon silence eut finalement raison de sa patience.

» Bon Dieu, Work, c'était votre père !

Je levai les yeux vers elle.

— Vous ne savez rien de lui, rien de rien, n'est-ce pas ? dis-je, regrettant aussitôt ma voix pleine de fiel. Écoutez, ajoutai-je, j'ai besoin d'une bonne douche chaude et aussi de parler à ma femme. On pourrait remettre cet entretien à un peu plus tard, disons cet après-midi ? À mon cabinet, à trois heures, ajoutai-je, avant qu'elle ne proteste.

— Ne me faites pas regretter d'être venue.

Elle s'en fut, laissant derrière elle son parfum frelaté. Me rendrais-je à ce rendez-vous ? Peut-être. La nuit qu'elle avait évoquée était un très douloureux souvenir pour moi, et je n'en avais jamais parlé à personne. Il y a tout simplement des secrets qu'on garde pour soi et, celui-ci, je ne l'avais partagé qu'avec ma sœur. C'était le dernier cadeau d'Ezra, un mensonge enveloppé de culpabilité et pétri de pure honte. Ce mensonge m'avait fait perdre le sommeil, et peut-être bien mon âme avec. Jean l'avait appelé "La Vérité d'Ezra". Eh bien, cette vérité était aussi la mienne, il ne pouvait en être autrement, et si Jean n'était pas de cet avis, alors elle se trompait elle-même.

Quelqu'un m'avait tendu un piège. Parfait.

L'infirmière se fit attendre pendant près d'une heure. Quand elle reparut enfin, avec les papiers, je n'avais toujours pas mes vêtements, et elle repartit pour une autre demi-heure, avant de revenir avec. Une très mauvaise journée m'attendait, et la sensation sur mon corps d'effets sales et froissés n'arrangeait rien.

Je sortis en traînant la jambe sous un ciel de plomb. Il faisait chaud et humide, et je ne tardai à suer. Cherchant en vain mes clés dans mes poches, je me souvins que je n'avais pas de voiture. Il ne me restait plus qu'à rentrer à pied chez moi et, si quelque connaissance m'aperçut, personne ne se proposa de me reconduire. Arrivé à la maison, je m'empressai de refermer la porte derrière moi, comme pour fuir un vent violent. Je ne fus pas surpris de trouver la maison vide, et la voiture de Barbara n'était pas là. Le voyant du répondeur clignotait, et il y avait un mot sur le comptoir de la cuisine – un rectangle de papier de luxe parcouru de l'écriture serrée de ma femme. J'en pris connaissance avec un sentiment de désintérêt.

Work chéri, commençait-il, ce qui ne manqua pas de me surprendre. *Je suis allée faire des courses à Charlotte. Je suis désolée d'avoir été dure envers toi hier au soir. J'aurais dû me montrer plus solidaire. Et je comprends qu'on ait besoin de parler. Que dis-tu de ce soir, à dîner? Rien que nous deux. Barbara.*

Laissant le mot où il était, je montai à la chambre pour prendre une douche. Le lit était fait, ce qui me rappela que je n'avais pas de costume propre pour lundi. Je jetai un coup d'œil au réveil; la teinturerie fermait dans vingt minutes. Je me déshabillai et entrai sous la douche.

Moins d'une demi-heure plus tard, j'étais de retour à mon cabinet. Glissant les clés dans ma poche, j'examinai les lieux. Mills avait raison sur un point : tout était parfaitement en ordre. Il n'en restait pas moins que quelqu'un avait bien failli me tuer, et je voulais savoir pourquoi. La réponse à cette question ne pouvait être qu'à l'étage.

Le bureau d'Ezra était vaste. Les murs de briquettes rehaussaient les motifs du grand tapis persan qui avait coûté vingt mille dollars. Au plafond, les poutres étaient apparentes, le mobilier en cuir, les lampes, des Tiffany. Ezra, qui n'avait aucun goût, avait fait appel à une décoratrice, dont j'avais oublié le nom. Elle aimait les peintres conventionnels. Une fois, alors qu'elle se penchait sur des échantillons de tissu, j'avais vu ses gros seins saillir de son décolleté. Ezra, surprenant mon regard, m'avait fait un clin d'œil. J'en avais rougi jusqu'à la moelle mais, en me manifestant cette complicité d'un instant, il m'avait donné le sentiment de partager pour la première fois quelque chose avec moi, ce qui ne manquait pas de sel.

Les tableaux qu'avait collectionnés mon père dégoulinaient de ce bon goût cher aux vieilles fortunes. À regarder ces scènes de chasse, on s'attendait à entendre sonner le cor et aboyer les chiens. Les personnages chassaient accompagnés d'un serviteur qui portait leur fusil et d'une foule de rabatteurs. Précieusement vêtus, ils se réuniraient ensuite autour d'une table somptueusement dressée. Ils chassaient le cerf et non le daim, le faisan plutôt que le perdreau. Leurs demeures portaient des noms.

C'était là le démon qui s'était agrippé à mon père. Ces gens de la haute l'avaient plus enragé qu'humilié, car il avait eu beau réussir et s'enrichir, il lui avait toujours manqué cette arrogance naturelle des héritiers. La pauvreté avait été son aiguillon, et il n'avait jamais mesuré à quel point cela l'avait rendu fort. Je repensai à cette photo de famille trônant sur son bureau à la maison. Je l'avais souvent surpris en conversation muette avec les personnages de cette photo. Il s'était bien plus battu pour échapper à leur monde que pour assurer le confort des siens. Ces gens étaient morts depuis longtemps et ne risquaient plus d'être impressionnés mais ils avaient été pour lui des témoins essentiels.

Boxant le passé, avait commenté Jean, une fois, me surprenant par sa perspicacité.

M'approchant de la massive table de travail, j'examinai le fauteuil. Le cuir en était éraflé mais ces marques pouvaient être anciennes. Relevant le tapis, je fis rouler le siège sur le parquet. C'était bien le même bruit entendu la nuit précédente. Je repoussai le fauteuil à sa place, pour m'intéresser aux parois de l'escalier. Ici aussi, je relevai des éraflures, sans qu'aucune ne me parût signifiante. Mais une chose était sûre à mes yeux : la nuit dernière, je m'étais pris ce fauteuil, et Mills se foutait dedans en prétendant le contraire.

Quelqu'un était venu ici, et pour une raison précise.

Je me laissai choir dans le fauteuil qui désormais était le mien, et, posant les pieds sur le bureau, promenai lentement mon regard dans la pièce, cherchant quelque indice.

Depuis la disparition d'Ezra, nombre de clients nous avaient lâchés. Ezra les courtisait, leur tenait la main. Il avait la presse avec lui, et aucun d'entre eux n'avait jamais soupçonné que c'était moi qui me chargeais du travail de fond. « Les affaires sont les affaires », me dirent-ils en courant chez les confrères et concurrents. La disparition d'Ezra avait fait la fortune de plus d'un avocat de Charlotte, un fait qui l'aurait sans doute tué, si quelqu'un ne s'était chargé de le faire. Il avait toujours haï ses pairs.

Vu le squelettique volume d'affaires que j'avais à traiter, je doutais que quelqu'un eût cherché à mettre la main sur un quelconque dossier. Il n'y avait rien, ici. J'avais, quelques mois plus tôt, épluché le peu qui restait.

Je me rappelai soudain pourquoi j'étais venu ici la veille. Le revolver. J'entrepris de chercher dans le moindre recoin. Une demi-heure plus tard, je dus me rendre à l'évidence : l'arme ne se trouvait pas ici.

Je redescendis pour fouiller cette fois mon propre bureau, en vain. Refusant d'abandonner, je remontai dans le cabinet d'Ezra.

Foulant de nouveau le grand tapis persan, un détail attira mon attention : un coin du tapis et sa frange étaient repliés au pied du grand canapé. Je parcourus d'un regard le reste de la pièce, sans relever d'autre anomalie. M'approchant du canapé, je sentis une des lattes du parquet grincer et fléchir sous mon poids. Faisant un pas en arrière, je notai une légère bosse. Soulevant le tapis, je remarquai que deux des lattes dépassaient des autres de quelques millimètres et qu'elles avaient été sciées, à en juger par la tranche pâle qui contrastait avec la veine sombre du parquet d'origine.

Enfonçant mes ongles dans la bordure, je n'eus pas trop de mal à soulever la latte. Et, dessous, je découvris un petit coffre. Cela n'aurait pas dû m'étonner, connaissant le goût de mon père pour le secret, mais je n'en étais pas moins surpris.

Le coffre était long et étroit, fixé entre les lambourdes. Un couvercle de métal faisait office de porte, et il était équipé d'un petit clavier numérique. M'agenouillant, je considérai ce nouveau problème. Devais-je en informer Mills ? Pas encore, me dis-je. Pas avant de connaître le secret de cette cache.

Je tentai de l'ouvrir en imaginant diverses combinaisons – dates d'anniversaire de la famille, numéros de sécurité sociale et de téléphone, le jour et l'année de l'admission de mon père au barreau, sa date de mariage. Je passai ainsi plus d'une demi-heure à pianoter des chiffres, avant d'enrager et de taper dessus à coups de poing, ce qui n'eut d'autre effet que de me faire mal. Cette saloperie était à l'image de mon père : secrète, silencieuse, incassable.

Je finis par me relever, et remis le tapis en place. Un léger renflement persistait. Marchant dessus, j'arrachai au parquet un grincement trop perceptible.

Je redescendis au rez-de-chaussée pour prendre la boîte à outils que je gardais dans le débarras. De retour à l'étage, je fixai de quelques gros clous les lattes disjointes et, quand je remis le tapis en place, celui-ci ne trahissait plus la moindre bosse, et je pus peser dessus de tout mon poids sans arracher la moindre plainte.

Posant marteau et clous sur une étagère, je me laissai choir sur le canapé. « Assez profond pour y pioncer, assez large pour y baiser », m'avait dit une fois mon père, et j'avais trouvé ça drôle. Plus maintenant. Je me relevai, saisi d'une envie de bouger, de faire quelque chose. Je regagnai ma voiture et démarrai.

Il était temps que je voie Jean.

Chez elle, on entendait les trains passer. Elle habitait dans les quartiers pauvres de la ville, le long de la voie ferrée. C'était une petite maison blanchie à la chaux, avec une véranda et une balancelle, comme en avaient jadis les familles noires. Un fût rouillé placé sous la gouttière recueillait les eaux de pluie, et des rideaux qui n'avaient pas été lavés depuis longtemps ondulaient à travers les fenêtres ouvertes. J'avais toujours été le bienvenu ici, à une époque. On buvait de la bière dans la véranda, et je pouvais me faire une idée de ce qu'était la pauvreté. Cela n'avait rien de terrible, pensais-je. La clôture était noyée sous les mauvaises herbes et, deux rues plus loin, il y avait un boui-boui où on fumait du crack.

Les trains passaient cinq à six fois par jour, si près qu'on en était secoué jusqu'à la moelle. Et les longs coups de sifflet étaient si perçants qu'ils semblaient jaillir de votre propre gorge. Les convois provoquaient un tel déplacement d'air qu'on se raidissait instinctivement, de crainte d'être renversé.

Je descendis de voiture et jetai un regard dans la rue. Les baraques voisines étaient silencieuses, et un chien tirait en rond sur sa chaîne dans une cour. Sale coin, pensai-je en approchant. Les marches en bois ployèrent sous mon poids. La véranda méritait un coup de balai. Une odeur de moisi émanait de la fenêtre. Je frappai à la porte grillagée, perçus un mouvement et une voix de femme grommelant :

— Ouais, ouais, j'arrive.

L'instant d'après, Alex Shiffen était devant moi, me soufflant la fumée de sa cigarette au visage. Elle s'appuya au chambranle.

— Ah, c'est toi, dit-elle.

Je n'avais jamais rencontré de femme dégageant une telle animalité. Affublée d'un blue-jean taillé en short, elle portait son marcel sans soutien-gorge. Grande, mince, elle avait de larges épaules et des bras musclés. Il se dégageait d'elle une énergie brute, et je ne doutais pas qu'elle fût capable de me rosser. Je savais en tout cas qu'elle aimerait bien essayer.

— Salut, Alex, dis-je.

— Tu es venu pour quoi ? demanda-t-elle enfin, la clope aux lèvres.

Ses cheveux blonds étaient coupés court au-dessus de ses larges pommettes et de ses yeux creusés de fatigue. Cinq anneaux perçaient son oreille droite, et elle portait des lunettes à épaisse monture noire... sans verres. Ses yeux n'exprimaient rien d'autre que de l'hostilité.

— Je voudrais parler à Jean.

— C'est dommage, elle est pas là.

Sur ce, elle recula, prête à me claquer la porte au nez.

— Attends une minute, dis-je. Où est-elle ?

— J'en sais rien. Elle a pris la voiture. Ça lui arrive.

— Où est-elle allée ?

Elle avança d'un pas vers moi.

— Je ne suis pas sa gardienne. Elle va et vient à sa guise. On est ensemble quand on en a envie, sinon elle fait ce qu'elle veut.

— Sa voiture est ici.

— Elle a pris la mienne.

La voir fumer me donnait envie d'une cigarette. Je lui en demandai une.

— J'en ai plus, répondit-elle, alors que son paquet bombait la poche de son short.

— Tu ne m'as pas à la bonne, n'est-ce pas ?

— Faut pas le prendre mal, répliqua-t-elle du même ton glacé.

— Alors, c'est quoi ?

Cela faisait deux ans qu'Alex était entrée dans la vie de ma sœur, et je ne l'avais pas rencontrée plus de quatre ou cinq fois. Jean refusait de m'en parler. Je savais seulement où elles s'étaient rencontrées, et cela seul soulevait de sérieuses questions.

Elle balança sa cigarette dans la cour sans me quitter des yeux.

— Tu fais du mal à Jean, reprit-elle, et c'est une chose que je ne peux pas accepter.

Ces paroles me stupéfièrent.

— *Je* fais du mal à Jean ?

— Ouais dit-elle en se penchant vers moi. Tu lui rappelles sa vie pourrie. Tu la tires vers le bas.

— Ce n'est pas vrai, protestai-je en balayant l'air de la main. Je lui rappelle au contraire les bons moments. Avant qu'elle échoue ici. Jean a besoin de moi. Je suis son passé, je suis sa famille, bordel !

— Jean ne voit rien de tout ça en toi. Ce qu'elle voit, c'est de la faiblesse. Parce que c'est ça que tu lui apportes. Tu lui rappelles toute la merde qu'elle a connue en grandissant dans cette foutue baraque où vous avez grandi. Toutes ces années passées à étouffer sous le tas d'ordures qu'était ton père.

Elle se rapprocha de moi. Elle sentait la sueur et le tabac. J'esquissai malgré un mouvement de recul.

— Les femmes ne valent pas un clou, dit-elle d'une voix grave. Les femmes sont faibles.

Je ne savais que trop bien ce qu'elle était en train de faire. C'était Ezra qui parlait, ses propres paroles.

— Elles sont bonnes qu'à écarter les cuisses et sucer, poursuivit-elle. C'est pas ce qu'il disait ? Comment Jean prenait de telles saloperies, à ton avis ? Elle avait à peine dix ans, Work, la première fois qu'elle l'a entendu débiter ce genre de saloperie. Elle n'était qu'une enfant.

Je n'avais rien à répondre à ça. À ma connaissance, il n'avait dit ça qu'une seule fois, mais c'étaient là des mots qu'un gosse n'oublie pas facilement.

— Tu es de son avis, Work ? Serais-tu le bon petit garçon de son papa ? (Elle se pencha un peu plus vers moi.) Ton père n'était qu'un salaud de misogyne, et ta seule présence, Work, ravive chez Jean toutes ces saloperies. Tu lui rappelles aussi ta mère, avec sa façon de toujours encaisser sans broncher, et qui attendait de sa fille qu'elle l'imite.

— Jean aimait notre mère, répliquai-je avec force. Ne joue pas à prétendre le contraire.

Mon argument pesait bien peu, j'en étais conscient. Je ne pouvais pas non plus défendre mon père, et ne comprenais pas pourquoi je me sentais contraint de le faire.

— Tu es une pierre à son cou, Work, reprit Alex. Une pierre.

— C'est toi qui le dis.

— Je suis pas la seule, répliqua-t-elle avec assurance.

Je jetai un coup d'œil à la véranda poussiéreuse, aux plantes mortes dans leurs pots, et à la balancelle où Alex devait instiller haine et mensonges chez ma sœur.

— Que lui as-tu dit ? demandai-je.

— Mais je n'ai pas besoin de lui dire quoi que ce soit. Elle est assez intelligente pour comprendre les choses d'elle-même.

— Je n'ai jamais douté de son intelligence.

— On dirait pas. Tu as pitié d'elle.

— C'est faux.

— Écoute, je lui ai fait dépasser tout ça. Je l'ai rendue forte, je lui ai donné quelque chose, et je te laisserai pas tout gâcher.

— Je n'ai pas pitié de ma sœur, repris-je avec force. Je me soucie d'elle, et elle a besoin de moi.

— Cause toujours, ça ne changera rien. Elle a besoin de toi comme d'un trou dans la tête. Tu es plein de morgue, comme ton père, et elle n'a pas les yeux dans sa poche. Tu crois savoir de quoi elle a besoin, comme si tu pouvais comprendre quoi que ce soit, mais je vais te dire la vérité... tu ne sais rien de ta sœur. Rien.

— Et toi, tu sais qui elle est et ce qu'il lui faut, n'est-ce pas ?

Je sentais la colère monter en moi, et c'était une bonne sensation. L'ennemi était devant moi, palpable et rassurant en un sens.

— Ouais, je le sais, dit-elle.

— Et c'est quoi ?

— C'est pas ce que tu veux, toi. Pas des rêves vides et des illusions. Pas un mari et une belle bagnole dans l'allée, pas de putain de rêve américain. Tout ça la fait gerber, aujourd'hui.

Je regardais ses yeux brillant d'une mauvaise lueur et j'avais envie d'y enfoncer mes doigts, car ils semblaient voir trop clairement que je ressemblais à mon père. Je n'avais jamais fait confiance à Jean pour trouver elle-même son chemin, et c'était là une vérité brutale, choquante, que cette femme venait de m'envoyer en pleine gueule.

— Tu couches avec ma sœur, n'est-ce pas ? demandai-je.

— Tu sais quoi, Work ? Va te faire foutre. J'ai rien à te dire sur Jean et moi. On est ensemble, on fait ce qu'on veut, et je peux t'assurer que tu fais vraiment pas partie du tableau.

— Qui es-tu pour me parler comme ça ?

— Les questions et les réponses sont terminées, et il est temps de te tirer.

— Qu'attends-tu de ma sœur ? répliquai-je.

Je la vis serrer les poings. Les muscles ondoyèrent sous la peau. Une rougeur envahit son cou.

— Dégage de là, dit-elle, les dents serrées.

— Cette maison appartient à Jean.

— Et c'est ici que j'habite. Maintenant, file !

— Pas avant d'avoir parlé à Jean. (Je croisai les bras. J'attendrai qu'elle rentre.)

Je vis Alex se raidir, mais je refusai cette fois de faire le moindre pas en arrière. Je voulais voir ma sœur, j'avais besoin de savoir comme elle allait. Je voulais qu'elle comprenne pourquoi j'étais ici, et que je serais toujours auprès d'elle en cas de besoin.

Alex me regardait, hésitante, maintenant. Puis il y eut un mouvement derrière elle, la porte grillagée s'ouvrit, et Jean sortit. Je la regardai, bouche bée.

Elle avait le visage pâle et gonflé, les cheveux en bataille et les yeux rougis.

— Va-t'en, Work, dit-elle. Rentre chez toi.

Puis elle se tourna et rentra dans la maison. Alex, un sourire de triomphe au visage, me claqua la porte au nez. Je posai un instant les mains sur le battant, puis baissai les bras. Je revoyais le visage de Jean, le chagrin et la pitié que j'y avais lus, en même temps que quelque chose d'irrévocable.

Je regagnai ma voiture dans un état de stupeur. Un instant, je restai là, vacillant, le regard tourné vers cette sordide bicoque. Un train approchait en sifflant. Je me retins de hurler, avant que le vacarme des roues noie toutes choses dans la poussière et le vent.

7.

Rira bien qui rira le dernier était une expression que je connaissais pour l'avoir souvent entendue dans la bouche d'Ezra. Ce que j'ignorais, c'est que ce dernier rire pouvait être quelque chose de réel, quelque chose qu'on n'oubliait pas et qui nous manquait.

Je pouvais encore entendre le rire de ma sœur. Un rire franc, même quand elle n'avait pas saisi toute la plaisanterie. Ses lèvres s'entrouvraient sur de petites dents blanches, et jaillissait de sa gorge une cascade de hoquets. Il lui arrivait aussi de rire aux larmes en grognant et reniflant. Une fois, un filet de morve avait coulé de son nez, et nous en avions ri à en avoir mal au ventre. Ce fut la plus grande rigolade de ma vie. Il y a vingt-cinq ans.

Quant à son dernier rire, son souvenir était gravé dans ma chair. Je venais de lui raconter une blague bien lourde, qui lui avait arraché un hoquet complaisant, quand son mari était entré dans la pièce pour lui dire qu'il raccompagnait la baby-sitter chez elle. Ni elle ni moi ne savions que ces deux-là couchaient ensemble. Elle l'embrassa sur la joue en lui recommandant d'être prudent sur la route. En descendant l'allée, il donna un petit coup de klaxon, chose qu'il faisait toujours, me dit ma sœur avec un sourire attendri.

L'accident eut lieu sur l'aire de repos située à la sortie de la ville, où il avait garé la voiture. Ils étaient nus à l'arrière, et il devait être sur elle, parce qu'il fut le seul à être projeté à travers le pare-brise. Choqué, la mâchoire brisée, le visage profondément lacéré, ainsi que le torse mais aussi l'appareil génital, ce qui n'était que justice, il s'en tira de justesse. La jeune fille n'eut pas cette chance, ce qui était bien triste.

Le policier qui fit le constat m'apprit qu'un chauffard, ivre, roulant à grande vitesse, n'avait pas vu la voiture garée en bordure de la route. Un de ces accidents stupides, dit-il.

Jean resta aux côtés de son mari pendant deux mois, jusqu'à ce qu'elle apprenne que la baby-sitter, âgée de dix-sept ans, était enceinte au moment de l'accident. Ce fut à ce moment-là qu'elle perdit pied. J'arrivai juste à temps, la première fois qu'elle tenta de se donner la mort. De l'eau rougie passait sous la porte de la salle de bains, et je me luxai l'épaule en défonçant le battant. Elle était tout habillée, et j'appris plus tard qu'elle avait gardé ses vêtements pour ne pas m'embarrasser, quand je la découvrirais. Cette pensée marqua mon cœur au fer rouge.

Jean avait alors un grand besoin de soutien psychiatrique, mais Ezra ne voulait pas en entendre parler. Si la nouvelle se répandait, cela la ficherait mal pour la famille. Ce fut en vain que je l'en suppliai. Jean resta donc avec lui et sa mère dans cette grande maison.

Quand son mari la quitta, emmenant avec lui leur seul enfant, elle était alors bien trop déprimée pour lutter. Elle signa sans rechigner la demande de garde qu'il lui présenta. Si ç'avait été un garçon, au lieu d'une fille, je pense qu'Ezra s'y serait opposé. Mais ce n'était qu'une fille, alors il ne se donna pas cette peine.

Cette nuit-là, elle fit une nouvelle tentative, aux barbituriques, cette fois, allongée dans sa robe de mariée sur le lit de nos parents. Après quoi, elle fut placée dans un établissement psychiatrique, où elle eut pour compagne de chambre Alex Shiften. Elles en sortirent ensemble, huit mois plus tard, et ne se quittèrent plus. Nous ne savions rien d'Alex. Elle et Jean s'emmuraient dans le silence. À nos questions polies, elles opposaient des réponses tout aussi polies. Et sitôt que nous insistâmes, Alex rembarra grossièrement Ezra. Nous ne savions plus quoi faire et, pour masquer notre gêne, nous feignîmes de croire que tout allait bien. Quelle bande de crétins nous faisions !

M'éloignant de ce quartier sordide, je pensais au rire ; comme le souffle, on ne savait quel serait le dernier. Cela m'attristait que ce dernier rire de Jean eût été si discret. J'aurais dû lui raconter une blague plus drôle.

Quant à mon dernier rire à moi, je n'en gardais nul souvenir, hormis celui partagé avec Jean et un filet de morve. Une franche poilade. Mais la mémoire peut être comme une écluse : difficile à fermer après qu'on l'a ouverte. Bien des images me revenaient, maintenant, telles des vagues se brisant sur la grève. Je revoyais ma mère gisant à terre, le corps brisé, le rictus de mon père, le sourire de triomphe d'Alex Shiften. Jean enfant, puis gisant dans l'eau rougie de sang de la baignoire. Les mains froides de ma femme sur ma peau et, bien sûr, des images de Vanessa Stolen – son visage luisant de sueur, ses cuisses moites et ses seins fermes et haut plantés, son corps cambré contre le mien. Je revoyais ses yeux, entendais sa voix murmurer mon nom et repensais au secret qui pendant tant d'années m'avait empêché de me donner tout entier à elle. Et combien je l'avais trahie dans cet antre obscur où nos vies avaient été bouleversées à jamais.

Mais il est des choses plus fortes que les doutes, les regrets et les remords. Le besoin de l'autre, par exemple. Être accepté de lui, aimé sans être jugé, alors même que je ne pouvais lui rendre la pareille. J'étais revenu de temps à autre vers ce lieu et cette personne qui ne m'avait jamais déçu. Et je l'avais fait, sachant la douleur que je laissais dans mon sillage. J'avais pris sans rien donner. Et elle, de son côté, n'avait jamais rien exigé, bien qu'elle en eût cent fois le droit. J'avais bien essayé de rester à l'écart, sans jamais y parvenir. Je savais aussi qu'une fois de plus j'échouerais à le faire. Mais voilà, le besoin, pour ne pas dire la bête en moi, était le plus fort.

C'est ainsi que, faisant brusquement demi-tour, je pris le chemin de terre menant à la ferme Stolen. J'avais l'impression qu'on avait actionné une manette dans ma tête. Toute inquiétude s'était soudain dissipée, tout souci envolé. J'étais de nouveau capable de respirer, comme après une longue apnée. Je traversai l'ombre des grands arbres, les gravillons crissant sous mes pneus. J'aperçus une pie-grièche serrant un lézard dans son bec et éprouvai soudain le sentiment d'un retour à l'ordre élémentaire des choses, une impression d'appartenance. C'était une sensation aussi douce que trompeuse.

La maison se dressait maintenant devant moi, et Vanessa se tenait sous la véranda, une main en visière au-dessus de ses yeux. J'avais l'obscur sentiment qu'elle avait pressenti ma venue. J'en étais tout retourné, corps et âme. Cette femme me bouleversait. Le corps endurci par les travaux fermiers, les cheveux blond filasse, ses yeux brillaient comme le soleil sur l'eau. Elle avait des mains calleuses mais je les aimais pour toutes ces choses qu'elles savaient faire. J'adorais la voir semer et tailler ses plants. Les seins modestes, le ventre plat, elle avait un regard doux en dépit d'épreuves qui en auraient aigri plus d'un. De fines rides sillonnaient les coins de ses yeux et de sa bouche, et l'image qu'elle me renvoyait accentuait le sentiment de ma propre faiblesse. Je savais que je ne pourrais jamais lui donner tout ce qu'elle méritait d'avoir. Puis, je descendis de voiture, et elle fut dans mes bras. Ma bouche s'écrasa sur la sienne, et mes mains coururent sur son corps. Je ne ressentais plus la moindre peur ni confusion. Il n'y avait plus que cette femme et le monde tournant autour de nous dans une brume colorée.

Je perçus un son et reconnus mon nom. Sa voix me brûla l'oreille, qu'une langue fraîche apaisa aussitôt. Sa bouche voleta sur mes yeux, mon cou, mon visage. Deux mains fortes inclinèrent ma tête, et de nouveau ses lèvres scellèrent les miennes. Son haleine sentait la prune, j'avais l'impression de goûter à un nectar. Puis, comme je la sentais s'abandonner dans mes bras, je la soulevai et l'emportai jusque dans la chambre à l'étage. Je la posai sur ce lit déjà témoin de notre passion. Nos vêtements s'envolèrent littéralement à travers la pièce. Ma bouche trouva ses seins, les mamelons bruns et durcis, la douceur ferme de son ventre, le parfum musqué de sa sueur, l'écrin soyeux et moite de sa fente, tandis que la chaleur de ses cuisses enserrait ma tête. Ses mains fourrageant mes cheveux, elle murmurait des mots que je ne pouvais comprendre. Sa main à la paume rugueuse s'enroula autour de mon membre pour le guider en elle. Je renversai la tête en arrière, étouffant un cri. Son ventre brûlait. Elle cria mon nom, mais je n'étais plus en mesure de lui répondre.

8.

Longtemps nous dérivâmes, nous gardant de toute parole. Une paix de cette qualité était aussi précieuse et fragile que le sourire d'un enfant. Vanessa était nichée contre moi, une jambe posée sur la mienne, caressant mon ventre et ma poitrine avec une douceur paresseuse. De temps à autre, ses lèvres effleuraient mon cou avec la légèreté d'une plume. Le bras passé autour d'elle, ma main pesait légèrement sur la courbe de ses fesses. Je regardais tourner les pales en bois du ventilateur au plafond. Par la fenêtre entrait une brise légère, douce comme un repentir. Je savais toutefois que ça ne pouvait durer longtemps, et elle aussi le savait. Les mots reviendraient et, avec eux, la réalité. Cela commencerait par l'impression d'avoir oublié quelque chose. Puis le visage de ma femme ferait une brève et muette entrée, et la culpabilité suivrait à pas de loup. Toutefois, ce ne serait pas le remords de l'adultère; cela m'avait passé depuis longtemps, en même temps que Barbara avait cessé de me sourire.

Non, cette culpabilité-là était née de l'obscurité et de la peur bien des années plus tôt, le jour où je l'avais rencontrée, aimée et abandonnée. Ce remords était comme un cancer dont les assauts déchireraient ce cocon de bonheur, me poussant à m'en aller, alors que je me haïssais d'utiliser ainsi le seul être au monde qui m'aimât, me faisant amèrement regretter de ne pouvoir défaire le passé et me réhabiliter à mes propres yeux. Hélas, c'était la seule chose que je ne pourrais jamais faire car, si cette culpabilité était un cancer, alors la vérité était une balle dans la tête. Elle me haïrait si elle savait. Ainsi viendrait le moment où je repartirais, et déjà je redoutais de lire l'expression douloureuse de son visage, quand je lui promettrais de l'appeler, et que d'un courageux hochement de tête et d'un sourire, elle ferait semblant de me croire.

Je fermai les yeux, m'abandonnant à ce plaisir d'un instant, bien qu'au fond de moi je me sentisse vide et froid.

— À quoi penses-tu ? me demanda-t-elle.

— Mes pensées ne te plairaient pas, si je te les disais.

Elle se souleva sur un coude et me sourit. Je lui rendis son sourire.

— Ce sont des pensées noires et horribles, dis-je d'un ton faussement léger.

— Fais-m'en quand même cadeau.

— Embrasse-moi, murmurai-je, décidé à lui faire part des seules pensées qu'elle pourrait supporter. Tu m'as manqué, dis-je. Tu me manques tout le temps.

— Menteur, dit-elle en me prenant le menton dans la main. Je ne te savais pas si bluffeur. (Elle m'embrassa encore.) Sais-tu depuis combien de temps je n'ai pas eu le plaisir de te voir ?

Je le savais, cela faisait dix-sept mois et un peu moins de deux semaines, chaque journée ayant été marquée d'un manque cruel.

— Non, je ne le sais pas, mais tu vas me le dire.

— Laisse tomber, dit-elle. Inutile de s'attarder là-dessus.

Je pouvais lire de la douleur dans ses yeux.

La dernière fois que je l'avais vue, c'était la nuit où ma mère était morte. Je pouvais encore revoir le reflet de son visage dans la vitre, alors que je contemplais la nuit. Je voulais alors lui dire ce qui s'était passé mais, sans le savoir, elle m'en avait empêché.

— Allons, pas de pensées noires, m'avait-elle lancé. C'est ainsi que je ne lui avais rien dit.

— Ezra est mort, lui dis-je. On a découvert son corps il y a deux jours.

— Je sais, répondit-elle. Je suis sincèrement désolée pour toi.

Jamais elle n'aurait elle-même abordé le sujet. C'était encore là une facette d'elle qui la rendait si singulière. En vérité, elle avait toujours été comme ça. Elle n'exigeait jamais rien, ni détails ni confidences. Vanessa vivait l'instant, et c'était une chose que je lui avais toujours enviée. Telle était sa force.

— Comment réagit Jean ?

Elle était la première personne à me poser la question. Elle ne demandait pas ce qui s'était passé ni comment j'encaissais moi-même le coup. Non, elle pensait à Jean parce qu'elle savait que c'était ma sœur qui m'inquiétait le plus. Une telle compréhension m'arracha un frisson.

— J'ai peur pour elle. Elle est allée trop loin, et je ne sais vraiment pas comment la récupérer.

Je lui racontai ma confrontation avec Alex, et puis l'apparition de Jean, qui m'avait chassé.

— Elle s'est éloignée de moi, Vanessa. Je ne la reconnais plus. Elle va mal, mais ne me laissera jamais l'aider.

— Il n'est jamais trop tard. Pour quoi que ce soit. Il suffit de tendre la main.

— Je l'ai fait.

— C'est que tu crois.

— Détrompe-toi, j'ai vraiment essayé.

Je dis cela avec plus de force que je ne l'aurais voulu, et ma colère me surprit moi-même. De qui parlions-nous ? De Jean ou de Vanessa ? Elle s'assit les jambes croisées sur le lit et me regarda.

— Détends-toi, Jackson, dit-elle. Nous bavardons, rien de plus.

Vanessa ne m'avait jamais appelé Work ; elle utilisait mon nom de baptême, et l'avait toujours fait.

— Tu as raison, et parlons plutôt de toi, dis-je. Comment t'en sors-tu ?

Son expression s'adoucit.

— Je me suis lancée dans le bio, fraises, myrtilles et autres. Les gens apprécient de plus en plus les produits naturels. Ça paye.

— Alors, tout va bien ?

Elle rit.

— Non, pas vraiment. La banque me harcèle tous les mois. Mais mon choix du bio s'avère rentable. Cette ferme restera toujours la mienne, je te le garantis.

Elle parla encore de ses cultures, de son tracteur qui fatiguait, du camion dont il fallait changer la transmission. À un moment, elle se leva pour aller chercher deux bières dans la cuisine.

Vanessa était pour moi une bouffée d'air frais. Elle vivait au rythme des saisons, était chaque jour en contact avec la terre. Moi, je ne savais qu'il pleuvait qu'en me faisant tremper.

— Tu sais, le temps est une foutue affaire, dit-elle en me tendant une canette.

Se glissant de nouveau dans le lit, elle posa un coussin sur ses genoux. Une mèche lui balayait l'œil gauche. Je lui demandai ce qu'elle voulait dire par là.

— Oh, je pensais à nos familles, répondit-elle. À leur grandeur et à leur décadence.

— Et alors ? demandai-je, sirotant ma bière.

— Eh bien, je trouve ça fou, quand j'y pense. Elle faisait quoi, ta famille, à la fin de la guerre de Sécession ?

Elle connaissait parfaitement la réponse, on en avait si souvent parlé. Cinq générations plus tôt, mon aïeul était un simple soldat originaire de Pennsylvanie, qui eut la mauvaise fortune de se faire arracher le pied par un éclat d'obus. Fait prisonnier, il fut emmené à la prison de Salisbury, où il mourut faute de soins au bout de quelques semaines. Il fut enterré sur place dans une fosse, avec onze mille autres soldats de l'Union. C'était à la fin de la guerre.

Apprenant sa mort, sa femme, enceinte de lui, se rendit à Salisbury, sans pouvoir se recueillir sur sa dépouille perdue parmi des milliers d'autres. Cela lui brisa le cœur. Elle donna son dernier dollar au médecin qui l'accoucha d'un garçon, mon arrière-grand-père, et mourut deux semaines plus tard. J'ai souvent pensé à cette femme, me demandant si sa mort n'avait pas scellé la dernière histoire d'amour de la famille.

Morte de chagrin !

Son fils prit un emploi dans les fermes du comté, à nettoyer les écuries des planteurs. Mon arrière-grand-père livra dans les grandes maisons de la glace en été et du charbon en hiver. Son propre fils – mon grand-père – fut un bon à rien d'ivrogne qui battait mon père comme plâtre. Les Pickens étaient pauvres comme Job et furent toujours traités comme de la merde dans ce comté, jusqu'à ce que surgisse Ezra. L'homme qui changea la donne.

La famille Stolen avait connu un destin opposé. Deux cents ans plus tôt, leurs terres s'étendaient sur des centaines d'hectares, et les Stolen pesaient lourd dans les affaires du comté de Rowan.

— Ce lit a une longue histoire, dis-je.

— Oui, et il a connu beaucoup d'amour.

Un silence tomba. Vanessa m'aimait, et elle savait que je l'aimais aussi. Or, le problème, c'était mon incapacité à le reconnaître. Elle ne comprenait pas, et j'avais bien trop honte de m'expliquer. Nous restions ainsi dans une douloureuse indécision, sans rien à quoi nous accrocher quand les nuits se faisaient longues et froides.

— Pourquoi es-tu venu, Jackson ? me demanda-t-elle.

— Faut-il une raison ? répliquai-je, penaud.

— Non, jamais, répondit-elle avec gravité.

Je pris la main qu'elle me tendait.

— Je suis venu te voir, Vanessa.

— Mais tu n'es pas venu pour rester.

Je gardai le silence.

— Tu ne viens jamais pour rester, dit-elle encore, les yeux embués de larmes.

— Vanessa...

— Ne dis rien, Jackson. Nous sommes déjà passés par là. Je sais que tu es marié. Je ne sais pas ce qui m'a pris. N'y prête pas attention.

— Il ne s'agit pas de ça.

— Alors de quoi s'agit-il ?

L'angoisse que je lisais dans son regard me laissait sans voix. J'avais eu tort de venir, et je m'en voulais terriblement.

Elle voulut se défendre d'un rire qui mourut dans sa gorge.

— Allons, Jackson, qu'y a-t-il ?

Mais je ne pouvais rien lui dire. Elle me regarda dans les yeux, le temps que son visage se voile de résignation. Elle me donna un baiser, mais celui-ci était sans vie.

— Je vais prendre une douche, me dit-elle. Je t'interdis de bouger.

Je la regardai quitter la chambre, telle Ève chassée du paradis. En d'autres circonstances, nous aurions pris cette douche ensemble, son corps vivant sous mes mains savonneuses.

Je finis ma bière et restai là, écoutant le chant des oiseaux dehors, imaginant le visage de Vanessa offert à l'eau. Refoulant mon envie de la rejoindre, je descendis au rez-de-chaussée, où je me servis une autre bière que j'emportai sur la véranda. Le soleil était bon sur ma peau nue. Des plantations – peut-être des fraises – s'étendaient jusqu'à la ligne des arbres au loin. Appuyé contre un pilier, je fermai les yeux, savourant la brise. Je n'entendis pas Vanessa descendre.

— Oh, mais qu'est-il arrivé à ton dos ? s'écria-t-elle d'une voix inquiète. On dirait que tu as été rossé avec une batte de base-ball.

Je sentis sa main effleurer mes hématomes.

— Je suis tombé dans l'escalier, répondis-je.

— Tu étais soûl ?

— Ouais, un peu.

— Jackson, tu n'es pas raisonnable. Tu aurais pu te faire très mal, et pire encore.

Je ne savais pas pourquoi je lui avais menti. Peut-être jugeais-je qu'elle avait assez de problèmes comme ça.

— T'inquiète pas, ça ne me fait même plus mal.

Elle me prit la canette des mains pour boire une gorgée. Elle s'était enveloppée d'une grande serviette, sa chevelure encore mouillée. J'avais envie de la serrer contre moi et lui dire que je l'aimais, que plus jamais je ne la quitterais, et que nous passerions le restant de nos jours ensemble. Au lieu de ça, je passai un bras timide sur ses épaules en disant platement que j'aimais cette ferme. Elle accepta ces pauvres mots sans rien dire. C'était là l'aveu le plus audacieux dont je fusse capable, et elle ne l'ignorait pas. La réalité, après tout, n'avait jamais été une affaire simple.

— Tu as faim ? me demanda-t-elle. (Je hochai la tête.) Allons dans la cuisine.

Dans le couloir, elle décrocha au passage un peignoir.

— Va chercher ton pantalon, me dit-elle. Tu peux tout faire à poil dans cette maison, sauf t'asseoir à ma table.

Et de me claquer les fesses tandis que je passais devant elle.

Elle avait une grande table à tréteaux en bois de noyer, qui devait bien avoir deux cents ans et en portait les marques et la patine. Assis devant nos assiettes de fromage et de jambon, nous faisions la conversation. Je lui parlai du coffre-fort d'Ezra et du revolver que je n'avais pas retrouvé. Elle me demanda d'un ton hésitant comment mon père était mort. De deux balles dans la tête, je lui répondis, et elle porta son regard vers la fenêtre.

— Tu te sens différent ? me demanda-t-elle enfin.

— Comment cela ?

Elle me regarda.

— Ta vie va-t-elle changer, maintenant qu'Ezra n'est plus ?

Je ne comprenais pas très bien ce qu'elle entendait par là, et je le lui dis. Un silence passa, avant qu'elle me demande :

— Es-tu heureux ?

Je haussai les épaules.

— Peut-être. Je ne sais pas. Ça fait un moment que je ne suis pas posé cette question. Où veux-tu en venir, Vanessa ?

— Je ne pense pas que tu vives pleinement ta vie, Jackson, et depuis longtemps, dit-elle en soupirant.

— Je mène la vie de qui, alors ?

— Tu le sais bien, dit-elle d'une voix douce et timide, comme si elle craignait une réaction violente de ma part.

— Non, Vanessa, je ne le sais pas.

Je sentais la colère monter en moi, sans en connaître la raison. Mes dénégations n'étaient qu'un moyen de tuer la vérité. Je me comportais comme un junkie, en vérité.

— Jackson, je ne cherche qu'à t'aider.

— Ah oui ? Ce ne serait pas plutôt toi que tu veux aider.

— Ce n'est pas juste, se défendit-elle.

Il m'importait peu de reconnaître qu'elle avait raison. Elle m'entraînait sur un terrain dont je ne voulais pas.

— Non, reprit-elle, c'est de toi dont je me soucie, comme je l'ai toujours fait.

— Bon Dieu, Vanessa, je ne suis pas maître de la réalité. Les choses sont ce qu'elles sont, et je ne peux rien y changer.

— Oui, et c'est bien là ton problème.

Je la regardai en silence.

— Nous faisons des choix, qu'on le veuille ou non. Nous pouvons agir, Jackson. Tu ne réalises donc pas qu'Ezra est mort ?

— Ah, nous voilà de retour à la case Ezra.

— Nous n'en sommes jamais sortis, et c'est bien le problème. Tu ne l'as jamais quitté. Ça fait vingt ans que tu vis dans sa dépendance, et j'ai l'impression que tu n'en as pas encore pris conscience.

Je ne comprenais plus de quoi elle parlait.

— Ce n'est pas vrai, protestai-je.

— Si, et tu le sais.

Elle essaya de me prendre la main mais je m'écartai.

— C'est faux, archi-faux ! criai-je.

— Pourquoi as-tu épousé Barbara ? me demanda-t-elle avec une calme résignation.

— Quoi ?

— Pourquoi Barbara ? Pourquoi pas moi ?

— Je ne vois pas de quoi tu veux parler.

— Allons, tu le sais très bien, dit-elle en se levant de sa chaise, les deux mains appuyées sur la table ancestrale.

Elle se pencha vers moi, le visage tendu.

— Écoute-moi bien, Jackson, parce que je te jure que plus jamais je ne le redirai. Il y a dix ans, tu m'as dit que tu m'aimais. Tu avais l'air parfaitement sincère. Et puis tu as pris Barbara pour épouse. Maintenant, je vais te dire pourquoi tu as fait ça.

Je me balançais sur ma chaise, conscient d'être sur la défensive, sans pouvoir y faire grand-chose. J'avais mal à la tête, soudain, et j'avais beau me masser les tempes, la douleur persistait.

— Tu as épousé Barbara parce qu'Ezra t'a ordonné de le faire. (Elle tapa du plat de la main sur la table, et le bruit fut comme une détonation.) Reconnais que c'est la vérité, et plus jamais je ne reparlerai de ça. Tu vis comme ton père l'a voulu. Barbara était d'une bonne famille, sortait du meilleur collège, et toutes ses amies étaient des filles de notables. C'est la vérité, reconnais-le, Jackson. Bon Dieu, sois un homme pour une fois.

— Non ! m'écriai-je en me levant soudain. Ce n'est pas vrai.

Je me levai de table et montai à la chambre pour me rhabiller. Elle avait tort, et je ne voulais plus rien entendre. Sa voix me suivit dans l'escalier.

— Et les enfants ? Tu voulais des enfants !

— Ferme ta gueule, Vanessa ! hurlai-je tout en sachant qu'elle ne méritait pas que je la traite ainsi.

— Qui rêvait d'enfants, Jackson ? reprit-elle. Tu en parlais tout le temps. Tu en voulais plusieurs. C'est ce dont tu as toujours rêvé, une grande famille, pour laquelle tu aurais été ce père qu'Ezra n'avait jamais été. Bon Dieu, Jackson, ne te défile pas une fois de plus. C'est trop important !

Je ne lui répondis pas. Je ramassai ma chemise qui traînait par terre, trouvai mes clés sur la descente de lit et enfilai mes chaussures sans prendre la peine de remettre mes chaussettes. Il faisait chaud dans la maison. J'étouffais. Je devais m'arracher de là, et me reprochais amèrement d'être venu.

Elle m'attendait au bas des marches.

— Ne pars pas, me dit-elle. Pas comme ça.

Sa voix s'était radoucie et je lisais de la tendresse dans ses yeux, mais je n'allais pas céder.

— Laisse-moi passer, dis-je, les dents serrées.

Elle se jucha sur la première marche, me bloquant le passage. La regardant malgré moi, je vis les taches de rousseur sur son nez et ses yeux trop grands pour être innocents.

— Je t'en prie, Jackson. Je regrette de t'avoir dit ça. S'il te plaît, ne t'en va pas.

— Écarte-toi, Vanessa.

La douleur que je lisais sur son visage me crucifiait mais je ne pouvais pas m'arrêter. C'était son combat, pas le mien.

— Je t'en supplie, Jackson, ça faisait si longtemps qu'on ne s'était pas revus. Je ne peux pas te perdre une nouvelle fois. Viens, allons boire une bière.

Elle me tendait la main, mais j'avais soudain du mal à respirer. La violence de ma réaction me dépassait ; j'avais besoin d'air, de sortir. Je repoussai sa main et passai devant elle.

— Je n'aurais pas dû venir, lui criai-je en poussant si fort la porte grillagée, qu'elle claqua contre le mur.

Elle me suivit dehors, ses pas crissant sur le gravier, sa respiration haletante. Je savais que si je me retournais, je verrais son visage inondé de larmes. J'accélérai le pas, mais elle me rattrapa quand j'arrivai à la voiture.

— Ne t'en va pas.

Je ne bougeai pas. Elle posa une main sur mon épaule, l'autre sur mon cou, et je sentis son visage pressé contre mon dos. Mon seul désir aurait été de rester, mais elle attendait trop de moi. Elle attendait la vérité, et la vérité n'était pas mon amie.

— Je t'en prie, ne m'oblige pas à te supplier, me dit-elle encore, et je savais combien ces mots lui coûtaient.

Mais je refusai de me retourner. Je ne le pouvais pas. Si je le faisais, je ne repartirais jamais. C'était là un bien cruel paradoxe. En vérité, j'avais un besoin vital de ma colère, et ne pouvais céder.

— Je suis désolé, Vanessa. Je n'aurais pas dû venir.

Elle n'essaya pas de m'empêcher de monter dans ma voiture. Je fis marche arrière sans la regarder, roulant vite, les roues patinant sur le gravier, jusqu'à ce que je parvienne au bout de l'allée. Et puis je la vis dans le rétroviseur. Elle était tombée à genoux, le visage enfoui dans ses mains fortes. Elle avait l'air fragile, comme brisée.

Ma colère fondit d'un coup, me laissant tremblant. Elle était la seule femme que j'eusse jamais aimée, et je ne lui laissais en souvenir que le goût salé de ses larmes.

Bon Dieu, pensai-je, qu'est-ce que j'ai fait ?

9.

Arrivé à la route goudronnée, je m'arrêtai. Je me sentais aussi mal que si je venais d'écraser une nichée d'oisillons. Je ne pouvais supporter l'idée de ce qui venait de se passer, mais j'en garderais désormais l'empreinte gravée dans ma chair. Je sentais encore ses larmes, ses doigts si légers sur ma nuque, l'empreinte de sa joue dans mon dos. Je détournai mes pensées vers quelque chose de matériel : le volant, le tableau de bord, la montre qui indiquait quatre heures passées. Je redémarrai, me souvenant soudain de mon rendez-vous de trois heures avec Mills. Tandis que je trompais mon épouse et détruisais la femme que j'aimais, j'avais complètement oublié l'inspecteur.

J'accélérai. Le macadam défila son ruban noir sous mes roues. Une chanson passait à la radio, que je ne me souvenais même pas avoir allumée. Je l'éteignis, tandis que je traversais un paysage de champs vallonnés, qui cédèrent la place à des parkings pour caravanes et des centres commerciaux. Une odeur de sexe restait accrochée à moi telle une marque infamante. J'appelai à la maison pour savoir si Barbara était là, raccrochant sitôt qu'elle eut décroché. Sa voix sirupeuse me donna envie de lui parler, juste pour l'entendre virer à l'amertume, mais je me ravisai, peu pressé qu'elle me pose des questions auxquelles je ne pourrais répondre. J'avais besoin de calme.

Arrivé à mon bureau, je gagnai la salle de bains d'Ezra pour prendre une douche et me laver de mes péchés en me demandant combien de fois il en avait fait autant en de pareilles circonstances. Jamais, me dis-je. Ezra connaissait les femmes mais la culpabilité lui était étrangère. Lui enviais-je ce trait ? Certainement pas. Maternant mon sentiment de culpabilité dans l'espoir qu'il me rattache à l'humain, je quittai la salle d'eau avec un bras d'honneur au souvenir de mon père. Quant aux autres, qu'ils aillent se faire foutre. J'avais besoin de penser à moi. Peut-être que j'irais me l'acheter, ce chien, après tout.

Je regagnais le parking quand je perçus un mouvement derrière moi. Je me retournai.

« J'ai vu ta voiture. » C'était Douglas. Il avait un visage fatigué, les yeux gonflés et le nez couperosé. Il me regardait d'un regard incertain, et je pensai qu'il avait peut-être bu. « J'ai frappé à la porte, tout à l'heure, mais sans succès. Alors, j'ai attendu. »

Je ne dis rien. Je ne sais pourquoi mon cœur battait si fort. Douglas se rapprocha de moi, son regard notant mes cheveux mouillés et mes vêtements froissés. Je me sentis rougir malgré moi. Douglas était un homme à qui il était difficile de mentir. « Tout va bien ? me demanda-t-il en enfournant un chewing-gum.

— Oui, tout va bien, répondis-je, retrouvant enfin ma voix.

— Je te pose la question parce que je viens d'avoir Mills au téléphone, et elle m'a dit qu'il vaudrait mieux que tu sois mort, parce que c'est la seule excuse qu'elle acceptera. (Ses yeux brillaient plus intensément que d'ordinaire, et c'était là, je le savais, son regard de procureur en salle d'audience.) Serais-tu mort ? demanda-t-il.

— Presque, répondis-je, grimaçant un sourire. Écoute, je suis désolé d'avoir raté Mills, mais j'avais mes raisons.

— Tu pourrais les partager avec moi ?

— Certainement pas.

Peu impressionné par la colère que trahissait ma voix, il enfonça les mains dans ses poches et me regarda attentivement. Je m'efforçai de lui opposer le visage impassible que j'affectais en plaidant mais, là, à l'ombre de l'antre paternel, l'exercice était périlleux. Je ne savais pas ce que Douglas voyait, mais j'étais sûr que ce n'était pas le visage détendu et ouvert que mon miroir m'avait parfois renvoyé.

— Je vais te dire une chose, Work, et je veux que tu m'écoutes attentivement. (Je le regardai sans ciller.) C'est le conseil d'un ami, et tu devrais le suivre. (Il s'interrompit, s'attendant sans doute à ce que je lui dise merci, et mon silence lui arracha un soupir.) Ne déconne pas avec Mills, reprit-il. Je parle très sérieusement. C'est une chieuse et une femme frustrée, ce qui fait d'elle quelqu'un d'éminemment dangereux en ce qui te concerne.

Un froid glacial s'empara de moi.

— Qu'est-ce que tu es en train de me dire, Douglas ?

— Rien, je ne te dis rien du tout. Considère que nous n'avons jamais eu cette conversation.

— Je suis suspect, c'est ça ?

— Dans une affaire de meurtre, tout le monde est suspect.

— Ce n'est pas une réponse.

Douglas contempla un instant le parking vide avant de reporter son regard sur moi. Il pinça les lèvres.

— Ezra était un homme riche, dit-il, comme si cela expliquait tout.

— Et alors ? dis-je, l'air confondu.

— Bon Dieu, Work, reprit-il, de l'exaspération dans la voix. Mills cherche un motif et elle passera en revue les suspects potentiels. Ezra a certainement fait un testament.

— Oh, merde, grognai-je. Si je m'attendais à ça...

— Barbara a toujours eu des goûts de luxe, poursuivit-il. Quant à ton cabinet... le moins qu'on puisse dire, c'est qu'il bat de l'aile.

— Allons, Douglas, tu plaisantes...

— Je ne fais que relever des évidences, d'accord ? Tu plaides brillamment, Work, et tu es un excellent tacticien du droit, impartial qui plus est. Mais tu n'avais jamais fait la pluie et le beau temps. Les plaintes de particuliers ne t'intéressent plus, et tu refuses de courtiser les gros clients, comme savait le faire Ezra. C'est ce qui l'a rendu riche. Un cabinet d'avocat est un commerce, et Mills le sait bien, comme elle sait parfaitement que le tien bat de l'aile.

» Écoute, poursuivit-il, je sais bien que tu n'as pas tué ton père, mais ne donne pas à Mills une raison de s'intéresser à toi. Coopère, bon Dieu. Ne joue pas au con. Donne-lui ce qu'elle veut. Pas la peine d'être fort en calcul pour ça.

— Que vient faire le calcul, là-dedans ?

— Mais tout, Work, tout. Ezra pesait des millions. Ça fait un gros motif, dans notre jargon.

Une crampe me serra soudain l'estomac.

— Mills a parlé de ça avec toi ?

— Pas de façon explicite, admit Douglas, mais pas besoin d'être un génie pour en déduire qu'elle va suivre cette piste. Alors, rends-toi service. Ne t'en fais pas une ennemie.

— Elle t'a dit qu'on avait essayé de me tuer la nuit dernière ?

— Elle l'a mentionné, répondit-il en fronçant les sourcils.

— Et alors ?

Douglas haussa les épaules, fuyant mon regard.

— Elle ne te croit pas.

— Et toi non plus, n'est-ce pas ?

— Mills est flic, Work.

— Mais toi, tu penses aussi que j'ai inventé cette histoire ?

— En vérité, je ne sais pas ce que je dois croire.

— Quelqu'un a balancé ce fauteuil dans l'escalier, juste au moment où je montais dans le bureau d'Ezra. Si on ne voulait pas me tuer, on ne voulait pas non plus me faire du bien.

— Et tu penses que cela a un rapport avec la mort de ton père ?

Je pensais au coffre et au revolver disparu.

— Ça me paraît plausible, en tout cas.

— Eh bien, ce n'est pas l'avis de Mills. Elle te soupçonne de chercher à brouiller les pistes. Et si je pensais que c'est le cas – je dis bien "si" – je serais alors enclin à être d'accord avec elle. C'est le rasoir d'Occam, Work. L'explication la plus simple est souvent la bonne.

— Foutaises, Douglas. On a réellement essayé de me tuer.

— Dans ce cas, contente-toi de donner ton alibi à Mills, ainsi que tout ce qu'elle te demandera. Quand elle aura tout vérifié, tu seras tranquille.

Je savais à quoi Douglas faisait référence, et il me sembla réentendre un sinistre craquement de cervicales.

— Tu n'ignores pas ce qui s'est passé cette nuit-là, Douglas.

— Ta mère est morte d'une chute dans l'escalier, rien de plus.

— C'est suffisant.

— Non, Work, ça ne l'est pas, parce que c'est aussi cette nuit-là que ton père a disparu, et Mills n'ignore pas que Jean et toi êtes les derniers à l'avoir vu en vie. C'est un fait important, et votre trauma, à ta sœur et toi, pèsera peu dans une enquête criminelle. Parles-en à Mills.

Je n'avais pas besoin qu'on me rappelle que mon père avait été assassiné. Je revoyais l'éclat mat de ses ossements chaque fois que je fermais les yeux.

Douglas se dressait devant moi. Le silence qui avait suivi ses derniers mots attendait une réponse. Il voulait que je lui crache le souvenir de cette nuit-là, comme on le ferait d'une tumeur sanglante, sur laquelle Mills et son engeance pourraient coller leurs loupes entre deux pauses-café. Je me bagarrais tous les jours au tribunal avec les flics. Je connaissais le voyeurisme tordu de ces types que toutes ces horreurs ne lassaient jamais. Ils spéculaient sur les victimes de viol, se passaient les photos, disséquant l'humanité d'une personne, en quête d'une bonne blague qui ferait le tour des bureaux. Les victimes faisaient l'objet de fines plaisanteries : Est-ce qu'elle les a suppliés ? Elle était encore vivante quand ils l'ont baisée ? Consciente du premier coup de couteau ? Il paraît qu'il s'est fait dessus ?

C'était une farce macabre, mettant en scène les victimes à travers le pays. Mais cette fois, il s'agissait de ma douleur, de ma famille, de mes secrets.

Je revoyais ma mère au bas des escaliers, les yeux grand ouverts, la bouche ensanglantée, le cou tordu grotesquement. Je revoyais la robe rouge qu'elle portait, la position de ses mains, l'une de ses mules sur une marche. C'était un souvenir cruel mais, si je levais la tête, vers le palier, je reverrais Ezra, ce qui serait bien pire, et je ne me sentais pas encore prêt à ça. À la vérité, j'en étais incapable car, à travers Ezra, je revivrais ce qu'il avait infligé à Jean, cette nuit-là. Tout serait là gravé sur le visage de ma petite sœur, composant cet horrible portrait qui hantait encore mes rêves – portrait où l'effroi, la rage et une force animale composaient le visage d'une étrangère, capable de tuer, un trait qui était pour moi le plus terrifiant. Qu'est-ce que cette nuit-là avait fait de ma sœur ? Jean était-elle à jamais perdue ?

Si je parlais à Mills, tout cela resurgirait. Elle sonderait, fouillerait avec son esprit de flic, et pourrait bien en tirer je ne sais quelle théorie tordue, et je ne pouvais la laisser faire.

— Pas de problème, dis-je à Douglas. Je lui parlerai.

— Oui, veilles-y, répondit-il.

— Ne t'inquiète pas, dis-je en déverrouillant ma voiture, impatient de fuir. Et merci de t'inquiéter de moi, ajoutai-je, vainement sarcastique.

Je me glissai derrière le volant, quand il se rapprocha et posa une main sur la portière.

— À propos, dit-il, où étais-tu la nuit où Ezra a disparu ?

Je levai les yeux vers lui.

— Tu veux connaître mon alibi ? lui demandai-je, comme s'il plaisantait. (Il ne répondit pas, et mon ricanement me parut vain.) En tant qu'ami ou procureur ?

— Peut-être un peu des deux.

— Tu es un drôle de type, Douglas.

— Allez, fais-moi plaisir.

Je n'avais plus qu'une envie, c'était de m'arracher de là, loin de ses questions et de son regard faussement détaché. Alors, je fis ce que tout autre aurait fait en la circonstance : je mentis.

— J'étais chez moi. Au lit. Avec Barbara.

Il eut un mince sourire.

— Tu vois, ça n'était pas tellement difficile, n'est-ce pas ?

— De te répondre ou d'être au lit avec Barbara ?

Il sourit franchement, cette fois.

— Tu es un bon garçon, Work, dit-il, s'efforçant d'être amical.

J'aurais aimé lui rendre son sourire, mais j'en étais incapable. Je ne pus lui offrir qu'un hochement de tête sans conviction. Je pouvais lire le doute dans son regard. Avais-je pu tuer Ezra ? s'interrogeait-il, et je savais qu'il vérifierait mon alibi. Je me doutais aussi qu'il avait déjà parlé de ça avec l'inspecteur Mills. C'était son comté, sa juridiction, et l'affaire faisait du bruit. Il ne se contenterait pas d'un poste d'observateur. Il m'avait menti comme je lui avais menti, et cela voulait dire une chose : notre amitié était morte, qu'il le veuille ou non. Il se pourrait qu'il réclame la peine de mort pour l'assassin de mon père, mais cela ne nous réconcilierait pas.

Je le regardai s'éloigner en direction de sa vieille Chevrolet. L'instant d'après, il démarrait sans un regard vers moi, et je compris que lui aussi savait. La mort d'Ezra était comme une allumette jetée sur du petit bois humide. Le feu couverait un temps avant de prendre et crépiter. Je me demandais ce que les flammes pourraient encore dévorer.

Je démarrai, vitres ouvertes, laissant le vent sécher mes cheveux. J'allumai une cigarette, et pensai au visage de Vanessa dans la lumière de l'après-midi. C'est à cette image que je devais m'accrocher. Comment tout avait commencé, et non pas comment ça s'était terminé. Je ne devais pas céder à la faiblesse et compter sur le pardon d'une femme. Je dis son nom à haute voix, et puis n'y pensai plus.

*

Il était près de six heures du soir quand j'arrivai chez moi. Je sus qu'il se passait quelque chose à l'instant même où je poussai la porte. Des bougies parfumaient l'air, et la stéréo jouait de la musique douce. J'entendis Barbara qui m'appelait depuis la cuisine. Abandonnant ma veste sur le dossier d'une chaise, je la rejoignis sans me presser. Elle m'accueillit avec un verre de vin blanc frais, un chardonnay qui avait dû coûter une fortune. Vêtue d'une robe noire moulante, elle était tout sourire.

— Bienvenue à la maison, chéri.

Elle m'embrassa, bouche ouverte et langue fourrée. Elle ne m'avait pas donné du chéri depuis une éternité, et la dernière fois qu'elle m'avait roulé une pelle, elle était bourrée comme un coing. Elle se pressa contre moi, ses seins ballottant sur ma poitrine, ses bras passés autour de ma taille.

— Tu es soûle ? demandai-je abruptement.

— Pas encore, répondit-elle sans se formaliser de ma question. Mais encore un verre ou deux, et tu auras cette chance.

Je ne savais trop quoi penser de tout cela et, jetant un regard dans la cuisine, je vis des casseroles sur le feu.

— Tu fais la cuisine ?

Ma surprise n'était pas feinte. Barbara ne cuisinait jamais.

— Filet de bœuf en croûte.

— En quel honneur ?

Elle se détacha de moi pour poser son verre sur le comptoir.

— Pour m'excuser, dit-elle, de mon comportement la nuit dernière. Tu as passé un très sale moment, et j'aurais dû être à tes côtés. (Elle baissait les yeux d'un air contrit, mais je ne croyais pas un mot de ce qu'elle me racontait.) J'aurais dû être à l'hôpital avec toi, Work.

Jamais, depuis notre mariage, Barbara ne s'était excusée de quoi que ce soit, et son comportement présent me laissait sans voix.

Elle me prit les mains d'un air inquiet qui ne pouvait qu'être feint.

— Tu n'as rien ? demanda-t-elle, faisant référence à ma chute, supposai-je. J'aurais dû être là, je le sais bien, mais j'étais encore très en colère contre toi.

Elle eut une moue coquette et contrite à la fois, ce qui, à ses yeux, je le savais, signifiait le retour à la paix. Puis, se détournant de moi, elle prit son verre de vin, qu'elle vida de moitié en une gorgée, avant de me faire face de nouveau, les yeux humides.

— Alors, comment s'est passée ta journée ? demanda-t-elle d'une voix trop forte.

Je faillis éclater de rire ou lui foutre une baffe, juste pour voir l'expression que prendrait son visage si parfaitement apprêté. Quelqu'un a essayé de me tuer, hier au soir, et tu n'es même pas venue à l'hosto. J'ai fait l'amour avec une femme solitaire et fragile, puis je lui ai brisé le cœur pour des raisons que ma lâcheté m'empêche d'expliquer. Mon père a été assassiné de deux balles dans la tête, et le district attorney veut savoir où j'étais la nuit où Ezra a disparu. J'aimerais bien effacer de ta gueule ce sourire hypocrite qui, si j'en crois mon intuition, signifie que mon mariage est en danger. Et ma sœur, que j'ai trahie de toutes les façons possibles, me déteste, maintenant. Pire, cette sœur que j'aime est probablement l'assassin de notre père.

— Pas mal, lui dis-je. Et toi ?

— Moi aussi, répondit-elle. Le journal est dans le salon. Le dîner sera prêt dans une demi-heure.

— Je vais me changer.

Je m'éloignai d'un pas raide. Si je revenais dans la cuisine avec de la merde dans la bouche et embrassais Barbara, me dirait-elle que mon haleine sent le chocolat ?

Je me passai le visage sous l'eau froide et enfilai un pantalon de toile et le chandail en coton offert pour Noël par ma tendre moitié, il y a longtemps. Me regardant dans la glace, je m'étonnai de l'expression calme de mon visage, mais le sourire que j'esquissai dissipa aussitôt l'illusion. Je repensai à tout ce que m'avait dit Vanessa.

Quand je revins dans la cuisine, Barbara était encore au fourneau, surveillant la cuisson. Son verre était plein de nouveau, et elle remplit le mien en me souriant. Nous trinquâmes.

— Dix petites minutes encore, me dit-elle. Je t'appellerai quand ce sera prêt.

— Veux-tu que je mette la table ?

— Non, je l'ai déjà fait. Détends-toi.

Je me tournai vers le salon. Dix minutes de calme me feraient le plus grand bien.

— À propos, Douglas est passé, me dit-elle.

Je me retournai.

— Quoi ?

— Visite de routine, m'a-t-il dit. Pour parler de la nuit où Ezra a disparu.

— Visite de routine, hein ?

— Oui, histoire de remplir les blancs dans le dossier.

— Le dossier.

— Pourquoi répètes-tu tout ce que je dis ? demanda-t-elle.

— Désolé, je ne m'en rendais pas compte.

— Franchement, Work, il y a des fois où tu me fais rire.

Elle se tourna de nouveau vers sa marmite, une cuiller en bois à la main. Quant à moi, je ne bougeai pas, vaguement conscient de cet engourdissement qui depuis plusieurs heures était devenu mon état normal.

— Que lui as-tu dit ? demandai-je enfin.

— Mais la vérité, bien entendu.

— Je comprends bien, Barbara, mais quoi en particulier, je te prie ? insistai-je, le ton sec.

— Ne t'en prends pas à moi, Work. J'essaie seulement de...

Elle eut un geste d'impuissance de la main qui tenait la cuiller, projetant sur le comptoir des gouttes de sauce, sur lesquelles je portai mon attention pour éviter de la regarder. Finalement, comme je relevais la tête, je vis qu'elle pleurait. Tout homme l'aurait prise dans ses bras pour la consoler, mais mon âme était déjà noire de mensonges.

J'attendis qu'elle se remette pour lui demander de nouveau, et gentiment cette fois, ce qu'elle avait répondu.

— Je lui ai dit le peu que tu as bien voulu me raconter... qu'après avoir accompagné le corps... je veux dire, ta mère à l'hôpital, tu étais repassé chez ton père, avant de venir ici. Je lui ai dit que Jean et toi, vous étiez complètement bouleversés et que... vous vous étiez disputés, ajouta-t-elle, les yeux baissés.

— Quoi, tu lui as parlé de ça ?

— Je ne suis pas entrée dans les détails. Je lui ai seulement dit que vous étiez tous les deux sous le choc et que vous aviez eu une vive discussion.

— Quoi d'autre ?

— Bon sang, Work, où veux-tu en venir ?

— Je t'en prie, c'est important.

— Mais il n'y a rien de plus. Il voulait savoir où tu étais cette nuit-là, et je le lui ai dit. Il m'a remerciée, et il est reparti. C'est tout.

Dieu merci. Mais je devais en être sûr. Reprenant d'une voix calme, je lui demandai si elle pouvait jurer que j'avais passé la nuit avec elle, le jurer devant un juge ?

— Tu me fais peur, Work.

— Il n'y aucun motif d'avoir peur, la rassurai-je. Je suis avocat. Je sais ce que pourraient penser les gens, et il vaut mieux que ce soit bien clair entre nous.

Elle se rapprocha de moi, tenant toujours sa cuiller à la main. Elle me regarda sans ciller et baissa la voix, comme pour donner plus de force à ses mots.

— Je le saurais, tout de même, si tu avais quitté la maison, cette nuit-là.

Je ne sais quoi dans son visage me fit soupçonner qu'elle connaissait peut-être la vérité. À savoir que j'étais sorti. Que j'avais passé de longues heures à pleurer sur l'épaule de Vanessa, avant de regagner la maison au petit matin et remonter à pas de loup dans notre chambre, avec la peur au ventre que Barbara ne se réveille.

— Tu étais ici, me dit-elle. Avec moi. Et il n'y a pas le moindre doute à ce sujet.

Je lui souris, tout en priant que mon expression ne me trahisse pas.

— Alors, l'affaire est réglée, dis-je. Merci, Barbara. (Je me frottai les mains.) Ce bœuf me paraît succulent, ajoutai-je pauvrement, avant de battre en retraite vers le salon.

J'allais m'asseoir sur le canapé quand une pensée m'arrêta.

— À quelle heure est passé Douglas ?

— À quatre heures, répondit-elle.

Quatre heures, soit une heure avant que je le rencontre sur le parking. Je m'étais donc trompé. Notre amitié, en ce qui le concernait, était déjà morte et enterrée quand il m'avait abordé. Ce salopard n'était venu que pour me sonder, après ce qu'il avait appris de Barbara.

Le repas aurait été une joie si je n'avais pas eu l'appétit coupé. Il y avait du fromage de Brie caramélisé, de la salade aux croûtons et parmesan, du filet de bœuf en croûte. Le chardonnay était australien. Ma femme était belle à la lueur des bougies, et je me reprochai de l'avoir peut-être sous-estimée. Elle sut faire de pertinentes remarques sur quelques-unes de nos connaissances sans les dénigrer, parla des événements et d'un livre que nous avions lu tous les deux. De temps à autre, elle me touchait la main et je me sentais mollir sous le vin et l'espoir. À neuf heures et demie, je me disais que nous avions peut-être une chance de nous en sortir. Ce sentiment fut de courte durée.

La table était débarrassée, et nous buvions du café en sirotant du Bailey's. J'étais envahi d'un agréable contentement et projetais de lui faire l'amour, excité par la pression de sa main sur ma cuisse.

— Alors, dis-moi, murmura-t-elle en se penchant vers moi avec l'air de s'offrir, quand projettes-tu d'emménager ?

La question me prit par surprise. Je ne comprenais pas mais la lueur dansant dans son regard me dégrisa malgré moi. Sirotant son vin, ses yeux noirs brillant au-dessus de son verre, elle attendait en silence ma réponse.

— Emménager où ? lui demandai-je, redoutant sa réponse, sachant bien où elle voulait en venir.

Elle eut un rire qui n'avait rien de joyeux.

— Ne plaisante pas, tu veux.

Ce qui subsistait du plaisir de ce dîner disparut, avalé par la voracité que trahissait sa voix.

— Mais je ne plaisante pas, répliquai-je. Et toi ?

Elle esquissa un sourire qui n'avait rien de tendre.

— Chez Ezra. Dans notre nouvelle maison.

— Qu'est-ce qui te fait croire que nous pourrions nous installer là-bas ?

— Je ne sais pas, je pensais seulement…

— Bon Dieu, Barbara, nous n'aurions pas les moyens de l'entretenir, même si elle était deux fois moins grande.

— C'est une si belle demeure, dit-elle, et je pensais que…

— Tu pensais qu'on pourrait s'installer dans huit cents mètres carrés que nous serions incapables de chauffer en hiver ?

— Mais le testament…

— Je ne sais même pas ce qu'il y a dans le testament, m'écriai-je.

— Glena m'a dit...

J'explosai.

— Glena ! J'aurais dû m'en douter. C'est donc de ça que vous parliez hier au soir ?

Je repensai aux heures misérables que j'avais passées dans le garage, pendant que ma femme préparait avec sa détestable amie sa prochaine promotion sociale.

— Tu as tout combiné, n'est-ce pas ? »

Barbara changea soudain d'attitude, adoptant le ton froid de la raison.

— Cela paraît pourtant parfaitement raisonnable, si nous comptons avoir des enfants, répliqua-t-elle.

Sirotant un reste de vin, elle me regarda avec la patience d'un chasseur à l'affût. C'était bien injuste de sa part d'utiliser un tel argument. Elle savait mon désir d'avoir des enfants. Poussant un soupir, je me versai une rasade de Bailey's dans ma tasse à café.

— C'est quoi ce chantage ? Des enfants contre la maison de mon père ?

— Bien sûr que non. Je pensais seulement que devenir des parents était dans l'ordre des choses, et que, pour cela, nous aurions besoin d'un peu plus d'espace.

Je m'exhortai intérieurement au calme. La fatigue pesait sur moi telle une dalle de béton, mais le temps était peut-être venu d'affronter quelques vérités sordides. Je revoyais les yeux noyés de larmes de Vanessa, repensais à ce qu'elle m'avait dit, à toutes ces évidences qu'elle avait étalées sous mes yeux, et qui m'étaient tellement insupportables que je lui avais brisé le cœur plutôt que de les accepter.

— À propos d'enfants, Barbara, dis-moi pourquoi nous n'en avons pas encore ?

— Tu disais que tu devais d'abord penser à ta carrière.

Sa réponse était tellement spontanée que j'en déduisis qu'elle avait réellement cru une chose pareille. Un silence sépulcral se fit dans ma tête.

— Je n'ai jamais dit ça, répliquai-je. Jamais.

Cette pensée même était absurde. Quel que soit le temps que j'avais dédié à l'idole de carton de ma carrière, jamais je n'avais reporté le projet d'être père.

— Pourtant, je m'en souviens très bien, rétorqua-t-elle. Tu voulais d'abord développer ta clientèle.

— Chaque fois que nous avons abordé la question des enfants, Barbara, tu m'as répondu que tu n'étais pas prête, et tu as changé de sujet. Si ça n'avait tenu qu'à moi, nous en aurions cinq, aujourd'hui.

Une étrange lueur éclaira ses yeux, comme si quelque souvenir lui revenait soudain.

— Peut-être que c'était Ezra, dit-elle, sursautant à ses propres paroles.

— Comment ça, peut-être que c'était Ezra ? répétai-je.

— Ce n'est pas ce que je voulais dire, se défendit-elle, mais il était trop tard.

Je mesurais parfaitement ce que je venais d'entendre, et une telle cacophonie éclata soudain dans ma tête que je dus m'accrocher à ma chaise pour ne pas vaciller.

Peut-être que c'était Ezra.

Peut-être que... c'était... Ezra.

Et puis, comme je regardais ma femme à travers la distance qui nous séparait, je compris. Ezra attendait de moi que je perpétue sa propre réussite. Barbara, elle, comptait sur moi pour que je fasse beaucoup d'argent. Des enfants m'auraient détourné de ces deux tâches. Je lisais sur le visage de ma femme une vérité qui m'emplissait de terreur. Elle et mon père m'avaient de concert dérobé ma paternité, et je m'étais laissé faire comme une bête de somme. Cette pensée m'anéantissait. Je me levai en vacillant, la voix de Barbara n'étant plus qu'un vague bourdonnement à mes oreilles. Je trouvai la bouteille de scotch et m'en versai un verre plein. Barbara me regardait. Elle me dit quelque chose que je n'entendis pas, puis elle gagna la cuisine, où elle entreprit de mettre un peu d'ordre, me jetant un regard de temps à autre, comme si elle craignait que je ne disparaisse. Mais j'étais bien incapable de bouger. Il n'y avait personne pour me guider. Cette dernière pensée me fit rire.

Quand Barbara revint auprès de moi, j'étais ivre et plongé dans des abysses que je ne soupçonnais pas. On m'avait volé les enfants que je désirais avoir, la famille que je m'étais imaginée dès que j'avais été majeur. Volé par ceux en qui j'aurais dû avoir confiance. Et j'avais laissé faire. Appelez ça de l'aveuglement. Appelez ça de la lâcheté. Mon inaction avait été leur plus sûr complice. J'étais aussi coupable qu'eux, et cette vérité était assassine.

Comme à travers un brouillard, je vis ma femme tendre une main vers moi et m'entraîner dans la chambre. Elle me fit allonger sur le lit. Je voyais ses lèvres bouger, mais le son de sa voix me parvenait quelques fractions de secondes plus tard.

— Ne t'inquiète pas, mon chéri. Nous trouverons une solution. Je suis sûre qu'Ezra y a pensé.

Ces paroles avaient bien peu de sens pour moi.

Elle se déshabilla, d'abord le haut pour me présenter les fermes rondeurs de ses seins, puis le bas, révélant deux jambes galbées. Elle était une statue devenue chair, présent destiné à récompenser celui qui l'avait mérité. Elle enleva mon pantalon avec un sourire vainqueur, me souffla à l'oreille de me détendre, et s'agenouilla devant moi. Je savais que c'était mal mais me cachai derrière mes paupières closes, tandis que sa bouche et sa langue tissaient des sortilèges auxquels je me rendis, connaissant ainsi la damnation des corrompus.

10.

Je me réveillai le lendemain dimanche au lever du jour. Une lumière froide et grise se glissait jusqu'au lit à travers les stores, laissant dans l'ombre le reste de la chambre. Barbara dormait à côté de moi, une jambe moite contre la mienne. Je m'écartai d'elle avec précaution et restai immobile. Les paupières empesées de glue et la langue comme un bout de cuir dans ma bouche, je guettais ces brutales vérités accompagnant parfois les petits matins glauques. J'étais plus d'une fois passé par là, et je connaissais l'énoncé du verdict : j'étais un étranger à moi-même, j'avais fait des études de droit pour mon père, m'étais marié pour lui et c'était encore pour lui et la femme qui partageait mon lit que j'avais abandonné mes rêves de fonder une famille. À présent qu'il était mort, force m'était de reconnaître que je n'étais pas maître de ma propre vie ; celle-ci n'était qu'une coquille vide portant mon visage. Cependant, j'étais bien décidé à ne pas m'apitoyer sur mon sort.

Je soulevai la tête pour regarder Barbara. Les cheveux en désordre, le visage froissé, elle dormait la bouche ouverte, un filet de bave au coin de sa lèvre. En dépit du dégoût que ce spectacle m'inspirait, je devais reconnaître qu'elle n'en restait pas moins belle. Mais ce n'était pas pour sa plastique que je l'avais épousée. C'était son énergie, l'intensité de ses convictions qui m'avaient séduit. Je pensais alors qu'elle ferait une épouse et une mère parfaite, et que seul un crétin courrait le risque de la perdre. Voilà ce que j'avais cru et, à présent, je connaissais la véritable et cruelle raison, Vanessa l'avait formulée pour moi : c'était pour Ezra que j'avais épousé Barbara. Bon Dieu.

Me glissant hors du lit, je quittai la chambre à pas de loup. Dans la buanderie, je trouvai un jean froissé et une paire de tongs, puis, emportant mon portable et un paquet de clopes, je gagnai mon poste favori sur le perron. La brume voilait le parc, et l'air était frisquet. J'allumai une cigarette. Rien ne bougeait, et cette immobilité accentuait mon sentiment d'être vivant. Je composai le numéro de Vanessa, et tombai sur le répondeur. Toujours levée aux aurores, elle devait être déjà dans ses champs. J'écoutai distraitement le message, attendant le signal sonore. J'étais décidé à lui dire la vérité : elle avait raison, et je lui demandais pardon. Je ne me sentais pas encore prêt à une déclaration d'amour, qui exigeait un face-à-face. Il y avait présentement bien d'autres enjeux, des choses qui n'avaient rien à voir avec la sincérité de mes sentiments ou encore le fait que ma vie filait à vau-l'eau. C'était elle qui avait raison, pas moi, tel était mon message. Bien sûr, ce n'étaient que des mots, un bien timide commencement, mais tout de même un premier pas que j'étais heureux d'accomplir. Je me sentais mieux, après avoir raccroché. J'ignorais ce que l'avenir me réservait, mais je m'en fichais pas mal.

Tirant paisiblement sur ma cigarette, réchauffé par les premiers rayons de soleil, je me sentais bien. J'étais en paix. Et puis je perçus les pas feutrés de Barbara derrière moi.

— Qu'est-ce que tu fais là ?

— Comme tu vois, j'en grille une, répondis-je sans prendre la peine de me retourner.

— Il est six heures et demie du matin.

— Ah oui ?

— Regarde-moi, Work.

Je me retournai. Elle se tenait dans l'entrée, enveloppée dans un peignoir. Les cheveux en bataille, les yeux gonflés et les lèvres pincées. Je savais qu'elle pensait, tout comme moi, à la nuit dernière.

— À quoi songes-tu ? me demanda-t-elle.

Je lui jetai un regard glacé qu'elle était bien incapable de déchiffrer, car il aurait fallu pour cela qu'elle me connaisse, or nous étions en vérité des étrangers l'un pour l'autre. Alors, je lui dis le fond de ma pensée, et en gros caractères gras que la dernière des connes aurait pu comprendre.

— Je pense à ma vie qu'on a kidnappée et à la rançon qu'on exige de moi et que je ne pourrai jamais payer. Je contemple un monde qui m'est étranger en me demandant comment j'ai bien pu en arriver là.

— Tu racontes des bêtises, répliqua-t-elle avec ce sourire qu'elle avait toujours pris pour sa baguette magique.

— Je ne te connais pas, Barbara, et, à la vérité, tu m'as toujours été étrangère.

— Reviens te coucher, ordonna-t-elle.

— Je ne pense pas.

— On se gèle, ici.

— Il fait encore plus froid dans la maison.

Je la vis plisser le front.

— Tu me fais mal, Work.

— La vérité fait toujours mal, répliquai-je en lui tournant le dos.

Au loin, un homme avançait dans la rue dans notre direction. Il portait un long pardessus et une casquette de chasseur.

— Tu rentres, oui ou non ? répéta-t-elle.

— Non, je vais me balader.

— Quoi, dans cette tenue ?

Je me tournai vers elle avec un sourire moqueur.

— C'est encore plus excitant, non ?

— Tu me fais peur, murmura-t-elle.

Je reportai mon attention sur mon promeneur solitaire, et perçus le pas léger de Barbara s'aventurant jusqu'aux marches. Je sentais son regard sur moi et me demandais ce qu'elle pouvait bien penser. Soudain elle se pencha, et ses mains me pétrirent les épaules. « Viens au lit, » me souffla-t-elle à l'oreille dans un chuchotement annonciateur de plaisirs d'alcôve.

— Non, je suis réveillé, maintenant, lui dis-je en songeant que je l'étais de bien des façons. Mais personne ne t'empêche d'aller te recoucher.

Retirant ses mains, elle se redressa et se tint silencieuse, perplexe et contrariée à la fois. Elle avait déployé ses ailes d'ange, s'offrant de m'emporter, et je l'avais descendue en vol. Que ferait-elle, maintenant ? Comment pourrait-elle me tenir, désormais, sans les plaisirs de la chair ? Je savais seulement qu'elle ne se contenterait pas de battre en retraite.

— À qui as-tu téléphoné ? me demanda-t-elle d'une voix soudain durcie.

Je jetai un coup d'œil au portable posé à côté de moi et, pensant à Vanessa Stolen, je me réjouis – une fois n'est pas coutume – de ma propre perspicacité.

— À personne.

— Je peux avoir ce téléphone ?

Je tirai sur ma cigarette.

— Ton portable, reprit-elle.

Levant la tête vers elle, je ne fus pas surpris de la pâleur soudaine de son visage et du pincement rageur de sa bouche.

— Tu tiens vraiment à l'avoir ? lui demandai-je.

D'un seul mouvement, elle se pencha et rafla l'appareil. Je n'essayai pas de l'en empêcher. Pendant qu'elle affichait le dernier appel, je reportai mon attention sur l'étrange personnage en pardessus, qui se rapprochait, le visage dissimulé en partie par les rabats de sa casquette. Je me demandai si Vanessa répondrait. J'espérais que non. À part ça, je ne ressentais ni colère ni peur ni regret. J'entendis le bip signalant l'arrêt de la connexion, puis la voix de Barbara chargée de colère.

— Je croyais que tu en avais fini avec elle.

— Je le pensais aussi.

— Et depuis quand tu as remis ça ?

— Je n'ai pas envie de parler de ça, Barbara. Pas maintenant.

Je me relevai, me retournant vers elle avec l'espoir de voir des larmes dans ses yeux, le signe qu'elle ne souffrait pas seulement d'une blessure d'amour-propre.

— Je suis fatigué, Barbara, et j'ai la gueule de bois.

— À qui la faute ? aboya-t-elle.

Je poussai un soupir.

— Je vais me balader, lui dis-je. Nous reparlerons de tout ça plus tard, si tu y tiens.

— Tu ne vas t'esquiver comme ça !

— M'esquiver, comme tu dis, ne changera rien à la distance qu'il y a déjà entre nous.

— Je ne serai peut-être plus là, à ton retour.

Je m'arrêtai au bas des marches.

— Fais ce que tu veux, Barbara. Personne ne t'en voudra, surtout pas moi.

Sur ce, je poursuivis mon chemin vers le trottoir et le parc, foulant l'herbe scintillante de rosée.

— Ce n'est qu'une petite traînée. Je n'ai jamais compris ce qui pouvait t'attirer chez elle, me cria Barbara. Jamais !

— Fais gaffe, Barbara, répliquai-je sans me retourner, les voisins pourraient t'entendre.

La porte claqua, et je me dis qu'elle avait certainement mis le verrou. Je m'en foutais pas mal. J'étais un homme comme un autre. Je venais d'agir. J'avais résisté ; je me sentais vivant, et cela me faisait un bien fou.

Arrivé sur le trottoir, j'attendis cet homme que j'avais aperçu tant de fois sans jamais le rencontrer. Je pouvais enfin voir à quoi il ressemblait. Il était d'une laideur fascinante ; un rictus à la bouche découvrait des dents couleur tabac. De petits yeux brillaient derrière d'épaisses lunettes, et de longs cheveux tombaient en de gras épis de sous sa casquette.

— Je peux vous parler ? lui demandai-je quand il fut parvenu à ma hauteur.

Il s'arrêta et me regarda, la tête inclinée.

— Pourquoi ?

Il y avait de la méfiance dans cette voix enrouée de fumeur.

— Oh, juste histoire de bavarder.

— Pourquoi pas, c'est un pays libre.

Il se remit en marche. Je lui emboîtai le pas.

— Merci.

Il jeta un coup d'œil à mon torse nu.

— Je ne suis pas homo, prévint-il.

— Moi non plus.

Il acquiesça en bougonnant.

— De toute façon, vous n'êtes pas mon genre, ajoutai-je.

Il éclata d'un rire qui s'acheva dans un grognement d'approbation.

— Un plaisantin, hein ? Qui l'eût cru ?

Marchant de conserve, nous passâmes devant les grandes maisons et le parc de l'autre côté de la chaussée. Il y avait peu de voitures à cette heure. La brume se levait lentement au-dessus du lac, au bord duquel quelques gamins nourrissaient les canards.

— Je vous ai souvent vu, me dit-il enfin, assis sur votre perron. On doit avoir une sacrée jolie vue de là-haut.

Je ne savais quoi dire.

— Oui, on peut regarder le monde passer.

— Ouais, comme à travers le miroir, dit-il.

— Vous êtes un homme intelligent.

— C'est vrai, reprit-il en riant. Eh bien, continuons de nous promener, et vous pourrez me faire d'autres compliments. C'est un bon plan.

— Vous savez, dis-je, je crois connaître votre nom.

Laissant le parc derrière nous, nous nous dirigions maintenant vers Main Street et les quartiers pauvres qui s'étendaient derrière la voie du chemin de fer.

— Ah bon ?

— Oui, je l'ai entendu une ou deux fois autour de moi. Maxwell Creason, c'est bien ça ?

— Appelez-moi Max, proposa-t-il en s'arrêtant, ce qui m'obligea à en faire autant.

Il me regarda un bref instant et me montra ses mains, les tenant levées devant mes yeux. Les doigts étaient comme brisés, recourbés telles des griffes, et je vis avec horreur que la plupart de ses ongles avaient été arrachés.

— Bon Dieu, murmurai-je.

— Vous connaissez mon nom, dit-il, et il n'y a pas de mal à ça, mais restons-en là.

— Que vous est-il arrivé ?

— Écoutez, me répondit-il, je suis content de bavarder avec vous – ça fait une paye que ça ne m'est pas arrivé – mais disons que je ne vous connais pas encore assez pour parler de ça.

Je ne pouvais détacher mon regard de ses mains, qui pendaient au bout de ses bras tels de vieux sarments de vigne.

— Mais...

— Pourquoi tenez-vous tant à le savoir ?

— Parce que vous m'intéressez. Vous êtes différent. Je vous imagine mal demander à quelqu'un ce qu'il fait pour gagner sa vie.

— Et c'est important pour vous ?

— Dans un sens, oui.

Il secoua la tête d'un air déçu.

— Je vous posais cette question, repris-je, parce que vous êtes, disons... authentique.

— Ça veut dire quoi, ça ?

Je détournai les yeux, découvrant sur son visage une soudaine nudité.

— Je vous ai souvent vu vous promener, toujours seul, et il faut de la force pour être un solitaire.

— Vous y attachez de la valeur ?

— J'en éprouve surtout de la jalousie.

— Pourquoi me raconter tout ça ?

— Parce que pour vous je suis un inconnu. Parce que pour une fois j'aimerais être franc, pouvoir dire à quelqu'un que j'aimerais coller une balle dans la tête de ma femme pour ne plus avoir à poser les yeux sur elle, et que j'écraserais volontiers ses amies dans la rue, rien que pour entendre le bruit que ça fait. (Je haussai les épaules.) Je pourrais vous dire ces choses, parce que vous ne me jugez pas.

Max Creason avait détourné les yeux.

— Je ne suis pas prêtre, me dit-il.

— Il y a parfois des choses qu'on a besoin de sortir.

— Changez de vie, dit-il.

— C'est cela votre conseil ? Faire autre chose ?

— Oui, ça, et aussi arrêter de geindre.

Ces dernières paroles restèrent suspendues entre nous et, à l'écho de leur brutale sincérité, je joignis mon rire, un rire fort, qui manqua me plier en deux, et auquel mon promeneur ne tarda pas à se joindre.

*

Trois heures plus tard, je remontais l'allée de la maison, vêtu d'un t-shirt blanc et tenant en laisse un labrador doré de neuf semaines que j'avais baptisé Nonos. Les gens de chez Johnson m'avaient garanti qu'il était le meilleur de la portée, et je les croyais volontiers. En fait, il me rappelait terriblement mon vieux chien.

Alors que je l'emmenais dans le patio, derrière la maison, j'aperçus ma femme par la fenêtre de la salle de bains. Tout endimanchée pour se rendre à l'église, elle s'entraînait à sourire devant son miroir. Je l'observai un instant, puis donnai à boire à Nonos, avant de rentrer à l'intérieur. Il était 9 h 45.

Je trouvai Barbara dans notre chambre. Elle mettait ses boucles d'oreilles, l'air affairé, le regard collé au plancher, comme si elle cherchait ses chaussures, à moins que ce fût la patience de me supporter. Elle ne tourna pas la tête vers moi, mais le timbre enjoué de sa voix ne pouvait me tromper.

— Je vais à l'église. Tu viens ?

C'était un vieux stratagème. Elle assistait rarement à la messe et, quand ça lui arrivait, elle le faisait parce qu'elle savait que je ne me donnerais jamais cette peine. Elle s'y rendait par pure culpabilité.

— Non, j'ai d'autres projets.

— Lesquels ?

Elle me regardait enfin. Je savais qu'elle ne dirait pas un mot de notre querelle ou de mon infidélité.

— Des projets de mec, répliquai-je.

— Bravo, Work, c'est parfait.

Elle quitta la pièce d'un pas rageur. Je la suivis pour me rendre dans la cuisine, et la vis prendre son sac et ses clés. L'instant d'après, la porte claquait derrière elle. Je me versai une tasse de café et attendis.

Dix secondes plus tard, elle rentrait en coup de vent, terrifiée, et refermait le verrou derrière elle.

— Il y a un clochard dans le garage !

— Sans blague ? dis-je, forçant ma stupeur.

— Oui, et il s'en est fallu de peu qu'il ne me saute dessus !

Je me redressai de toute ma taille.

— Je m'en occupe, ne t'inquiète pas.

Rouvrant la porte, je fis deux pas dehors, tandis que Barbara me collait au train, son téléphone à la main.

— Ohé ! criai-je au type qui était en train de lire un vieux journal trouvé dans le garage. (Il leva la tête en plissant les yeux, et ses lèvres découvrirent des dents pourries.) Entre, Max. Les toilettes sont au fond du couloir.

— D'accord, j'arrive.

Il nous fallut cinq bonnes minutes pour arrêter de rire, après que Barbara eut laissé au démarrage une belle trace de pneus dans l'allée.

11.

Une heure plus tard, je m'étais douché, changé, et ne m'étais jamais senti aussi bien depuis longtemps. Dans la vie, tout ce qu'on a, c'est la famille. Avec un peu de chance, cela peut inclure la femme que vous avez épousée. Je n'avais pas eu cette chance mais j'avais Jean. Et, pour elle, j'étais prêt à tout.

Je passai deux coups de fil, le premier à Clarence Hambly qui, après mon père, passait pour le plus influent homme de loi du comté. C'était lui, l'exécuteur testamentaire d'Ezra. Il revenait de la messe et ne consentit qu'à contrecœur à me recevoir un peu plus tard dans la journée. Le second appel fut pour Hank Robbins, un détective privé de Charlotte, auquel j'avais toujours eu recours dans la plupart des affaires criminelles que je plaidais. Je tombai sur son répondeur et le priai de me joindre sur mon portable. Hank est un sacré numéro. Il a trente ans, maintenant, mais en fait plus certains jours. Ce type n'a peur de rien. Je l'aime bien.

Je laissai à Barbara un mot lui disant que je ne rentrerais peut-être pas ce soir puis, prenant Nonos en voiture avec moi, j'allai faire des courses. Je lui achetai un nouveau collier, une laisse, un bol et un sac de quinze kilos de croquettes pour chien. Le temps que je revienne à la voiture avec mes emplettes, il avait à moitié bouffé le cuir d'un des appuie-tête, ce qui me donna une idée. Je conduisais une BMW sur les conseils pressants de Barbara, persuadée que cela m'attirerait des clients, ce qui, avec le recul, me paraissait d'un comique absolu. Je n'avais pas encore totalement fini de la payer, et je détestais cette voiture. Soudain décidé à m'en défaire, je m'en fus l'échanger chez un multi-concessionnaire sur la route 150 contre un pick-up qui n'avait pas plus de cinq ans. La cabine puait fort, ce qui n'était pas pour déplaire à Nonos.

Je m'étais arrêté sur une aire de repos pour manger un morceau, quand Hank m'appela enfin.

— Salut, Work ! J'ai eu de tes nouvelles par les journaux. Comment va mon baveux préféré ?

— J'ai connu mieux, question forme, je dois dire.

— Ouais, je peux comprendre ça.

— Dis-moi, Hank, tu as un emploi du temps chargé en ce moment ?

— Tellement chargé qu'il m'arrive même de travailler de temps en temps. Aurais-tu quelque chose pour moi ? Un terrible drame passionnel dans le comté de Rowan ? Une guerre entre dealers ?

— C'est plus subtil que ça.

— Comme toutes les bonnes affaires.

— Où es-tu en ce moment ?

— Au lit, si tu veux le savoir.

— J'ai besoin de te voir.

— Dans ce cas, tu me dis où et quand.

J'avais besoin de sortir de la ville et respirer un grand coup.

— Que dis-tu du Dunhill, à six heures ce soir ?

Le Dunhill, dans Tyron Street, en plein centre de Charlotte, était un grand établissement aux boxes profonds et discrets, et il n'y aurait pas grand monde un dimanche soir.

— Je t'amène une fille ? dit Hank, et je perçus un rire de femme.

— Six heures, Hank, et cette vanne te coûtera la première tournée.

Je raccrochai avec un sentiment de soulagement. Hank était quelqu'un de solide et de sûr.

Le mandataire légal de mon père m'avait bien précisé de ne pas arriver avant deux heures de l'après-midi. Je sifflai Nonos. Il arriva ruisselant de la pièce d'eau qui ornait l'aire de repos, mais je le laissai quand même monter devant. J'avais à peine démarré qu'il était couché en travers de mes genoux, la truffe au vent. Et c'est en puant le chien mouillé que je grimpai les larges marches de la demeure des Hambly qu'entourait un immense parc à la sortie de la ville. C'était une impressionnante bâtisse avec des fontaines de marbre, des portes monumentales et un pavillon pour les invités. Une plaque au-dessus de l'entrée principale témoignait que la baraque avait été construite en 1788. Je me demandai un instant si on n'attendait pas de moi une génuflexion.

À en juger par l'expression de Clarence Hambly, je compris qu'il s'était attendu de la part de son jeune confrère à une tout autre mise vestimentaire en cette journée dominicale. Hambly, vieil homme ridé et très collet monté, se dressait devant moi dans un impeccable costume sombre et cravate de soie. Il avait d'épais cheveux blancs, qui seyaient à ses manières douces, contrastant avec la brutalité de celles de mon père. Toutefois, je savais, pour l'avoir vu si souvent plaider au tribunal, que ces façons policées et onctueuses ne contrariaient nullement une formidable pugnacité quand il s'agissait d'obtenir pour ses clients le maximum de dommages et intérêts. Les Dix Commandements n'étaient pas accrochés dans son bureau.

Il appartenait à une vieille et très riche famille de Salisbury, ce qui n'était pas pour plaire à mon père, qui s'en était toutefois accommodé, parce qu'il s'entourait toujours des meilleurs, quand les affaires étaient en jeu.

— Je préférerais qu'on reporte cela à demain, me dit-il sans préambule, son regard allant de mes bottes crottées à mon jean taché de boue et à la chemise au col effrangé que je refusais de jeter.

— Clarence, c'est important, et j'ai besoin de régler ça maintenant. Je suis désolé.

Il hocha la tête.

— Alors, je le ferai par politesse professionnelle, dit-il en me faisant signe d'entrer.

Je pénétrai dans le vestibule où dominait le marbre en espérant que je n'avais pas de merde de chien sous les semelles.

— Allons dans mon bureau.

Je le suivis dans un long couloir, entrevoyant à travers de grandes portes vitrées la piscine et les buissons taillés du jardin. Le lieu sentait le cigare, le cuir et les vieilles personnes, et je m'attendais à tomber à tout moment sur des laquais en livrée.

Son bureau était une pièce longue et étroite, qu'éclairaient de grandes et hautes fenêtres, et dont les murs disparaissaient sous des étagères chargées de livres aux riches reliures. Il y avait des fleurs fraîches dans un vase et un grand miroir à l'encadrement couleur vieil or derrière sa table de travail, qui semblait bien trop grande pour lui.

— Je procéderai demain à l'homologation du testament de votre père, me dit-il en fermant la porte derrière lui.

Il m'indiqua un siège, tandis qu'il passait derrière son bureau, où il resta debout. Il pouvait ainsi maintenir une attitude autoritaire, me rappelant combien je haïssais toutes ces mesquines stratégies chères aux hommes de loi.

— Rien ne nous empêche de nous pencher dès maintenant sur la chose. Toutefois – procédure oblige – je vous appellerai dans la semaine pour convenir d'un rendez-vous.

— Je vous en remercie, dis-je, sachant qu'il tirerait une fort belle commission au titre d'exécuteur testamentaire.

Je croisai les mains dans une attitude très déférente, alors que je brûlais d'envie de poser mes bottes sur son bureau.

— J'en profite aussi pour vous présenter toutes mes condoléances. Je sais que Barbara vous sera d'un grand réconfort. Elle vient d'une très bonne famille. Et c'est une fort belle femme.

Je regrettais maintenant de ne pas avoir de la merde de chien sur mes semelles.

— Merci, lui dis-je.

— Bien que votre père et moi nous ayons souvent défendu des positions adverses, poursuivit-il, j'avais pour lui le plus grand respect. C'était un remarquable avocat. Et un bel exemple à suivre, ajouta-t-il en me jaugeant de toute sa hauteur.

— Je ne voudrais pas abuser de votre temps, lui rappelai-je.

— Très bien, parlons affaires, donc. La fortune de votre père était importante.

— Un chiffre ? demandai-je.

Ezra avait toujours fait mystère de ses avoirs, et je n'avais pas la moindre idée du capital qu'il pouvait représenter.

— Importante, répéta Hambly.

Je le regardai dans les yeux. Une fois qu'un testament était homologué, il devenait public, et Hambly n'avait donc aucun motif de ne pas répondre à ma question.

Il finit par hocher la tête.

— Environ quarante millions de dollars, lâcha-t-il.

Je manquai tomber de mon siège. J'avais toujours supposé que cela ne dépasserait pas les six millions.

— En plus de ce que sa pratique lui rapportait, reprit Hambly, votre père était un habile financier. En dehors de sa maison et de ses bureaux, tout est en titres et valeurs boursières.

— Quarante millions ?

— Un petit peu plus, en fait.

Hambly me regarda et, à son crédit, son expression demeura impassible. Il était né riche, et cependant il ne verrait jamais quarante millions de dollars. Il devait en concevoir une certaine amertume, et je réalisais soudain pourquoi mon père en avait fait son exécuteur testamentaire. J'en aurais volontiers souri, si je n'avais soudain pensé à Jean et à la misère dans laquelle elle vivait, à l'odeur de pizza collant à ses vêtements, à ce qu'elle devait ressentir en grimpant les marches de la demeure des Werster, ce monument de vanité et d'égoïsme. Tout cela allait changer.

— Et... ?

— Sa maison et les bureaux vous reviennent personnellement. Dix millions iront à la fondation caritative d'Ezra Pickens, où vous aurez un siège à son conseil d'administration. Quinze millions vous seront alloués en fidéicommis. Les droits de succession couvriront le reste.

J'étais abasourdi.

— Et ma sœur Jean ?

— Jean n'a rien, répondit froidement Hambly, ponctuant d'un reniflement.

Je me levai de mon siège.

— Rien, répétai-je.

— Je vous en prie, asseyez-vous.

J'obéis uniquement parce que je n'avais pas la force de rester debout.

— Vous savez bien comment était votre père, reprit Hambly. L'argent n'était pas l'affaire des femmes selon lui. Je ne devrais pas vous le dire, mais votre père a modifié son testament après qu'Alex Shiften est entrée en scène. À l'origine, il avait prévu de doter Jean de deux millions de dollars, placés sous le contrôle de mon cabinet ou celui de son mari, si elle se mariait. Mais Alex est entrée en scène, et vous savez ce que votre père en pensait.

— Savait-il qu'elles étaient amantes ?

— Il s'en doutait bien.

— Alors, il l'a déshéritée.

— En gros, oui.

— Et Jean le savait ?

Hambly haussa les épaules mais ne répondit pas.

— Les gens font de drôles de choses avec leur argent, Work. Ils en font le plus souvent le nerf de leurs petites guerres personnelles.

Je ressentis une soudaine inquiétude en comprenant que ce n'était plus à Jean qu'Hambly faisait référence.

— Il y a autre chose, n'est-ce pas ?

— Oui, et cela vous concerne, répondit le vieil homme en s'asseyant enfin.

— Je vous écoute.

— Vous aurez la jouissance du revenu du capital jusqu'à vos soixante ans. Investi de manière non spéculative, cela devrait vous procurer un revenu d'un million de dollars par an. À l'âge de soixante ans, le capital devient entièrement vôtre.

— Mais ? demandai-je, soupçonnant anguille sous roche.

— Il y a des conditions.

— Lesquelles ?

— Vous devrez exercer votre métier d'avocat pendant tout ce temps.

— Comment cela ?

— Cette exigence est on ne peut plus claire, Work. Votre père a pensé qu'il serait important que vous mainteniez votre place socialement et professionnellement. Il craignait qu'en vous léguant tout sans condition, vous ne commettiez je ne sais quelle imprudence.

— Comme celle d'être heureux, par exemple ?

Hambly ignora le sarcasme et le ton rauque et ému de ma voix. Même depuis sa tombe, mon père s'acharnait à me dicter ma vie et à me manipuler.

— Il n'a rien précisé dans ce domaine, reprit Hambly, mais il a été formel sur d'autres points. Ce cabinet aura fonction d'administrateur. Il nous appartiendra ou, plus précisément, il me reviendra de déterminer si vous menez activement ou non votre carrière d'homme de loi. Ainsi, votre père a-t-il fixé comme critère que vous réalisiez un minimum de vingt mille dollars d'honoraires par mois, compte tenu, bien sûr, de l'inflation.

— Je ne me fais pas la moitié de ça en ce moment, comme vous le savez très bien.

— Oui, dit-il avec un sourire, et votre père a pensé que cela pourrait vous motiver.

— Putain, c'est pas croyable, m'écria-je, la colère me redonnant enfin de la voix.

Se levant soudain de toute sa hauteur, Hambly se pencha en avant, les mains à plat sur son bureau.

— Laissez-moi vous dire une chose monsieur Pickens, je ne tolérerai pas la moindre insulte dans ce bureau. Est-ce bien compris ?

— Oui, dis-je, les dents serrées, je comprends parfaitement. Et que m'a-t-on réservé d'autre ?

— Toute année qui ne répondrait pas aux exigences du testament entraînerait le versement du revenu du capital au bénéfice de la fondation Ezra Pickens. Si deux années sur cinq, cette obligation de rendement n'était pas remplie, la totalité de la donation irait irrévocablement à la fondation. Toutefois, parvenu à l'âge de soixante ans, dans le cas où vous auriez répondu aux conditions précitées, vous auriez l'entière jouissance du solde. Il va de soi que je vous fournirai une copie des documents.

— C'est tout ? demandai-je, sarcastique.

— En gros, oui, mais il y a une dernière petite chose. Au cas où il apparaîtrait que vous avez financièrement aidé votre sœur, Jean Pickens, de manière directe ou indirecte, le legs vous serait retiré pour aller à la fondation.

— C'est scandaleux, dis-je en me levant à mon tour.

— C'est le testament de votre père, ses dernières volontés, me dit Hambly d'un ton de reproche. Comment pourrait-on se plaindre en apprenant qu'on hérite quinze millions de dollars ? Vous feriez mieux de considérer les choses sous cet angle.

— Il n'y a qu'une leçon à en tirer, Clarence, à savoir que mon père a joué là son coup le plus tordu, dis-je, élevant la voix, oublieux des convenances si chères au vieil homme de loi. Ezra Pickens était un salopard, qui se souciait des siens comme d'une guigne. En ce moment, il doit se tordre de rire dans sa putain de tombe. (Je me penchai vers lui par-dessus la table, postillonnant de rage et m'en fichant.) C'était un sale con, et vous pouvez garder son fric. Vous m'entendez ? Gardez-le !

Je me reculai sur ces derniers mots. Jamais je n'avais ressenti une telle rage, et j'en étais tout étourdi. Le silence se fit, troublé seulement par le léger tremblement des mains du vieil homme sur son sous-main. Sa voix, toutefois, quand il parla, était fermement contenue.

— Je comprends que vous soyez sous le coup d'une grande tension, aussi je m'efforcerai d'oublier vos blasphèmes, mais ne remettez jamais les pieds dans cette maison. (Il se dégageait de lui cette force qui en faisait un bon plaideur.) Jamais, répéta-t-il. Maintenant, au titre d'exécuteur testamentaire de votre père, je vous dirai ceci : Ce testament est valide. Il sera homologué demain. Il se peut, quand vous vous serez calmé, que vous reconsidériez votre position. Si tel est le cas, appelez-moi à mon bureau. Avant de clore cet entretien, je vais vous dire une chose que j'aurais gardée pour moi si votre comportement ne venait pas de me faire changer d'avis. L'inspecteur Mills est venue me voir. Elle voulait consulter le testament de votre père.

Si Hambly avait cherché à me faire réagir, il ne fut pas déçu. Ma colère tomba, remplacée par quelque chose de moins honorable, quelque chose de froid et visqueux, lové tel un serpent dans mon ventre. C'était la peur, je me sentais soudain mis à nu.

— J'ai d'abord refusé de lui parler, mais elle est revenue avec un mandat signé du juge. (Hambly se pencha en avant, les mains sur la table ; il ne souriait pas mais je le sentais amusé.) J'ai donc été contraint de lui céder, dit-il. Le testament a retenu toute son attention, et peut-être saurez-vous lui expliquer pourquoi quinze millions de dollars ne vous intéressent pas. (Il se redressa.) Maintenant, ma courtoisie, comme ma patience, est épuisée. Si vous le jugez bon, vous pourrez me présenter vos excuses pour avoir troublé mon repos dominical. En attendant, ajouta-t-il en me montrant la porte, je vous souhaite une bonne journée.

J'étais quelque peu sonné, mais il me restait une dernière question à poser.

— Mills sait-elle que mon père a déshérité ma sœur ?

— C'est une donnée qui a fortement retenu son attention. Je vous prie maintenant de me laisser.

— Je vous en prie, Clarence, j'ai besoin de savoir.

— Je n'ai pas le droit d'interférer dans l'enquête, que cela vous plaise ou non.

— Quand a-t-il déshérité Jean ? À quelle date, précisément ?

— Mes obligations envers vous se bornent à être l'exécuteur du testament de votre père et, compte tenu des circonstances entourant sa disparition et de l'immixtion de la police en cette affaire, il ne serait pas dans nos intérêts réciproques de poursuivre ce sujet. Une fois que le testament aura été enregistré, vous pourrez prendre contact avec moi aux heures de bureau, si vous désirez de plus amples informations. En attendant, je ne peux rien vous dire.

— Quand le testament a-t-il été rédigé ? demandai-je, sachant que ma question était légitime.

— Le 15 novembre de l'année dernière.

Une semaine avant la disparition de mon père.

Je m'en allai, trop furieux pour avoir peur. Mais je me doutais bien de ce qu'en penseraient les flics. Si Jean avait appris qu'Ezra la déshéritait des deux millions qu'il avait un temps songé à lui léguer, et ce à cause de sa relation avec Alex, alors elle avait un motif de plus de le tuer. C'est ainsi que Mills verrait les choses. Jean savait-elle qu'elle était déshéritée ? Quand l'avait-elle découvert ? C'étaient là des questions que Mills ne manquerait pas de lui poser.

Foutu Clarence et sa misérable vindicte !

De retour dans la voiture, j'eus droit aux coups de langue de Nonos. Je lui frottai le dos, heureux de sa compagnie. Après ces deux derniers jours d'égarement, de colère et de misère alcoolisée, je prenais conscience que le monde, de son côté, avait bougé. Mills n'était pas restée oisive ; elle avait fait de moi un suspect, et c'était là un fait que j'encaissais mal. Et voilà qu'à présent je possédais quinze millions de dollars, à la condition de me rendre corps et biens à la volonté d'un mort.

Assis derrière mon volant dans l'allée sous les hautes fenêtres reflétant le ciel, je ne pouvais détacher mes pensées du testament d'Ezra et de ses derniers efforts pour m'asservir. Ma vie était peut-être misérable mais, à cet égard, je me sentais fort d'une certitude qu'Ezra n'aurait jamais pu soupçonner : je ne voulais pas de son argent. J'imaginai l'expression horrifiée de son visage, s'il avait su une telle chose. Le prix qu'il me demandait était trop elevé. Cette pensée m'arracha un rire, et ce fut ainsi que je quittai la propriété des Hambly, bâtie en 1788... saisi par un fou rire qui m'arrachait des hurlements.

Le temps de rentrer chez moi, mon hystérie avait accouché d'un grand vide. Je me sentais déchiré de l'intérieur, et puis je pensai soudain à Max Creason, qui avait les doigts brisés et les ongles arrachés et qui, cependant, avait encore le courage de dire à un étranger d'arrêter de pleurnicher. C'était une pensée réconfortante.

J'emmenai Nonos dans le patio, lui donnai à boire et à manger, lui frottai le ventre un moment, et puis rentrai. Le petit mot destiné à Barbara était toujours là où je l'avais laissé. Reprenant le stylo j'ajoutai, « Ne sois pas surprise de trouver un chien, il est à moi. Il a l'autorisation d'entrer dans la maison, si tu le permets. » Ça ne risquait pas, je le savais, Barbara n'aimait pas les chiens. C'était aussi un labrador doré que j'avais depuis trois ans, quand je l'avais épousée, et il était vite devenu pour elle un objet de nuisance. Je me jurais que cela ne se reproduirait pas. Observant mon chien par la fenêtre de la cuisine, je sentis le vide de la maison se refermer sur moi, et pensai à ma mère.

Comme mon père, elle était issue d'un milieu pauvre mais à la différence d'Ezra, elle n'en avait jamais conçu ni honte ni amertume. Elle n'avait jamais désiré une grande maison, les voitures et le prestige, dont Ezra avait tellement faim. À mesure qu'il prospérait, il lui reprochait de lui rappeler sans cesse ses origines qu'il détestait.

C'était en tout cas ma théorie, sinon comment deux personnes auraient-elles pu se sortir si brillamment de la misère, avoir deux enfants et devenir aussi étrangers l'un pour l'autre ?

Des années de ressentiment avaient rendu ma mère aussi creuse que cette maison qu'Ezra avait bâtie de sa colère, de ses frustrations et de sa haine. Elle avait tout encaissé, jusqu'à ce qu'elle devienne une ombre, réservant à ses seuls enfants ses brèves étreintes et la recommandation de ne pas faire de bruit. Jamais elle ne s'était levée pour nous défendre, si ce n'est la nuit même de sa mort. C'était cette brève et furieuse révolte qui l'avait tuée. Et c'était cela que j'avais laissé faire.

C'est au sujet d'Alex qu'avait éclaté la dispute.

Fermant les yeux, je revis le tapis rouge.

Nous nous tenions sur le large palier en haut des marches. Je jetai un coup d'œil à ma montre pour ne pas regarder mon père et Jean. Elle le défiait, et l'explosion était proche. Il était minuit passé de quelques minutes, et j'avais du mal à reconnaître ma sœur. Elle n'avait plus rien à voir avec le zombie qu'elle était à sa sortie de la clinique psychiatrique.

Ma mère, une main sur la bouche, n'osait bouger. Ezra beuglait, Jean criait plus fort que lui, un doigt agressif pointé sur son père. Ça ne pouvait que mal finir, et j'observais la scène, pressentant une catastrophe. Je vis ma mère tendre une main hésitante, dans un vain espoir de paix.

— Ça suffit, criait mon père. Ce sera comme ça, et pas autrement !

— Non, dit Jean. Pas cette fois. Il s'agit de ma vie.

Mon père se rapprocha, la dominant de toute sa taille. Je m'attendais à ce que Jean recule, mais elle n'en fit rien.

— Il ne s'agit plus de ta vie, comme tu dis, depuis ta tentative de suicide. C'est devenu mon affaire. Tu sors tout juste de l'hôpital et tu n'as pas toute ta tête. Nous avons été patients, nous avons été gentils, et maintenant, elle doit foutre le camp.

— Ma relation avec Alex ne te regarde pas. Tu n'as pas le droit d'exiger qu'elle s'en aille.

— Écoute, jeune fille. Cette femme est dangereuse, et je ne vais pas la laisser faire. Elle se sert de toi.

— Pourquoi se servirait-elle de moi ? Je ne suis pas riche, je ne suis pas célèbre.

— Tu sais très bien de quoi je parle.

— Quoi, tu n'arrives pas à prononcer le mot ? C'est pour le cul, papa. Le cul. On est tout le temps en train de baiser. Tu comptes faire quoi pour nous en empêcher ?

Mon père se figea.

— Tu es la honte de cette famille, dit-il d'une voix sourde. Vos façons à elle et toi sont un scandale pour nous.

— C'est donc ça, hein ? Ça n'a rien à voir avec Alex et moi. C'est à toi que tu penses. Ç'a toujours été comme ça. Eh bien, j'en ai plus rien à foutre.

Jean se détourna soudain de lui. Sans un regard pour ma mère ou moi, elle lui tourna le dos mais elle n'avait pas fait un pas en avant qu'il lui saisissait le bras et la retournait avec une telle violence qu'elle tomba à genoux.

— Ne t'en vas pas quand je te parle. Ne refais plus jamais ça !

Jean se releva et dégagea son bras.

— C'est la dernière fois que tu lèves la main sur moi, lui dit-elle d'une voix contenue.

Un silence tomba, figeant toutes choses. Le visage de ma mère exprimait le plus grand désespoir. Elle cherchait à rencontrer mon regard, mais l'ombre de mon père me neutralisait.

— Ezra, dit-elle.

— Toi, reste en dehors de ça, dit-il sans quitter Jean des yeux.

— Ezra, reprit ma mère, en faisant un pas vers lui. Laisse-la vivre comme elle l'entend. C'est une femme, à présent, et elle est dans son droit.

— Je t'ai dit de la fermer !

Il ne quittait toujours pas Jean des yeux et, quand celle-ci tenta une fois de plus de se détourner, il se saisit d'elle et la secoua comme une poupée, et je fus soudain pris de crainte pour la vie de ma sœur.

— Je t'ai dit de ne jamais me tourner le dos ! grondait-il entre ses dents, tandis que la tête de Jean bringuebalait dans tous les sens.

— Laisse-la, Ezra ! cria ma mère en tirant sur le bras massif de mon père, mais il se refusait à lâcher Jean.

— Bon Dieu, Ezra, hurla ma mère, tu vas la laisser ?

Elle se mit à le frapper de ses petits poings sur les épaules, son visage ruisselant de larmes. Je voulais intervenir, dire quelque chose mais j'étais paralysé. Et puis mon père repoussa ma mère d'un violent revers de main, qui la précipita dans l'escalier. Le temps parut s'immobiliser, tandis qu'elle chutait, rebondissant de marche en marche, pour finir par s'arrêter en bas et ne plus bouger, autre poupée disloquée dans la maison que mon père avait bâtie.

Jean perdit connaissance quand mon père enfin la lâcha. Il regarda sa main, puis leva les yeux vers moi.

— C'était un accident, mon garçon, n'est-ce pas ? Tu l'as vu toi-même.

Je le regardai dans les yeux et vis que pour la première fois il avait besoin de moi, et ce fut pour cette seule raison que je hochai lentement la tête, accomplissant sans le savoir un pas irrévocable.

— Tu es un bon fils, me dit-il.

Ce fut à ce moment que je sentis le sol se dérober sous moi et que je chutai dans ce puits profond de la haine de soi.

Je n'en ai toujours pas touché le fond.

*

Si Ezra avait été retrouvé avec une seule balle dans la tête, j'aurais appelé ça un suicide. Confronté à la vilenie de ses actes, se serait-il donné la mort ? Cependant, le péché le plus grave était peut-être celui du mensonge par omission. Ma mère était morte devant moi, sans que je bouge le petit doigt. Ma responsabilité était de protéger Jean. Je connaissais la faiblesse de ma mère tout autant que je connaissais les fureurs de mon père. Elle m'avait supplié d'intervenir avec la timidité des humbles. Je ne savais pas pourquoi j'étais resté sans rien faire, et craignais d'avoir développé sous l'empire de mon père quelque tragique faiblesse. Ce n'est pas l'amour qui m'avait retenu, car je n'avais jamais eu la moindre affection pour lui. Alors, quoi ? Je ne l'ai jamais su, et cette question me hante toujours. Ainsi ai-je vécu avec le poids de mon échec et dormi avec le souvenir d'un pas de deux tragique en haut d'un escalier.

Jean était à peine consciente quand cela arriva, mais elle devina ce qui s'était passé, et elle lut dans mes yeux le mensonge dont Ezra avait fait sa vérité. Comme elle me demandait comment c'était arrivé, je lui répondis que maman avait glissé… un tragique accident.

Pourquoi avais-je couvert mon père ? Parce qu'il me l'avait demandé, parce que pour la première fois il avait besoin de moi, parce que la mort de ma mère était réellement un accident et qu'il m'avait convaincu que révéler la vérité n'apporterait rien de bon, peut-être aussi parce que je me sentais coupable, allez savoir.

La police m'interrogea, et je répondis comme convenu. La vérité selon Ezra devint la mienne. Mais le fossé entre Jean et moi devint tel qu'elle passa définitivement de l'autre côté. Je la revis à l'enterrement, où la dernière pelletée de terre enterra autant notre relation que notre pauvre mère. Elle avait Alex, et ça lui suffisait.

La nuit de l'accident, il était minuit quand la police partit. Nous suivîmes en voiture l'ambulance emportant le corps de notre mère, parce que nous ne savions quoi faire d'autre. Arrivés à l'hôpital, les ambulanciers emportèrent le corps vers quelque chambre froide. Il tombait une pluie fine en cette nuit de novembre, et nous restâmes là sous la lumière d'un lampadaire, enfermés dans nos pensées, écrasés par le poids de cette mort et évitant de nous regarder. Cependant, je ne pouvais m'empêcher de couler des regards vers mon père aux mâchoires crispées sous sa courte barbe blanche. Ce fut lui qui, enfin, rompit le silence.

— Rentrons, dit-il.

Nous lui emboîtâmes le pas. Il n'y avait rien d'autre à faire.

À la maison, mon père nous servit à boire dans le salon. Jean refusa de toucher à son verre, mais je vidai le mien comme par magie, et Ezra me resservit. Jean tenait ses poings serrés sur ses genoux en se balançant doucement. Elle eut un faible gémissement et se recula, comme je me penchais vers elle. Je voulais lui dire que je n'étais pas mon père, mais cela n'aurait rien changé, je le comprends bien, maintenant.

Personne ne disait mot, et on n'entendait que le cliquetis des glaçons dans les verres et le pas lourd d'Ezra arpentant la pièce.

La sonnerie du téléphone nous fit tous sursauter. Mon père répondit, écouta un instant. Quand il eut raccroché, il nous regarda Jean et moi et, brusquement, quitta la maison sans un mot. Jean et moi, nous restâmes un instant interloqués. Elle fut la première à se lever avec au visage une expression que je n'oublierai jamais. Arrivée à la porte du salon, elle se retourna vers moi, et ses paroles me laissèrent une balafre dans l'âme.

— Je sais qu'il l'a tuée, et sois maudit de le protéger.

Ce fut la dernière fois que je vis Ezra en vie. Je restai de longues minutes, seul dans cette maison des horreurs, avant d'en partir à mon tour. Je pris la voiture pour me rendre chez Jean, mais la porte était fermée, les lumières éteintes. J'attendis une bonne heure qu'elle arrive, avant d'abandonner et de rentrer enfin chez moi, où j'appris à ma femme ce qui s'était passé. Je me servis un verre ou deux, pressant Barbara de se recoucher, l'assurant que je la rejoindrais sitôt que je me serais remis un peu. Après quoi, je me glissai hors de la maison, pour filer à la ferme Stolen et pleurer comme un enfant sur l'épaule de Vanessa. À l'aube, j'étais de retour chez moi, dans ma chambre, le dos tourné à ma femme, regardant la première lueur filtrer à travers les stores.

*

Je ressentis une douleur et abaissai mon regard sur mes mains blanchies à force d'étreindre l'évier. Relâchant ma prise, je refoulai les images de cette nuit ressurgie d'un passé où je m'étais efforcé de l'enfermer. Nonos jouait dans le patio. Ezra était mort.

Percevant un bruit de moteur dans l'allée, je gagnai la fenêtre. Je connaissais cette voiture qui remontait lentement, et la pensée qui me vint portait le nom de destin.

Ma vie était devenue une tragédie grecque, mais j'avais fait ce que j'avais pu pour garder ce qui me restait de famille. Je ne pouvais prévoir qu'Ezra mourrait à son tour et que Jean me vouerait un tel mépris. Mon père et ma mère étaient morts, et rien, ni mon sentiment de culpabilité ni une existence de douleur, n'y changerait rien. Ce qui était fait était fait, point final. Aussi pouvais-je me demander une fois de plus quel prix avait la rédemption, et où trouver celle-ci ?

Je n'avais pas de réponse à cela, et je craignais qu'au moment venu de payer le prix, la force ne manquât. Et, là, soudain, dans cette maison désertée, je me jurai qu'après m'être arraché à cette gangue du passé, je regarderais à nouveau en arrière sans l'ombre d'un regret.

M'exhortant à être fort, je sortis à la rencontre de Mills.

12.

— Vous feriez mieux de ne pas avoir vos clés de voiture à la main, me lança Mills en descendant de son véhicule.

Je levai les mains en l'air pour lui montrer qu'elles étaient vides.

— N'ayez crainte, lui dis-je, je ne vais nulle part.

Elle portait un tailleur pantalon couleur châtaigne, des bottines à talons plats, et son regard était masqué par des lunettes de soleil. Comme toujours, son arme – un pistolet automatique à la crosse quadrillée, un détail qui, jusque-là, m'avait échappé – gonflait sa veste. Je ne savais pas non plus si Mills en avait déjà fait usage, mais je ne doutais pas de sa capacité à presser la détente.

— Dieu m'est témoin, Work, je ne sais vraiment pas quoi faire de vous. Si ce n'était pour Douglas, c'est au poste que nous aurions cette conversation. Je suis devenue allergique à votre numéro d'oiseau blessé. Vous allez me dire ce que vous savez, et vous allez le faire maintenant. Est-ce que je me fais bien comprendre ?

Fatigue et tension se lisaient sur son visage, en dépit du maquillage destiné à donner le change. Je sortis une cigarette et m'appuyai contre sa voiture. Je n'étais pas certain de ses intentions exactes, mais j'avais ma petite idée.

— Savez-vous pourquoi les avocats de la défense perdent souvent leur affaire ? la questionnai-je.

— Parce qu'ils sont du mauvais côté de la barrière.

— Non, parce que leurs clients sont des idiots. Ils racontent à la police des choses qu'ils ne peuvent rattraper, des choses induisant de mauvaises interprétations. (J'allumai ma cigarette en portant mon regard vers la route où passait une ambulance, tous feux allumés.) C'est une chose qui m'a toujours étonné. Ces crétins pensent que leur coopération convaincra les flics de chercher ailleurs. C'est de la naïveté.

— Mais cela permet à ceux de votre espèce d'avoir du travail.

— On peut dire ça.

— Alors, vous êtes décidé à me parler ? demanda Mills.

— Mais c'est ce que je suis en train de faire.

— Ne jouez pas au plus fin. Pas aujourd'hui. Ma patience est à bout.

— Je lis les journaux, et ça fait longtemps que je suis dans le métier. Je sais pertinemment que vous êtes sous pression, et je sais aussi que mon intérêt est de me taire.

— Allons, Work, vous n'avez pas envie de me contrarier, vous savez trop bien ce que ça vous coûterait.

— C'est ce que Douglas m'a laissé entendre.

L'émotion lui arracha un pincement des lèvres.

— Douglas se mêle ce qui ne le regarde pas.

— Il m'a simplement conseillé de coopérer, et j'espère que nous serons francs l'un envers l'autre. Pas d'embrouille, hein ?

— Non, pas d'embrouille.

— Très bien. Dois-je me considérer comme suspect ?

— Non.

Ce “non” était bien trop hâtif pour être sincère. Je me retins toutefois de rire, car j'aurais eu l'air de me payer sa tête.

— Et avez-vous un ou des suspects ?

— Oui.

— Une ou des personnes de ma connaissance ? demandai-je en priant qu'elle n'ait pas abordé cette question lors de son entretien avec Clarence Hambly. Des anciens clients de mon père, par exemple ?

— Je ne suis pas habilitée à vous parler de l'enquête.

— Je sais que vous avez parlé à Clarence Hambly, lui dis-je, n'obtenant guère de réaction, hormis ce même pli amer des lèvres. Je sais que vous avez pris connaissance du testament, et il me semble enfin que vous avez désormais quinze millions de raisons pour faire de moi votre suspect numéro Un.

— Hambly, cette vieille outre gonflée de vent, grommela-t-elle. Il devrait appendre à la boucler.

Comme je l'observais, je compris enfin pourquoi elle détestait tant les avocats. Elle ne pouvait les intimider, et ça lui restait en travers de la gorge.

— Alors, repris-je, je ne suis pas suspect ?

— Douglas vous a éliminé en tant que tel. Il ne vous imagine pas attenter à la vie de votre père, même pour des millions de dollars. Et, personnellement, en dehors de l'argent, je ne vois pas d'autre motif.

— Mais cela ne vous empêche pas de chercher.

— Exact.

— Et vous pensez comme lui ?

— Pour le moment, oui. Mais cela reste mon enquête et, si vous déconnez, je vous tomberai dessus si fort si fort que même vos amis en souffriront. C'est bien clair ?

— Comme du cristal, mais qu'avez-vous encore appris de Hambly ? lui demandai-je en cachant du mieux possible tout l'intérêt que je portais à cette question.

Mills haussa les épaules.

— Que votre père était riche comme Crésus et que si ce n'est pas vous son assassin, vous avez gagné le gros lot.

— Après tout, ce n'est que du fric.

— Peut-être.

— Alors, vous tenez toujours à ce qu'on ait cette conversation ?

— Je suis venue pour ça.

— Dans ce cas, prenons votre voiture. Barbara ne devrait pas tarder à rentrer, et je ne tiens pas à la mêler à ça.

— Oh, j'aurai aussi un entretien avec elle, dit Mills, me rappelant que c'était elle, le flic, dans cette histoire.

— Mais faites-le plus tard, d'accord. Pour le moment, roulons.

Elle ôta sa veste pour la poser sur le siège arrière. La voiture sentait ce même parfum de pêche trop mûre, qui me rappelait sa visite à l'hôpital. Il y avait une radio ondes courtes comme dans tout véhicule de police et un fusil à pompe arrimé au toit. Un brouhaha de voix s'échappait en grésillant de la radio, et elle coupa le son, alors que nous descendions l'allée. D'un regard de biais, j'aperçus par le col ouvert de son chemiser un soutien-gorge en dentelle qui ne collait pas avec son image. Elle serrait toujours les dents, et je la soupçonnais d'avoir plus envie de me conduire au poste pour un interrogatoire en règle plutôt que de se balader en caisse aux frais du contribuable. Je n'oubliais sa réputation d'excellence dans le corps policier, et me promettais d'être prudent. Au moindre faux pas, elle ne me raterait pas.

Dépassant le parc, nous prîmes Main Street et sortîmes bientôt de la ville pour rouler sur ces petites routes de campagne sillonnant le comté.

— Je vous écoute, dit-elle, et n'oubliez rien. Je veux savoir ce qui s'est passé la nuit où votre père a disparu, et je vous conseille de ne rien me cacher.

Je m'efforçai donc de parler avec la plus grande prudence.

— Pourquoi étiez-vous chez votre père, ce soir-là ?

— Une idée de ma mère, qui avait organisé un dîner. Pour faire la paix, je suppose.

— La paix entre qui et qui ?

— Jean et mon père.

— Le motif du conflit ?

— Parler de conflit serait excessif, c'était une de ces querelles comme il y en a entre un père et sa fille.

— Mais encore ?

J'avais envie de mentir dans le seul but de protéger Jean, mais je craignais que Mills ne découvre par une autre source la vérité. Un mensonge ne ferait qu'en amplifier l'importance. C'était ça, le problème avec les flics : comment être sûr de ce qu'ils savaient ? À la fin, c'étaient eux qui vous épinglaient.

— L'objet de l'accrochage était Alex.

— L'amie de votre sœur ?

— Oui.

— Une liaison que votre père n'approuvait pas ?

— Exact, et c'était une vieille histoire.

— Votre sœur n'est pas mentionnée dans le testament de votre père.

— Mon père avait à l'égard des femmes des préjugés bien ancrés.

— Et pourquoi votre mère est-elle intervenue dans cette… querelle ?

— Parce qu'elle était inquiète de la tournure violente que cela prenait.

Mills ne quittait pas la route des yeux.

— Votre père a-t-il frappé Jean ?

— Non.

Cette fois, elle tourna les yeux vers moi. « Il a frappé votre mère ?

— Non plus.

— Je sais que votre père a reçu un coup de fil, ce soir-là. Savez-vous qui appelait ?

— Je l'ignore.

— Vous étiez présent pourtant.

— Oui, mais ce n'est pas moi qui ai répondu.

— Que vous a dit votre père, après ça ?

— Il a décroché le combiné, a écouté, et puis nous a dit qu'il serait de retour dans un quart d'heure.

— Il n'a pas dit où il allait ?

— Non.
— Pas un mot ?
— Non, il est parti sans nous dire qui avait appelé ni où il allait.
— Combien de temps a duré ce coup de fil ?
— Je ne sais pas, trente secondes, peut-être.
— C'est long, trente secondes.
— Si on veut.
— Ça laisse le temps de dire beaucoup de choses.
— Vous n'avez pas vous-même de trace de cet appel ? demandai-je. S'il provenait d'une cabine, d'un poste fixe, d'un portable ?
— Non, hélas, répondit Mills, avant de se rappeler qu'il s'agissait là d'une information strictement limitée à l'enquête. Il doit y avoir autre chose, reprit-elle. A-t-il emporté quelque chose avec lui ? Dit quelque chose d'autre ? Son visage, qu'exprimait-il ? De la colère, de la tristesse, de la perplexité ? Dans quelle direction est-il parti ?

Je me mis à réfléchir à ces questions, et c'était là une chose que je n'avais jamais faite. Oui, quelle avait été l'attitude, l'expression de mon père, après ce mystérieux coup de fil ? Ma mémoire recomposait un visage résolu, assombri par la colère, ainsi qu'un autre sentiment… du mépris. Oui, ce salopard avait le mépris affiché sur sa gueule.

— Il m'a paru triste, dis-je enfin à Mills. Triste comme tout homme qui vient de perdre sa femme.
— Quoi d'autre ? insistait Mills. S'est-il arrêté quelque part dans la maison, avant de sortir ? Réfléchissez.
— Il s'est arrêté pour prendre des clés.

Je me tus soudain. Bon Dieu, ses clés. Ezra avait pour habitude de les suspendre à un crochet à côté de la porte de la cuisine. Un jeu pour sa voiture, un autre de son bureau. Et voilà que je revoyais la scène, comme si cela venait de se passer. Il avait emporté les deux, ce qui révélait une intention de passer à son cabinet. Dans quel but ? Avait-il été tué avant d'y arriver ou après ?

— On n'a pas retrouvé de clés sur lui, dit Mills.

— Et toujours rien sur sa voiture ? demandai-je pour faire diversion.

Je n'avais pas envie de parler de clés, tant que je ne saurais pas pourquoi Ezra était passé cette nuit-là à son bureau. Je pensai au revolver disparu et à ce coffre, qu'il me faudrait ouvrir.

— Je ne peux rien vous dire au sujet de la voiture, dit Mills. Donc, votre père sort de chez lui, cette nuit-là, et vous n'entendez plus parler de lui ?

— Plus jamais.

— Même pas un coup de fil ? Une lettre ?

— Rien.

— Pourquoi ne pas avoir signalé sa disparition ?

— Mais je l'ai fait.

— Oui, six semaines plus tard, me rappela-t-elle. C'est long, six semaines, et je trouve ça bizarre.

— À ce moment-là, nous pensions tous qu'il était parti cacher son deuil quelque part. Cela vous paraît aussi bizarre que ça qu'on l'ait attendu ?

— Ce qui me chiffonne, c'est le fait qu'il ne soit même pas venu à l'enterrement de votre mère, et que son absence ce jour-là ne vous ait pas alerté. C'est suspect, il n'y a pas d'autre mot.

Comment lui expliquer ça ? Pouvais-je lui dire que mon père n'était pas aux obsèques, parce qu'il avait tué ma mère ? Qu'il l'avait repoussée avec une telle violence qu'elle avait mortellement chutée dans l'escalier ? Qu'il n'avait nulle envie de nous retrouver Jean et moi pour prononcer de creuses paroles et verser des larmes de crocodile ? Parce que jamais il n'aurait été capable de dire quelle noble et généreuse femme avait été notre mère ? En vérité, je supposais à ce moment-là qu'il devait se planquer quelque part, bourré comme un coing, ou qu'il s'était jeté du haut d'un pont. Ça, je pouvais le concevoir.

— Le chagrin peut susciter chez nous d'étranges réactions, dis-je.

— C'est aussi mon opinion, si vous voyez ce que je veux dire, me dit Mills en me regardant dans les yeux.

Je ne voyais pas, mais son expression me le fit deviner. Je demeurais son suspect principal, ce qui était une bonne chose pour Jean. Mais je mourrais avant de me retrouver enfermé à vie dans une cellule. Et puis je ne serais peut-être pas obligé d'en arriver là, pensais-je. Il y avait sûrement une issue.

— Voici venu le moment de se poser la grande question, reprit-elle, alors que nous étions de retour, longeant le parc, et qu'on pouvait apercevoir ma maison tout au bout de la rue.

Elle arrêta soudain la voiture, et je saisis le message qu'elle m'adressait de la sorte : vous n'êtes pas encore rentré sain et sauf sous votre toit. Oui, c'était bien cela qu'elle me disait.

Le moteur faisait un bruit de soufflerie en refroidissant. Je sentais le regard de Mills sur moi. J'avais envie d'une cigarette. Je me tournai vers elle avec toute l'assurance que je pouvais mobiliser.

— Où étais-je donc, la nuit du crime, c'est ce que vous demandez, n'est-ce pas ?

— Oui, et j'attends une réponse convaincante.

Le temps de la décision était venu. J'avais un alibi et pouvais compter sur le soutien de Vanessa, quoi qu'il arrive. Je sentais cette vérité couler en moi comme une eau fraîche. À l'aune d'un procès, d'une condamnation et d'un emprisonnement à vie, c'était la chose la plus précieuse du monde. C'était ce dont aurait rêvé tout criminel acculé dans les cordes de la justice. Mais le voulais-je ? La réponse était oui, je le voulais de tout mon être. Je voulais que Mills détourne son attention de moi. Je voulais dormir dans mon lit et savoir que jamais je ne serais livré aux fauves d'un pénitencier. Je voulais lui présenter cet alibi comme un présent. Enveloppé dans du papier de soie, joliment enrubanné.

Mais ça n'était pas possible. Pas tant que Jean ne serait pas lavée du moindre soupçon. S'ils creusaient assez, ils trouveraient trois bonnes raisons de lui coller ce parricide sur le dos : venger notre mère, punir ce père qui la déshéritait, après avoir tyrannisé toute sa jeunesse. Enfin, le troisième motif de meurtre se prénommait Alex. Repensant à cette nuit, comme je l'avais fait tant de fois, je savais que Jean en aurait été capable. On lisait sur son visage la rage qu'avait soulevée en elle la mort de notre mère. Elle avait quitté la maison juste après le départ d'Ezra. Elle aurait pu facilement le suivre. Et, comme nous tous, elle savait où il rangeait son arme. Il y avait là le motif, les moyens et l'occasion, la sainte trinité de toute affaire criminelle. Douglas ne ferait qu'une bouchée de Jean, s'il savait tout cela. Aussi devais-je m'assurer de la sécurité de ma sœur, avant de sortir la carte m'innocentant. Je n'en sentais pas moins la faiblesse me guetter mais, paradoxalement, ce sentiment me donnait de la force. Je regardai Mills, qui attendait, les traits durcis, et vit dans le miroir de ses lunettes noires mon propre visage déformé et irréel, reflétant étrangement ce que je ressentais au fond de moi. M'agrippant à ma résolution, je lâchai un mensonge de plus.

— Comme je l'ai dit à Douglas, après que mon père fut parti, je suis rentré chez moi, auprès de mon épouse.

Elle hocha légèrement la tête, comme si c'était la réponse à laquelle elle s'attendait. Toutefois, le sourire qu'elle grimaça me rendit nerveux, sans que je sache pourquoi.

— C'est donc là votre réponse ? demanda-t-elle. Réfléchissez bien.

— Je n'en ai pas d'autre.

— Très bien. (Elle remit le moteur en marche et me déposa devant ma porte.) Ne quittez pas la ville, ajouta-t-elle, alors que je descendais de voiture.

— Très drôle, lui dis-je.

— Vous trouvez ? répliqua-t-elle avec ce même rictus troublant.

Puis elle fit marche arrière et s'en fut dans un crissement de pneus.

J'allumai une cigarette, les yeux fixés sur l'allée qu'elle venait de quitter. C'est alors que je compris pourquoi cette grimace me dérangeait. Je l'avais déjà vue au tribunal sourire ainsi, juste avant de tirer le tapis de sous les pieds d'un avocat de la défense qui avait eu le tort de la sous-estimer.

13.

Je me souvenais de ce client, au début de ma carrière, ma première affaire de meurtre. J'étais jeune, encore plein d'idéal, et bien qu'il fût coupable, j'avais de la sympathie pour lui. Il était soûl quand il avait tué son voisin pour une histoire de parking. Il ne pensait pas que son pistolet fût chargé. Il voulait faire peur au type, une histoire banale, jusqu'à ce qu'une tache de sang rougisse la poitrine de l'homme.

Le procès dura une semaine. Je pus démolir l'accusation de préméditation, mais ne pus éviter une condamnation pour homicide involontaire. Il écopa de sept ans et six mois de détention, ce qui n'était pas mal, si on songeait qu'il y avait eu mort d'homme. Deux heures après la sentence, je recevais un appel de l'infirmerie de la prison du comté. Mon client avait avalé deux litres de nettoyant liquide dans une infructueuse tentative de suicide. Les gardiens se marraient. En prévention contre ce genre d'incident, me dirent-ils, ils n'utilisaient que des produits de nettoyage non toxiques. Mon client en était quitte pour une bonne chiasse. Ce n'était pas la première fois que ça arrivait, ha, ha, ha !

Je rendis visite au bonhomme à l'infirmerie. Recroquevillé dans son lit, il pleurait, oublieux de ma présence et de celle du surveillant. Ce ne fut qu'après de longues minutes qu'il rencontra mon regard.

— T'as pas pigé ? me demanda-t-il.

Je restai coi, ne voyant vraiment pas où il voulait en venir.

— Regarde-moi bien, reprit-il.

Je secouai la tête, signifiant mon incompréhension.

— Regarde-moi ! répéta-t-il en hurlant, cette fois.

Je me tournai vers le garde impassible, qui haussa les épaules.

— C'est un vrai tordu, me dit-il. Faites ce qu'il dit, il nous foutra la paix.

Ce que je fis. Mon client était de petite taille, bien fait, les traits fins, les dents blanches. Il était beau et séduisant.

Et soudain je compris avec une vague nausée ce qu'il voulait me signifier.

— Je peux pas retourner en taule, me dit-il enfin. Je me tuerai plutôt.

Finalement, il me conta son histoire. Il avait déjà été au ballon, comme je le savais déjà. Le reste, je l'ignorais. Ils étaient une petite bande. Des fois, deux ou trois, d'autres fois six ou sept. Ils le foutaient à poil, lui collaient sur le dos une photo de femme nue, et le prenaient chacun son tour, un tournevis pointé contre son oreille pour s'assurer de sa docilité. Il me montra la cicatrice héritée la seule fois où il s'était débattu. Il était encore sourd de cette oreille.

Il me décrivit ces viols en étant secoué de sanglots. C'était ça qui l'attendait en prison, des viols répétés à l'infini.

— Je pourrai pas, mec. Je pourrai plus.

Le lendemain, il fut emmené à la prison centrale de Raleigh. Deux semaines plus tard, il se donnait la mort. Il avait vingt-sept, mon âge à cette époque. Je me souviendrai toujours de lui, car jamais je n'avais été témoin d'un désespoir aussi absolu. Depuis, j'ai toujours ressenti envers le monde carcéral une fascination un rien morbide, restant à l'abri derrière ma fonction mais m'approchant assez pour ne jamais oublier ce que je lus ce jour-là dans les yeux de cet homme.

Et oui, Mills me faisait peur. En vérité, elle me terrifiait. Je jouais avec le feu, et l'enjeu était brutalement réel. Mais Ezra était mort, son ombre aussi rongée que ses chairs, et j'apprenais enfin deux ou trois choses me concernant.

Je donnai à Mills deux minutes pour disparaître, puis courus à mon pick-up. Il me fallait parler à Jean, la mettre en garde contre Mills. Lui conseiller de la boucler. Et si elle ne voulait pas m'écouter, je l'y obligerais d'une manière ou d'une autre.

Je remontais Main Street à vive allure quand je vis s'abaisser la barrière du passage à niveau. Un train arrivait. Coupant par Ellis Street, je pris le pont, sous lequel s'engouffrait le train couronné d'un panache de fumée noire. Gardant un œil sur la route, j'appelai Jean chez elle. Occupé. J'attendis un peu, et rappelai. Cette fois, ça sonnait mais personne ne semblait pressé de répondre. À la quinzième sonnerie, j'abandonnai. J'étais à cran, proche de la panique. La tension me collait à la peau telle une mauvaise sueur. Jamais Jean ne supporterait la détention; elle en mourrait aussi sûrement qu'Ezra était mort de deux balles dans la tête.

La circulation s'éclaircissait à l'approche des quartiers pauvres. Des enfants jouaient dans les rues, et je jugeai prudent de ralentir. La voie ferrée n'était plus très loin. Des épaves de voiture squattaient des allées de terre battue, et la rouille dentelait les toits de tôle des baraques vieilles d'un siècle. Je tournai dans la rue où habitait Jean. Juste en face de chez elle, un gamin se balançait sur un pneu accroché par une chaîne à un portique branlant. Un visage apparut à la fenêtre derrière lui, deux yeux et un soupçon de bouche, qui s'effacèrent aussitôt derrière un rideau jaune.

J'arrêtai la voiture devant chez Jean et coupai le moteur. Assise dans un fauteuil à bascule, les pieds posés sur la rambarde, Alex Shiften prenait le frais. La cigarette au bec, elle m'observait derrière ses lunettes sans monture. J'entendis le train au loin, le vent agitait les arbres, et le kudzu fleurissait encore sur les talus.

Je me redressai instinctivement de toute ma taille en poussant le portillon et, comme je me rapprochais, je vis qu'elle avait à la main un grand couteau à cran d'arrêt, avec lequel elle taillait patiemment un morceau de bois. Elle se leva avant même que je grimpe la première marche du perron. Elle était pieds nus, en t-shirt et un jean délavé.

— Qu'est-ce tu veux encore ? demanda-t-elle.

— Pourquoi ne réponds-tu pas au téléphone ?

— Parce que je savais que c'était toi, répondit-elle avec un sourire glacé.

Puis, comme je posais un pied sur la première marche, elle referma sa lame, la glissa dans sa poche, et s'adossa au pilier en me considérant d'un air froid.

— Il faut absolument que je parle à Jean, lui dis-je.

— Encore ? Ça devient une habitude chez toi, de devoir lui parler.

— Elle est ici ? C'est important.

— Non, elle est partie.

— Au travail ?

Alex détourna la tête dans un nuage de fumée.

— Bon Dieu, Alex, elle est à son travail ?

Elle me regarda et, lentement me fit le doigt. Un grognement m'échappa et, passant devant elle, j'entrai dans la maison, surpris qu'elle ne tente pas de m'empêcher.

Une odeur de chou m'accueillit à l'intérieur.

— Tu peux chercher, me cria Alex depuis le porche. Elle n'est pas là, et elle en a rien à foutre de toi. Alors, regarde bien partout et fous le camp d'ici.

Les pièces étaient minuscules, les plafonds bas, délabrés. Le plancher grinçait sous mes pas. Dans ce qui pouvait passer pour un living, il y avait une photo encadrée de ma mère sur le téléviseur. Je savais que je n'en trouverais aucune de moi et, encore moins, d'Ezra. Dans la cuisine, une maigre vaisselle séchait sur un égouttoir. Une petite table étroite et deux chaises étaient placées devant la fenêtre donnant derrière sur la courette et, au-delà, sur la voie ferrée. Sur le rebord, à l'extérieur, un saintpaulia jetait quelques notes d'un bleu vif.

J'appelai Jean tout en sachant qu'elle n'était pas ici. Un coup d'œil dans la chambre ne révéla qu'un grand lit bien fait, un tas de magazines sur la table de chevet, ainsi qu'un verre d'eau posé sur un petit napperon. Je me souvenais qu'enfants, nous bavardions, assis au bord du lit, et qu'elle posait toujours son verre d'eau sur un napperon brodé. Le bois, disait-elle, c'était comme les gens, il avait besoin d'être protégé. Je comprenais aujourd'hui qu'elle faisait alors inconsciemment allusion à elle-même.

C'était cela qui me manquait, cette intimité que nous avions partagée, quand le monde était plus petit, et les intimes confidences plus faciles. Était-elle heureuse dans cette chambre? J'en doutais. Alex était obsédée par le besoin de contrôler, de dominer. Et elle avait trouvé la compagne idéale en ma sœur, désespérément en quête d'un guide.

Cherchant quelque trace d'un passé commun, je balayai en vain les murs nus, la rangée de bouquins sur l'étagère gauchie, le lit de nouveau. Dépité, je regagnais la porte quand un train passa, ébranlant la maison et laissant derrière lui l'écho lugubre de son long sifflement. Et ce fut juste au moment où j'allais sortir qu'un détail me fit me retourner, les jambes soudain faibles. Coincé sur l'étagère sous d'autres livres se trouvait un exemplaire écorné de *Bilbo le Hobbit*, que j'avais offert à Jean à l'occasion de son neuvième anniversaire. J'y avais écrit un mot en page de garde. Je m'en souvenais encore : *À Jean, parce que de toutes petites personnes peuvent vivre de grandes aventures*. Tirant l'ouvrage de sous la pile, je l'ouvris, mais la page avait disparu.

Je remis le Tolkien en place et sortis.

Alex avait regagné son fauteuil sous le porche.

— Satisfait ? dit-elle.

Je m'exhortai au calme. La colère était mauvaise conseillère.

— Sais-tu quand Jean rentrera ? lui demandai-je.

— Aucune idée.

Je sortis une carte de visite de ma poche et la lui tendis. Elle la regarda mais ne la prit pas. Je la posai sur la rambarde.

— Tu veux bien demander à Jean de m'appeler sur mon portable, quand tu la verras ? Le numéro est sur ma carte.

— Elle ne t'appellera pas, mais je lui ferai la commission.

— C'est très important pour elle, Alex.

— Tu l'as déjà dit.

— Eh bien, je le redis. Et puis pense que si elle m'appelle, je ne serai pas obligé de revenir t'emmerder.

— De quoi s'agit-il ? demanda-t-elle.

— C'est une question qui ne regarde qu'elle et moi.

— Je saurai bien ce que c'est, va.

— Peut-être mais ça ne viendra pas de moi.

Sur ce, je lui tournai le dos, impatient de m'éloigner de cette femme. Je n'avais pas fait quatre pas que je perçus derrière moi un gloussement moqueur que ponctua le claquement du cran d'arrêt.

— Tu crois peut-être que je ne sais pas de quoi il s'agit ? dit-elle, alors que j'étais presque arrivé à mon véhicule. Vous avez le droit de garder le silence, tout ce que vous pourrez dire…

Ce fut plus fort que moi, je pivotai sur les talons. Elle souriait, vénéneuse.

— … pourra être retenu contre vous.

Les mains posées sur la balustrade, une hanche collée au pilier, elle me provoquait. Je fis un pas vers elle.

— Si vous n'avez pas les moyens de prendre un avocat, il vous en sera désigné un d'office..., finit-elle en éclatant de rire.

— De quoi parles-tu ? demandai-je, levant la tête vers elle.

Elle abaissa son regard sur moi.

— Jean et moi, nous avons fait la connaissance d'une jolie femme très curieuse et... très bien armée.

— Mills.

Le nom m'échappa, littéralement.

— Elle avait plein de questions marrantes à nous poser.

Bien sûr, Alex jouait de mes nerfs avec une science perverse, et je ne pouvais combattre un sentiment soudain de fatalité. J'aurais dû parler avec Jean sitôt après la découverte du corps de notre père. J'aurais dû la mettre en garde, tirer pour une fois profit de mon statut d'avocat. Mais ce jour-là, à Pizza Hut, j'avais eu peur qu'elle ne lise dans mes yeux que je la soupçonnais de ce meurtre, et que cela ne l'éloigne à jamais de moi. Oui, j'avais eu la lâcheté de ne pas affronter cette terrible question. Et, les jours suivants, je n'avais rien fait d'autre que me bourrer la gueule et pleurer sur mon sort. Mon silence coupable avait ouvert la porte au malheur. Qu'est-ce que Jean avait bien pu raconter à Mills ? Jusqu'où était-elle allée, tandis que je pataugeais dans la fange de mon fétide mariage et de ma vie ratée ? Le désespoir avait un goût amer. Mills n'était pas la moitié d'une idiote, et ma sœur avait sûrement été sa première suspecte.

— Elle nous a posé plein de questions à ton sujet, reprit Alex.

— Pourquoi tu me détestes autant ? lui demandai-je, retrouvant quelque peu mon calme.

— Oh, je ne te déteste pas. Tu te trouves juste un peu trop en travers de mon chemin.

— Tu ne veux toujours pas me répondre au sujet de Mills ?

— Mais tu l'as dit toi-même, ça ne regarde que Jean et toi.

Je lus sur son visage que tout était dit. Ayant eu le dernier mot, elle pouvait se retirer, satisfaite. Elle se rallongea sur sa chaise, ramassa son morceau de bois.

— Et maintenant, barre-toi. Je dirai à Jean que tu es passé.

Je n'eus pas un regard vers elle quand je démarrai. Elle ne le savait pas, mais elle m'avait concédé un point. Elle m'en voulait parce que, comme elle l'avait dit, je me trouvais un peu trop sur son chemin. J'en concluais que Jean avait encore pour moi un certain attachement, ce qui était mieux que rien.

J'appelai à son travail, pour apprendre que c'était son jour de repos, aujourd'hui. Je passai l'heure suivante à rouler en ville, à la recherche de sa voiture. Je passai devant les cinémas, les fast-foods. En vain. En désespoir de cause, je téléphonai de nouveau chez elle. Pas de réponse.

À cinq heures, je pris la route de Charlotte, où j'avais rendez-vous avec Hank Robbins. Il y avait peu de circulation et, une heure plus tard, j'étais confortablement installé dans un box aux banquettes moelleuses. Une lumière douce baignait le bar, et une musique vaguement celte jouait en sourdine. Un paquet de Gitanes traînait sur la table. J'en allumai une, au moment où une serveuse s'approchait du box. Sa façon de marcher me rappelait Jean. Elle avait le même sourire las. J'avais envie d'un alcool fort, mais jugeai plus prudent de prendre une bière. M'efforçant de me détendre, je sirotai ma bibine en lançant des ronds de fumée dans la lumière des minuscules spots constellant le plafond.

— Je vois qu'on a pris de l'avance, murmura une voix familière à côté de moi.

Je tournai la tête et vit Frank Robins se glisser sur la banquette en face de moi.

— Tu es en retard.

— Fais-moi un procès.

Il me serra la main en souriant.

— Comment ça va, Work ? Je suis vraiment navré pour toi. Je sais que ça doit pas être marrant.

— C'est bien pire que ça.

— À ce point ?

Je haussai les épaules.

— Dis-moi, il faut faire quoi, ici, pour avoir à boire ? demanda-t-il en haussant la voix. Mademoiselle ? Deux de plus.

Hank n'était pas banal. Il ne faisait guère plus d'un mètre soixante-quinze, pesait soixante-dix kilos, et cependant il était l'homme le plus téméraire que j'aie jamais rencontré. Je ne l'avais pas vu de mes yeux, mais je savais de bonne source qu'il avait démoli des types bien plus gros et plus forts que lui. La tignasse brune, des yeux verts rieurs, une dent de devant cassée, il était la coqueluche de ces dames.

On avait travaillé ensemble sur une douzaine d'affaires, et j'avais eu largement la preuve de son excellence. On s'entendait bien, parce que ni l'un ni l'autre n'étions du genre à se faire des illusions. Nous étions tous deux réalistes mais Hank me surpassait par un fatalisme joyeux. Rien ne l'étonnait, et il trouvait toujours matière à en rire. C'était un trait de son caractère que j'admirais, moi qui avais une vision plus sombre du monde.

La serveuse arriva avec nos verres et le même sourire las. Elle n'avait d'yeux que pour Hank. Je lui donnais la trentaine ; elle avait des traits épais sans être ingrats, mais des mains peu soignées.

— Merci, poupée, lui dit Hank en lui balançant son sourire dent cassée.

Je la vis rougir sous l'épais maquillage, et elle s'en fut d'un pas plus léger.

— Elles ne t'envoient jamais promener ?

— Uniquement celles qui sont intelligentes.

Je secouai la tête d'un air faussement navré.

— Quoi, dit-il, les gens aiment bien les compliments. C'est un moyen pas cher de rendre le monde un peu plus buvable. (Il avala une gorgée de bière.) Alors, que se passe-t-il ? Tu m'as l'air complètement ratatiné.

— C'est un compliment ?

— Ouais.

— Merci.

— Sérieusement, l'ami, comment ça va ?

Je ressentais soudain une immense fatigue. Mes yeux se faisaient lourds, et je fixais sans le voir mon verre de bière.

— Je vois, reprit-il, avant que je formule une quelconque réponse, que tu préférerais qu'on parle boulot, plutôt que des joies de la vie, et je suppose aussi que tu comptes sur moi pour t'aider à trouver l'assassin de ton père.

Ma surprise devait être éloquente, et je me reprochai de m'être laissé surprendre. Nous étions partenaires et amis, mais j'ignorais jusqu'où pouvait aller sa loyauté envers moi.

— Tu sais, j'ai jamais pu saquer mon père, lui dis-je. Alors, je peux laisser les flics s'occuper de ça.

— C'est ton problème, dit-il, tambourinant des doigts sur la table, l'air un rien confus, mais dans ce cas qu'attends-tu de moi ?

Je le lui dis.

— Bon sang, répondit-il, quand j'eus fini, je ne me doutais pas tu puisses me prêter autant de capacités.

— Tu peux le faire ou pas ?

— J'aimerais te répondre oui, mais je ne le peux pas. Tu veux découvrir qui t'a balancé ce fauteuil sur la tête, et j'en ferais autant à ta place, mais je ne suis pas de la police scientifique, je n'ai pas accès à leur fichier anthropométrique. C'est un travail de spécialiste, et ça n'est pas dans mes cordes.

— Mais jamais les flics ne se donneront cette peine, lui dis-je. Pour commencer, ils ne me croient même pas.

— Alors, tu l'as dans l'os, amigo. Je suis désolé.

Je haussai les épaules. Sa réponse ne me surprenait pas vraiment. Je voulais tout de même savoir qui avait attenté à ma vie et pourquoi. Cela me paraissait pour le moins légitime, que cela eût ou non un lien avec la mort d'Ezra.

— Et pour le coffre-fort ? lui demandai-je.

— Pour ça, il te faut un bon serrurier ou un as du cambriolage, et je ne suis ni l'un ni l'autre.

— Je pensais que peut-être...

— Je connaîtrais quelqu'un ? (Je hochai la tête.) Ouais, j'en connais un, poursuivit-il, mais il vient de se prendre dix ans. Le plus simple, c'est d'appeler un serrurier.

— J'ignore ce qu'il y a dedans, et je ne tiens pas à ce qu'un étranger le découvre, et encore moins les flics.

— Tu espères retrouver le flingue ?

J'acquiesçai d'un signe de tête. La présence de l'arme dans le coffre pouvait disculper Jean. Par ailleurs, j'étais curieux de savoir quels autres secrets pourrais-je bien y découvrir.

— Je suis vraiment désolé, Work. J'ai le sentiment de te laisser tomber. Tout ce que je peux te dire en la matière, c'est que les gens sont prévisibles. Quand ils choisissent la combinaison d'une serrure, ils optent le plus souvent pour des dates ou des numéros qui ont une signification particulière pour eux.

— J'y ai pensé, figure-toi. Anniversaires, numéros de sécu, de téléphone, etc.

Hank secoua la tête.

— D'accord, mais j'ai dit "prévisible", Work, ce qui ne veut pas dire idiot. Pense à ton père, à ce qui était important pour lui. Qui sait, tu tomberas peut-être dessus.

— Ouais, peut-être.

— Je me répète mais je suis vraiment désolé de ne pas pouvoir t'aider.

— Il y a autre chose, dis-je, et c'est personnel.

— Alors, ça n'est pas non plus dans mes cordes.
— Il s'agit de Jean.
— Ta sœur ?
— Ouais.
Je lui dis ce que j'attendais de lui.
Il sortit une feuille de papier et un crayon.
— D'accord, dis-moi tout ce que tu sais de cette Alex Shiften.
Quand il eut pris quelques notes et glissé le papier dans la pochette, deux jeunes femmes firent leur entrée et s'assirent au bar. Elles étaient belles et, comme je jetais un regard dans leur direction, l'une d'elles me fit un petit signe de la main. Hank affichait un air innocent qui ne pouvait me tromper.
— C'est toi qui les a invitées ?
Son grand sourire le trahit avant même qu'il s'explique.
— Je me suis dit que tu avais besoin qu'on te remonte le moral.
— C'est gentil à toi, mais j'ai assez de femmes comme ça pour l'instant dans ma vie. Une de plus me serait fatale.
Il m'arrêta de la main, alors que je me glissais hors du box.
— Celles-là, Work, ne pèsent pas dans la vie d'un mec. Fais-moi confiance.
— Je sais bien, Hank, et je te remercie, mais ce sera pour une autre fois.
Il haussa les épaules.
— Comme tu voudras, mais écoute-moi bien, avant de t'en aller. (Il leva vers moi un visage soudain grave.) Fais gaffe à toi. L'assassinat de ton père fait la une des journaux, même ici, à Charlotte. Les flics chargés de l'affaire se foutront pas mal des dégâts collatéraux, pourvu que le résultat soit là. Alors, fais gaffe à toi.
Il me vint soudain à l'esprit que je lui en avais dit plus que je ne devais, mais la sincérité de son expression chassa mes craintes.
— Tu as raison, je ferai attention.

Je posai un billet de vingt sur la table.

— Non, c'est pour moi, protesta-t-il.

— Paye une tournée à tes copines. Je t'appelle dès que j'ai du nouveau.

Dehors, le soir tombait. Un vent léger soufflait dans les rues presque vides. Dans le ciel, une lueur orangée zébrait la masse sombre des nuages. Je sentais sous mes pieds la chaleur de la journée emprisonnée dans l'asphalte, et j'eus un instant l'impression de marcher sur le toit de l'enfer.

Sauver ma sœur signifiait une confrontation avec Alex, aussi me fallait-il en savoir beaucoup plus sur elle. Pour ça, je pouvais compter sur Hank. Jean aimait Alex, mais cette affection était-elle réciproque ? Que cherchait Alex ? J'avais du mal à l'imaginer amoureuse. Certes, je ne pouvais douter de son attachement à Jean, mais je devais m'assurer que cela ne cachait rien de mauvais.

14.

De retour sur la route, je roulai aussi vite que le pick-up me le permettait et, quarante minutes plus tard, tournai dans sa rue. Le lampadaire était grillé, mais il y avait une vague lumière aux fenêtres de la petite maison. Je descendis de voiture. Au loin, un chien aboya et de la voie ferrée montait le chant des grillons. Je grimpai les marches branlantes du porche et jetai un regard par la fente entre les rideaux. La première pièce était sombre, mais je pouvais les voir attablées dans la cuisine. Jean me tournait le dos, et je distinguais vaguement Alex, assise en face d'elle. Des chandelles jetaient sur la table une lueur chaude, et je perçus le rire de Jean. Qui étais-je pour juger Alex? Je n'avais jamais été capable de faire rire ma sœur depuis cette lointaine nuit, où son mari était parti avec la baby-sitter, et où son petit monde avait explosé sur une aire de repos de l'autoroute 85.

J'aurais sans doute fait demi-tour s'il n'y avait eu un cadavre dans le tableau, et une ambitieuse fliquesse du nom de Mills. Je tapai à la porte. Les rires moururent. Une chaise racla le sol, la porte s'ouvrit, et Jean prononça mon nom avec stupeur. Derrière elle, Alex fronça les sourcils d'un air contrarié et passa un bras protecteur autour de Jean.

— Salut, sœurette. Désolé de te déranger.

— Qu'est-ce que tu fais ici, Work ?

Elle avait meilleure mine que la dernière fois que je l'avais vue.

— Alex ne t'a pas dit que je suis déjà passé dans la journée pour te voir ?

— Non, dit-elle, tournant brièvement la tête vers sa compagne. Elle ne m'en pas parlé.

Mon regard alla du visage pâle de ma sœur aux traits durs de sa maîtresse. Je crus déceler une odeur de vin.

— Je peux rentrer un moment ?

— Non, claqua la voix d'Alex, avant que Jean ne puisse répondre. Il est tard.

Jean posa sa main sur le bras d'Alex.

— C'est bon, qu'il entre, dit-elle avec une moitié de sourire qui me rassura.

— Merci.

Je humai le parfum d'Alex en passant devant elle. Jean fit de la lumière, et je vis qu'elle portait une robe et du rouge à lèvres. Alex aussi s'était habillée. Une bonne odeur de cuisine flottait dans l'air.

— J'ai mal choisi mon moment, n'est-ce pas ?

Jean hésita à me répondre, mais Alex combla le silence.

— On fête un anniversaire, dit-elle, passant son bras autour de la taille de Jean. Ça fait deux ans qu'on est ensemble.

Je me tournai vers ma sœur.

— Il faut absolument que je te parle. C'est important. Je sais que le moment est mal choisi, mais je ne serai pas long.

Alex s'écarta de ma sœur pour aller s'asseoir sur le canapé, les mains croisées derrière la tête, manifestement impatiente de m'entendre.

— J'aimerais te parler seul à seul, dis-je.

Le regard de Jean alla de l'un à l'autre, la perplexité accentuant sa vulnérabilité, et je me souvenais qu'enfant, elle aurait suivi n'importe où son grand frère.

— On est très bien ici pour parler, dit Alex à Jean.

— On est très bien ici pour parler, répéta Jean d'un air espiègle en imitant la voix d'un perroquet.

Elle rejoignit Alex sur le canapé.

— Alors, c'est à quel sujet ? me demanda-t-elle.

— Oui, Work, reprit Alex, c'est à quel sujet ?

Ses yeux riaient. *Vous avez le droit de garder le silence...*

Il me fallait trouver la meilleure approche, car le sujet était des plus délicats, mais tous ces beaux et bons arguments qui m'étaient venus sur la route en venant n'étaient plus qu'un tourbillon de poussière.

— Tu n'es pas obligée de répondre aux questions de la police, lui dis-je.

Elle se raidit soudain et tourna la tête vers Alex.

— Je ne vois pas de quoi tu parles, dit-elle. Qu'est-ce que la police vient faire ici ?

Elle s'agitait, manifestement inquiète, mais se calma un peu en sentant sur sa cuisse la main rassurante d'Alex.

— Oh, tu parles de l'inspectrice Mills ? dit-elle.

— Oui, c'est elle qui est chargée de l'enquête sur la mort de papa. On aurait dû en parler plus tôt. Je veux juste que tu comprennes comment ça marche et quels sont tes droits...

— Je ne veux pas parler de ça, je ne peux pas... Mills me l'a bien dit... qu'il fallait que je la boucle.

Son comportement me déconcertait autant qu'il m'inquiétait.

— Jean...

— Je ne lui ai rien dit sur toi, Work. Elle m'a posé tout un tas de questions, mais j'ai fermé ma gueule.

— Allons, Jean, intervint Alex, dis-lui la vérité, c'est pour ça que ton frère est ici.

— Non, mais de quoi, vous parlez, toutes les deux ? m'exclamai-je, au comble de la stupeur.

La bouche ouverte, les lèvres tremblantes, ma sœur me regardait comme si je lui étais étranger.

— Mills pense que c'est toi qui as fait le coup, dit Alex. C'est pour ça qu'elle est venue nous voir. Elle est persuadée que tu as tué Ezra.

— C'est ce qu'elle a dit ?

— Disons qu'elle nous l'a fait comprendre.

— Que lui as-tu raconté ? demandai-je, mon regard braqué sur Alex, même si ma question s'adressait à Jean.

Alex se garda bien de me répondre ; quant à Jean, elle hochait la tête d'un air hébété. Des larmes plein les yeux, elle avait l'air d'un animal pris au piège.

— Je ne peux pas parler de ça, bredouilla-t-elle. Je ne peux pas.

— Ça va, Jean, tout va bien.

— Non, ça ne va pas ! s'écria-t-elle. Papa est mort. Il a tué maman, et après ça, quelqu'un l'a assassiné… quelqu'un…

Regardant le sol devant elle sans le voir, elle se mit à se balancer sur ses jambes, les mains fermement croisées.

Mes pires craintes venaient de prendre à l'instant sous mes yeux une effroyable réalité. Jean avait tué Ezra. Elle avait pressé deux fois la détente, et la conscience de ce crime était en train de détruire sa raison. L'esprit à la dérive, elle semblait contempler quelque indicible horreur. Depuis combien de temps était-elle dans cet état ?

Comme je tendais la main vers elle dans un espoir de réconfort, elle sursauta vivement.

— Me touche pas ! Me touche pas, répéta-t-elle en reculant en direction de la chambre.

« Rentre chez toi, Work. Je ne peux pas te parler.

— Jean…

Elle était maintenant sur le seuil de la chambre, la main sur la poignée de la porte.

— Papa disait toujours qu'on ne revient jamais sur ce qui est fait. J'ai dit ce que j'avais à dire, Work. Et j'ai pas soufflé un mot à cette femme à ton sujet. Maintenant, laisse-nous. Ce qui est fait est fait, hein, Alex ? ajouta-t-elle en se tournant vers sa compagne.

Et la porte se ferma sur son regard perdu.

La tête me tournait. Jamais je ne pourrais oublier ces yeux, ces mots. Soudain, je sentis sur mon épaule la main d'Alex, qui me désignait la porte d'entrée grande ouverte.

— Ne reviens jamais plus, me dit-elle. Je plaisante pas.

J'eus un geste impatient vers la chambre.

— Qu'est-ce que tu lui as fait ? dis-je, sachant pour une fois qu'Alex n'y était pour rien. Elle a besoin d'aide, ajoutai-je.

— Pas de la tienne, en tout cas.

— Tu ne pourras jamais me séparer de ma sœur, tu entends ? (Je fis un pas vers elle.) Si tu ne l'aides pas, c'est moi qui le ferai. C'est bien clair ?

— Ne t'approche plus d'elle, me dit-elle en pointant durement son doigt contre ma poitrine. C'est toi, son problème, à Jean. C'est toi !

Les positions étaient claires, et l'ennemi dûment identifié, s'il ne l'avait toujours été, mais il y avait une terrible vérité dans ce qu'Alex venait de dire. Ma part de responsabilité était grande, et j'avais dans ma bouche le goût amer de la culpabilité.

— Je ne vais pas en rester là, Alex.

— Fous le camp.

Jugeant inutile d'insister, je sortis dans la nuit. La porte claqua doucement derrière moi.

Je grimpai dans le pick-up et, contemplant la maison silencieuse, je pensai à Jean, à sa lente descente aux enfers. Je redoutais qu'elle n'attente une fois de plus à ses jours. Les signes ne trompaient pas. Je craignais que ce ne fût qu'une question de jours.

J'actionnai le démarreur, et la vibration du moteur parut raviver cette vérité que désormais je ne pouvais refouler. Jean avait tué Ezra. Ma petite sœur lui avait collé deux balles dans la tête. On ne pouvait plus revenir sur ce qui était fait, comme elle l'avait dit. Et il m'incombait maintenant de la sauver. Elle ne supporterait jamais la prison. Elle en mourrait.

Mais que faire ? Comment empêcher Mills de parvenir à la même conclusion que moi ? Peut-être y avait-il une solution. Je devais rester son suspect numéro un. Je tomberais à la place de Jean, s'il le fallait, mais ce ne serait qu'en désespoir de cause. En attendant, il devait bien y avoir un autre moyen.

*

Sur le chemin du retour, je perdis à ce point la notion du temps que je fus littéralement stupéfait de me retrouver dans ma rue, à cent mètres de chez moi. Un véritable fondu enchaîné de la maison de Jean à la mienne. Drôle de truc. Et puis je vis, garé le long du trottoir, un pick-up que je connaissais. Ralentissant, je m'arrêtai à sa hauteur.

Vanessa était derrière son volant, la nuque reposant sur l'appuie-tête, les yeux clos. Si elle m'avait vu arriver, elle ne le montrait pas. De longues secondes passèrent avant que lentement, à contrecœur, elle ne se tourne vers moi. Je la distinguais mal dans l'obscurité, juste les contours de ses traits, que je connaissais si bien. Je descendis ma vitre.

— Que fais-tu ici ? demandai-je.

— J'ai reçu ton message, et j'ai voulu te voir mais...

Elle désigna d'un signe de tête la maison, et je remarquai pour la première fois les voitures encombrant l'allée et toutes les fenêtres éclairées. Et comme je reportais mon regard sur elle, je vis qu'elle avait pleuré. Une voiture passa dans la rue, illuminant un instant son beau visage.

— Tu m'as fait du mal, Jackson, et puis tu m'as laissé ce message...

Un bref sanglot lui échappa.

— Tout ce que j'ai dit dans ce message est vrai.

— Je dois m'en aller, dit-elle soudain en tendant la main vers le démarreur.

— Non, attends. Je viens avec toi. À la ferme.

Je voulais tout lui dire, lui parler de Jean, d'Ezra, de mon amour pour elle, de la honte qui avait été la mienne durant tant d'années.

— J'ai tellement de choses à te dire.

— Non, dit-elle d'une voix ferme, cette fois. J'ai trop peur que tu ne me détruises, et j'ai décidé que rien ni personne ne valait le sacrifice de ma vie. (Elle démarra le moteur.) Personne, pas même toi.

— Attends, Vanessa.

— Ne me suis pas, Jackson.

Elle donna des gaz et je vis les feux du pick-up disparaître dans la nuit. Je fermai les yeux et restai un long moment immobile, avant de démarrer à mon tour et de me garer dans mon allée, entre une Mercedes et une BMW. Je gagnai la cuisine en passant par le garage. Il y avait des rires dans le salon. Je m'avançai.

— Oh, tu es là, me dit ma femme. Juste à l'heure pour la deuxième fournée.

Elle vint vers moi, un grand sourire sans âme au visage. Il y avait là deux autres couples, les Werster et une paire à qui j'aurais été incapable de donner un nom. Ils avaient tous l'air de bien s'amuser, et Barbara me soufflait au visage son haleine avinée. Elle épousseta ma chemise d'un air tendre mais je la sentais inquiète, pour ne pas dire terrifiée.

— Je t'en prie, ne fais pas de scène, me chuchota-t-elle à l'oreille en se collant à moi. On s'inquiétait tous à ton sujet, ajouta-t-elle en s'écartant.

Je vis les quatre autres sourire à l'unisson, depuis la table impeccablement mise sur laquelle les carafes de cristal et les couverts en argent accrochaient la lueur dansante des bougies. Soudain, je pensai à Jean, à cette pauvre cuisine dans laquelle elle fêtait ses deux ans de concubinage avec Alex. Je l'imaginai dans la tenue orange des détenus, son quart à ma main, faisant la queue à la tambouille. C'était une image tellement dure qu'un instant je fermai les yeux. Quand je les rouvris, je rencontrai le sourire de Bert Werster.

— Je vais me changer dis-je à la ronde.

En repassant par la cuisine, j'emportai la bouteille de bourbon avec moi puis poussai la porte de derrière.

Dehors, l'air était frais, la nuit étoilée, et je m'efforçai de me calmer. Combien leur faudrait-il de temps pour s'apercevoir que je ne revenais pas ? Quelle excuse trouverait encore Barbara pour dissimuler la mort annoncée de son mariage ?

Passant par la cour pour prendre Nonos, qui était en train de gratter sous la clôture, je le fis monter dans le pick-up. Puis je démarrai sans un regard vers la maison. Cette nuit, je ne pouvais rien pour Jean, mais Vanessa souffrait, et il était temps pour moi de prendre enfin mes responsabilités. Et, les yeux sur la route, je me mis à penser à ce que j'allais dire à celle que j'aimais depuis toujours. Je ne risquais pas d'avoir oublié le jour de notre première rencontre – le jour où nous avions sauté à la corde pour Jimmy. J'avais douze ans, et ce jour-là le mot courut que j'étais un héros. Ils disaient que j'avais été drôlement courageux, mais ce n'était pas du tout mon avis. En vérité, j'avais été lâche et avais connu la honte.

Il s'appelait Jimmy Waycaster, mais c'était sous le surnom de Un-T qu'il était connu. Il y avait une bonne raison à ça.

15.

Jimmy avait un seul testicule, ce qui était de notoriété publique à son arrivée dans le comté. Ses parents n'avaient pas d'autre enfant, ce qui n'empêcha pas notre entraîneur de base-ball de le placer au poste de bloqueur. Au premier match de la saison, Jimmy était au deuxième lancer. Quand il s'écroula dans l'herbe, les mains sur son entrejambe, un grand silence se fit, avant qu'il ne se mette à hurler.

La famille de Jimmy était pauvre, et coûteuse l'intervention chirurgicale destinée à sauver son unique testicule. Des parents se mobilisèrent et, deux semaines plus tard, tous les élèves sautèrent à la corde pour Jimmy. Cela se passait au tout beau tout neuf centre commercial, bien des années avant qu'on n'y trouve un certain cadavre à l'arrière d'une des boutiques abandonnées. Le plan était simple : les enfants réunis par équipes de quatre s'engageaient à sauter à la corde sans s'arrêter pendant une période de temps pour une certaine somme d'argent destinée à Jimmy. L'exercice devait durer toute la journée. Il y avait vingt équipes de quatre, soit un total de quatre-vingts collégiens.

Vanessa en faisait partie, et moi itou.

Elle était belle.

*

Elle devait avoir quatorze ans, était en classe de seconde, et c'était fort généreux de sa part d'être là, car bien peu d'élèves de son âge étaient prêts à sauter à la corde au bénéfice du testicule de Jimmy. Je remarquai sa robe rouge à l'instant où elle apparut dans le couloir. Elle ne se formalisa pas de mon regard insistant et, même, me sourit. Un sourire doux et franc, qui n'avait rien d'aguicheur.

Venus en nombre, les parents étaient détendus et distraits. Après tout, ce n'était qu'une bande d'enfants qui sautaient à la corde. Les équipes se relayant toutes les dix minutes, chacun disposait ainsi d'une pause d'une demi-heure, que personnellement je mettais à profit pour mater la fille à la robe rouge, avant de repartir sauter.

Cela faisait à peine deux heures que je l'avais aperçue pour la première fois, et je ne pensais plus qu'à elle.

Les cheveux blonds, de grands yeux bleus, elle avait de longues jambes et des hanches joliment arrondies. Elle avait un rire franc et clair, et prenait soin des gamins plus jeunes. Je n'avais jamais rien vu de plus beau de ma vie, et mon cœur battait chaque fois que je rencontrais son regard.

— Ne perds pas ton temps, dit une voix que je reconnus sans avoir à tourner la tête.

C'était Delia Walton, une sale petite snob qui, en compagnie de deux autres pimbêches, se prenait pour le centre de l'univers.

— Comment s'appelle-t-elle ? lui demandai-je.

— Vanessa Stolen, m'informa Delia. Elle est au lycée, c'est une vieille.

Je me contentai de hocher la tête, sans cesser de regarder Vanessa. Ce qui n'était pas pour plaire à Delia.

— C'est de la racaille blanche, ajouta-t-elle.

— Dis donc, ce serait pas ton tour de sauter à la corde ? je lui demandai.

— Oui, c'est mon tour.

— Alors, qu'est-ce que tu attends ?

L'heure avançait, et les gosses continuaient de sauter. J'entendis un des hommes présents dire qu'on était déjà arrivé à une somme de huit mille dollars, ce qui me paraissait beaucoup pour une couille.

Il était trois heures de l'après-midi quand je vis la fille à la robe rouge sortir du centre commercial. Je la suivis spontanément, bien qu'en éprouvant une certaine appréhension.

Dehors, il soufflait un vent chaud, charriant l'odeur d'oxyde de carbone provenant de l'autoroute toute proche. Je la vis descendre vers le ruisseau qui coulait en contrebas du parking. Elle avançait lentement, prenant garde à ses pas sur les graviers. Elle avait une expression grave, et je me demandai à quoi elle pouvait bien penser et à ce que je lui dirais quand je trouverais le courage de lui parler.

Elle dépassa bientôt les dernières voitures. Nous étions loin du centre commercial. Il n'y avait plus personne, ni enfants ni parents. Elle était maintenant tout au bord du ruisseau qui coulait entre deux hautes berges couvertes d'une épaisse végétation avant de disparaître dans le large et haut conduit d'évacuation qui s'enfonçait sous le parking. De gros nuages masquèrent soudain le soleil, et le vent forcit.

Soudain, je la vis se figer. Puis, levant les mains dans un geste de stupeur, elle fit un pas en arrière, alors qu'un homme surgissait de l'ombre. Vêtu grossièrement, les yeux rougis, une barbe sale, il se jeta sur elle et, la soulevant dans ses bras, fit retraite dans l'ombre du tunnel.

Je jetai un regard autour de moi, cherchant de l'aide, mais il n'y avait personne en vue, et le centre commercial était loin. J'étais là, paralysé, quand j'entendis un cri étouffé. Sans prendre conscience de ce que je faisais, je dévalai la rive, la gorge étreinte par la peur. Un cri aigu m'accueillit à l'entrée du tunnel. Je me souvenais de sa robe rouge, de nos sourires échangés. Je fis quelques pas encore, et il n'y eut plus que nous trois. J'entrevis son visage, juste avant qu'une main sale ne le masque, et puis ses jambes pâles ruant de terreur, tandis que l'homme l'entraînait. Je continuai d'avancer comme dans un rêve...

*

J'abaissai les vitres, avide de vent. Cela faisait bien longtemps que ces images ne m'avaient hanté avec une telle force. J'avais l'obscur sentiment qu'on cherchait à me faire mal. Et puis l'obscurité revint, écran noir sur lequel dansaient des fantômes vieux de vingt-trois ans.

*

... l'eau ruisselait comme un jus noir dans la pénombre, trempant mes tennis et mes chevilles. Je les entendais plus loin devant moi... bruit liquide mêlé de plaintes aiguës. Je me retournai vers l'entrée du tunnel et son arc de lumière qui me paraissait si loin.

Je voulais revenir sur mes pas, mais ç'aurait été signer ma lâcheté. J'avançai donc, à tâtons presque, tant il faisait noir, les cailloux roulant sous mes pas, mais il me semblait distinguer plus loin devant la tache pâle de son visage.

Soudain je tombai en avant, les mains dans la vase, le visage éclaboussé d'eau sale. Sois fort, m'encourageai-je, sois fort. Me relevant, je me remis en marche.

C'était comme d'être aveugle, mais en pire. Bien pire.

*

Un aveugle n'aurait pas fait ce que j'ai fait, me dis-je, alors que je m'arrêtais devant la maison de Vanessa et coupais le moteur. Il y avait de la lumière dans la maison, éclairant doucement les fenêtres qui n'étaient pas barrées de planches.

*

Non!!! *Le cri avait jailli, aussitôt étouffé. Et la voix de l'homme, gronda.* Ta gueule, petite salope! Ta gueule sinon...

C'est à ce moment-là que je les vis, sombres silhouettes qu'épinglait une lointaine lueur. Elle continuait de se débattre, tandis qu'il l'entraînait en lui bloquant la tête sous son bras. Elle cria de nouveau, et il la frappa. Plusieurs fois, jusqu'à ce qu'elle cesse de résister. Elle était désormais sans défense, et j'étais le seul à pouvoir faire quelque chose.

Soudain, je trébuchai sur un caillou et m'affalai dans l'eau qui avait un goût de boue et d'essence. Me relevant, je devinai que l'homme m'avait entendu. Il ne bougeait plus, et je sentais son regard fouiller les ténèbres. Me gardant de bouger, j'attendis dans la peur qu'il revienne sur ses pas pour me tuer.

Mais il n'en fit rien, et se remit en marche. À ce moment, je faillis faire demi-tour, et seul me retint le souvenir que je gardais du sourire de ma belle. Je me remis en marche, le bruit mat des coups qu'il lui avait portés résonnant encore dans ma tête.

Empêche-le de la tuer.

Je percevais le bruit de ses pas devant moi, et l'obscurité passait peu à peu au gris, jusqu'à ce que je puisse distinguer mes mains. Le tunnel s'enfonçait toujours entre des parois de béton poisseuses de vase. Une lumière glauque tombant d'un puisard dans la voûte dessinait les contours d'une dalle de ciment surplombant le lit du ruisseau, tel un autel. Ce fut là qu'il la déposa, à moitié inconsciente. Il regarda derrière lui, dans ma direction, mais je savais qu'il ne pouvait me voir. Toutefois, on aurait dit qu'il sentait ma présence. Je jetai malgré moi un regard paniqué derrière moi. Le tunnel s'enfonçait tout au loin, tel un puits.

Finalement, je le vis se détourner et se pencher sur sa proie avec des grognements d'impatience.

— Oui, oui, oui...

Ses mains étaient sur elle. Je perçus un déchirement de tissu, et me rapprochai. Et, comme il arrachait la robe rouge, dévoilant une nudité à la blancheur de marbre, sa voix s'éleva, incantation d'un fou.

— Merci, Seigneur. Merci. Cela fait si longtemps, si longtemps. Oh, mon doux Seigneur...

Soudain, comme il se déplaçait de côté, il la cacha à ma vue. De nouveau, un bruit d'étoffe arrachée fut suivi d'une exclamation d'émerveillement. « Ohhh ! »

Sa culotte, emportée par le faible courant, passa quelques secondes plus tard sous mes yeux. Un tissu imprimé de fleurs blanches sur fond rose, qui disparut derrière moi.

Relevant la tête, je m'aperçus que, sans en prendre conscience, je m'étais encore rapproché. Je me trouvais à moins de dix mètres d'eux, et la lumière du puisard m'éclairait en partie. Elle avait les yeux ouverts, et de sa bouche maculée de sang s'échappait un gargouillis de mots. Elle agitait les doigts dans ma direction, quand il la frappa de nouveau. Je ressentis une colère soudaine, et la maternai, sachant que j'en aurais besoin, qu'elle me rendrait plus fort.

Mon pied buta contre quelque chose dans l'eau. Je me penchai, et mes doigts se refermèrent sur une pierre grosse comme un pamplemousse...

*

J'avais beau regarder la maison de Vanessa, les images du passé continuaient de défiler. Me frottant les yeux, je tentai vainement de les effacer.

*

... La pierre levée au-dessus de ma tête, je fis un pas en avant, m'attendant à ce que l'homme se retourne et me voie. Mais tout entier à sa proie, il n'en fit rien.

J'avançai de nouveau, avec rage et peur à la fois. Cet homme était un colosse, et il était fou. Il allait nous tuer, ça ne faisait pas de doute. J'aurais dû aller chercher mon père. Oui, c'est cela qu'il fallait faire. Je n'y arriverais jamais, seul.

J'allais faire demi-tour quand un mouvement de l'homme me permit de voir le corps dénudé de Vanessa sur ce piédestal en béton.

Elle était parfaite.

Je ne pouvais en détacher mon regard.

Je n'avais encore jamais vu de jeune fille nue, pas ainsi, en tout cas, pas dans la réalité, et j'en ressentais à la fois une formidable fascination en même temps que de la honte. J'avais cessé de bouger, et la pierre dans ma main n'était plus qu'un poids mort. Le souffle court, mon regard caressait ses seins, s'attardait sur le triangle de soie blonde au bas de son ventre. J'en oubliais l'homme et le danger. À la vérité, je ne pouvais plus bouger.

Puis je vis des mains sales palper cette chair offerte, descendre vers le ventre, et, l'instant d'après, il était sur elle, grognant comme une bête.

Sortant soudain de mon hébétude, je resserrai ma prise sur la pierre et fis deux pas vers la lumière. Je voyais maintenant le visage du monstre, ses yeux fous tournés vers moi, sa bouche grimaçante, tandis qu'il allait et venait en elle.

— Alors, ça te fait bander, petit, de voir ça ? me demanda-t-il d'une voix grasse.

Je me figeai.

— Allez, tu crois que j'ai pas vu que tu matais ?

Il avait des yeux injectés de sang, et il poursuivait son va-et-vient assorti de grognements, ses yeux tels deux taches de graisse sur mon visage, et cet horrible sourire... Il savait.

— Eh bien, rince-toi bien l'œil, petit, parce que toi aussi tu vas y passer, après.

Puis, se retirant enfin d'elle, il vint vers moi, les bras ouverts comme pour me donner l'accolade.

— Ah, Seigneur, mon doux Seigneur.

Sa bouche n'était qu'un trou puant, et la puanteur qu'il dégageait me rappelait celle d'un chien crevé que j'avais découvert un jour sur un bord de route.

— Adam et Ève ! s'écria-t-il. D'abord, Ève, et maintenant Adam. Ah ! prions, prions... ou plutôt... jouissons, jouissons !

Et puis, d'un bond, il fut sur moi, m'arrachant un hurlement. Je n'avais pas lâché la pierre et, d'instinct, je tentai de le frapper. Parant le coup, il me l'arracha des mains. Je l'entendis tomber dans l'eau. Puis me saisissant par le cou, il me cogna la tête contre la paroi, et ma bouche s'emplit du goût de mon sang. Et puis je sentis ses mains sur moi, sa langue dans mon cou...

Désespéré par mon impuissance, j'éclatai en sanglots.

Et puis, une lumière troua l'obscurité à l'autre bout du tunnel, des appels éclatèrent dans le silence. L'homme s'immobilisa un instant, tous les sens aux aguets, et puis me regarda.

— Tu es un petit veinard, me dit-il en me caressant la joue.

Puis il me repoussa durement, et de nouveau je cognai la paroi et perdis un bref instant connaissance. Quand je repris mes esprits, il était toujours là, penché au-dessus de moi, sa main pressant ma braguette.

— Je me souviendrai toujours de toi, petit Adam.

Et il disparut, courant vers le bout du tunnel, loin des lumières et des voix qui arrivaient. Reprenant mes esprits, je me précipitai vers la jeune fille et, rassemblant comme je le pouvais sa robe en lambeaux, je l'en couvris, et ramenai l'une contre l'autre ses jambes sanglantes.

Je m'aperçus qu'elle me regardait, la tache bleue d'un iris à peine visible sous la paupière tuméfiée.

— Merci, me dit-elle.

— Il est parti. Tout va bien se passer.

Mais j'en doutais, et elle aussi, certainement.

*

Je pensais en avoir fini d'avec ces réminiscences, mais il me vint un autre souvenir, plus prédateur encore.

Une chose qu'avait dite mon père. J'étais dans mon lit ; il était tard mais je ne pouvais trouver le sommeil. J'avais des nuits agitées depuis que, deux semaines plus tôt, sous les regards effarés de toute une foule, on nous avait ressortis du tunnel, la jeune fille brisée enveloppée dans un blouson, et moi, la bouche en sang, tremblant de tout mon corps et retenant désespérément mes larmes.

Cette nuit-là, donc, mes parents se disputaient dans le couloir, non loin de ma chambre. J'ignorais l'objet de leur querelle.

— Pourquoi es-tu si dur avec lui, Ezra ? disait ma mère. Ce n'est qu'un gamin, et bien courageux pour son âge.

Je me levai et, entrouvrant sans bruit la porte, risquai un coup d'œil. Mon père avait un verre à la main. Sa cravate était défaite, et ma mère semblait toute petite à côté de lui.

— Il est tout sauf un foutu héros, répliqua mon père, malgré ce que racontent les journaux.

Il vida son verre, regardant ma mère de haut. Je ne sais comment, mais il avait deviné ce qui s'était réellement passé, et senti cette honte qui me maintenait éveillé des nuits entières. Je sentis des larmes brûlantes couler sur mes joues.

— Il traverse une période difficile, Ezra, et il a besoin de savoir que tu es fier de lui.

— Fier de lui ? De ce petit crétin qui s'est fourré tout seul dans ce pétrin ? Ça m'écœure que tu le dorlotes sans cesse de cette façon.

Je n'entendis pas la suite. Je refermai la porte et retournai au lit.

Non, mon père ne savait pas ce qui s'était réellement passé.

Seul l'autre savait. *Tu crois que j'ai pas vu que tu matais...*

*

Je rouvris les yeux, chassant enfin ces ombres du passé. Je devais maintenant confesser ma lâcheté honteuse à Vanessa. Elle n'avait pas quinze ans quand elle avait été violée sous mes yeux sans que j'intervienne réellement.

J'aurais dû faire quelque chose.

Comme je levais les yeux vers la maison, je réprimai un haut-le-cœur. Un homme se tenait dans la véranda, et il me regardait. Je ne l'avais pas vu sortir, et ne savais pas depuis quand il était là. Puis, comme il descendait lentement les marches, je descendis de voiture pour lui faire face. Il était plus jeune que moi, tout juste la trentaine, avec d'épais cheveux bruns et des yeux rapprochés. Il était grand, avec de larges épaules et des mains fortes.

— Mlle Stolen ne veut pas vous voir, me dit-il sans préambule. Elle vous prie de partir.

— Qui êtes-vous ?

— Ça ne vous regarde pas, dit-il en se rapprochant. Je vous conseille de remonter dans votre voiture et de vous en aller.

Je vis alors la silhouette de Vanessa derrière la fenêtre de la cuisine.

— Non, dis-je en colère, avec un grand geste du bras, qui englobait la ferme, Vanessa, moi-même.

J'avais des choses à dire.

— Il faut que je parle à Vanessa.

Je fis un pas en avant, et sa main se posa comme un poids sur ma poitrine.

— Ce n'est pas une bonne idée, dit-il.

Soudain, je sentis monter en moi une formidable fureur. Toutes les frustrations de ma vie déferlaient, et cet homme que je ne connaissais pas les incarnait.

— Écarte-toi de mon chemin, dis-je d'une voix glacée, menaçante.

— Vous ne me faites pas peur.

La rage, la colère, la tension à laquelle j'avais été trop longtemps soumis, l'assassinat de mon père, l'enquête, et enfin le besoin vital de parler à Vanessa se mêlaient à d'autres images qui avaient un parfum de prophétie. Je voyais Mills menottant Jean, et ma petite sœur se coupant les veines dans sa cellule avec un bout de ferraille. Aussi, quand il me repoussa de nouveau de la main, je le frappai avec une force qui l'expédia à terre. Je me dressai au-dessus de lui, attendant qu'il se relève et se batte. Au lieu de ça, il leva les yeux vers moi d'un air de reproche.

— Bon Dieu, m'sieur, pourquoi vous avez fait ça ?

Il me parut soudain plus jeune. Plus proche des vingt ans que des trente.

Ma colère tomba.

Et puis Vanessa accourut.

— Qu'est-ce t'a pris, Jackson ? me cria-t-elle. C'est quoi, ton problème ?

Je me sentais mal, honteux.

— Comment peux-tu te conduire de la sorte ? reprit-elle. Tu vas t'en aller d'ici, maintenant. Rentre chez toi, et ne reviens pas.

Et, tandis qu'elle l'aidait à se relever, je les imaginai amants et en conçus un surcroît de douleur.

— Je suis venu pour te parler, dis-je sans conviction.

— Je t'ai dit de ne pas me suivre.

— Cette fois, c'est différent.

Mais elle s'éloignait déjà en direction de la maison, l'homme sur ses talons. Elle lui ouvrit la porte et, quand il fut rentré, elle se tourna dans ma direction.

— Va-t'en d'ici, Jackson, je te le dis pour la dernière fois !

La porte se referma sur son altière silhouette, et je restai là, cloué par la douleur, et ce fut seulement à cet instant que je réalisai qu'elle portait une robe rouge.

Je pouvais l'apercevoir par la fenêtre de la cuisine. Elle sanglotait, et son compagnon, penché sur elle, tentait de l'apaiser.

Ce ne fut qu'en sortant de l'allée menant à la ferme que je réalisai que je n'avais nulle part où dormir. Aussi me rendis-je à mon bureau, dans l'univers d'Ezra. Laissant une lampe allumée, je m'allongeai sur le canapé en cuir, et attirai le chien contre moi. Il ferma les yeux et ne tarda pas à s'endormir. Je contemplai un instant le plafond, avant de tourner mon regard vers le grand tapis persan. Laissant pendre ma main, j'en effleurai la soie.

Je pensai au coffre et aux secrets détenus par mon père. Finalement, le sommeil m'emporta, mais pas avant de me rappeler qu'on était lundi, et que je devrais me rendre ce matin même au tribunal. Soudain, tout cela me paraissait irréel.

16.

Je me réveillai dans le noir, sans savoir ni me soucier de l'endroit où je me trouvais. Je m'accrochai à mon rêve : deux mains enlacées que caressaient de hautes herbes, les aboiements d'un chien, des rires, un ciel bleu éternel et une chevelure blonde, qui était de la soie sur mon visage.

Ce rêve avait pour prénom Vanessa, et tout ce qui ne serait jamais.

Il y avait aussi l'enfant, une petite fille de quatre ans à la peau dorée, avec les yeux de sa mère. Elle était solaire.

Raconte-moi une histoire, papa...

Quelle histoire ? Elle riait. *Tu sais bien laquelle. Ma préférée...*

Mais je ne connaissais pas d'histoire, et il n'y en aurait jamais. Le rêve s'en était allé. J'avais cru que Vanessa serait toujours là, que j'avais le temps, que tout finirait par s'arranger.

Quel idiot !

Je m'assis dans le canapé et me frottai le visage. Il n'est jamais trop tard, me dis-je, mais dans la pénombre cette pensée me paraissait bien falote.

Il était cinq heures un quart à ma montre. Lundi matin. Trois jours plus tôt, je me penchais au-dessus du cadavre de mon père. Ezra n'était plus de ce monde, et avec lui s'en était allée toute illusion. Vanessa avait vu juste à ce sujet. Il avait incarné le fond et la forme, et je pouvais me demander si, de mon côté, je ne lui avais prêté ce pouvoir. Ma vie était un château de cartes, que le souffle d'Ezra avait rasé.

Nonos, probablement dérangé par mes ronflements, s'était installé dans le fauteuil. Il était chaud et mou dans mes bras, quand je le portai jusqu'au pick-up. Arrivé à la maison, je branchai la cafetière et, pendant que le café passait, je pris une douche. Quand je revins, Barbara m'attendait appuyée au comptoir de la cuisine. Elle avait une sale tête.

— Bonjour, lui dis-je, me frottant les cheveux avec une serviette.

— Tu n'as pas dormi, ici, dit-elle.

— Non.

— Tu étais chez... elle ?

— Non, j'ai passé la nuit au bureau.

Elle hocha la tête et me regarda fouiller dans la penderie. J'avais oublié que je n'avais plus un seul costume propre. J'enfilai un pantalon de toile et un chandail que je porte d'ordinaire à la maison. Je sentais sur moi le regard de Barbara mais, ne sachant quoi lui dire, je finis de m'habiller dans un silence rendu plus étrange par nos dix ans de mariage.

— Work, dit-elle enfin. Je ne peux pas continuer comme ça.

— Tu veux qu'on divorce ? lui demandai-je.

Elle tressaillit.

— Bon Dieu, non ! Comment peux-tu penser une chose pareille ?

Je m'efforçai de cacher ma déception, mesurant combien je désirais m'arracher à ce mariage.

— Alors, c'est quoi... ?

Elle s'approcha de moi avec un sourire forcé et pitoyable. Me prenant les mains, elle les plaça autour de sa taille et s'appuya contre moi.

— Je veux qu'on se retrouve, dit-elle, avec un entrain qui sonnait faux. Qu'on soit de nouveau ensemble.

— Et tu crois cela possible ?

— Bien sûr que oui.

— Nous ne sommes plus les mêmes, Barbara. Nous avons changé.

Me dégageant de son étreinte, je m'écartai d'elle. Et, comme elle reprenait la parole, sa voix avait cette intonation sèche et dure que je connaissais trop bien.

— Les gens ne changent pas, Work, seulement les circonstances.

— Tu vois, c'est là-dessus que nous divergeons. (J'enfilai mon pardessus.) Il faut que j'y aille. Je suis attendu au tribunal.

Elle me suivit dans le couloir.

— Ne t'en va pas quand je te parle, Work, me cria-t-elle. (Et je revis le visage de mon père. J'étais arrivé à la porte, quand elle me retint par le bras.) Je t'en prie, juste une petite minute, implora-t-elle.

Je lui fis face et attendis, l'air patient.

— Il y a encore de l'espoir pour ce mariage, Work.

— Pourquoi dis-tu ça, Barbara ?

— Parce qu'il le faut.

— Ce n'est pas une réponse.

— Des unions se sont bâties sur beaucoup moins. (Elle me caressa la joue.) Nous pouvons réussir la nôtre.

— Tu m'aimes toujours, Barbara ?

— Bien sûr, je t'aime toujours, s'empressa-t-elle de répondre.

Mais ses yeux la trahissaient. Elle mentait.

— Nous en reparlerons.

— Je me charge du dîner, ce soir, dit-elle soudain tout sourire. Tu verras, tout ira bien.

Elle m'embrassa sur la joue, comme aux premiers jours de notre union. J'eus le sentiment d'un remake d'une scène ancienne : le sourire était le même, ainsi que la sensation de ses lèvres sur mon visage. Je ne savais ce que cela cachait, mais ça ne présageait rien de bon.

Je pris mon petit déjeuner dehors – café et sandwich au bacon qui aurait pu être excellent si un exemplaire d'un journal de dimanche n'avait traîné sur le comptoir. L'assassinat d'Ezra et l'enquête en cours en faisaient le gros titre, mais l'article ne m'apprenait rien de neuf. Je ne sais pourquoi, il y avait une photo de sa maison, désormais la mienne. Je fus soulagé que mon nom n'apparaisse pas.

Je payai et sortis. L'air était vif. Glissant mes mains dans mes poches, je m'avançais sur le parking quand je vis Mills arriver en voiture. Cela ne me surprit pas. C'était en quelque sorte dans l'ordre des choses, comme on dit. Elle abaissa sa vitre, et je me penchai vers elle.

— Vous me filez ? lui demandai-je sans dérider son visage fermé.

— Pure coïncidence, répondit-elle.

— Sans blague ?

Elle désigna le restaurant derrière moi.

— Je déjeune ici deux fois par semaine, dit-elle. Lundi et vendredi.

Elle portait un jean et un pull marron. Son arme était posée sur le siège voisin.

— Et nous sommes lundi, fis-je remarquer.

— Comme je l'ai dit, c'est une pure coïncidence.

— Je n'en crois pas un mot.

— Vous avez raison, dit-elle. Je suis passée chez vous, et votre femme m'a dit que j'aurais peut-être une chance de vous trouver ici.

Je n'aimais pas ce que je venais d'entendre, ne sachant pas si c'était le fait que Mills soit à ma recherche ou parce que ma femme et elle avaient respiré un instant le même air.

— Que voulez-vous ?

— Douglas et moi, nous vous attendons toujours pour examiner les dossiers de votre père. Avez-vous pu en prendre connaissance ?

— Je suis en train d'y travailler, mentis-je.

— Vous serez à votre bureau, aujourd'hui ?

— Je dois d'abord passer au tribunal, et puis j'irai à la prison du comté pour y voir deux ou trois clients. Je pense être de retour vers midi.

Mills hocha la tête.

— On reste en contact.

Sur ce, elle démarra, et je la regardai s'éloigner.

J'arrivai au cabinet quelques minutes plus tard, pas mécontent que ma secrétaire ne soit pas encore là. Je ne pouvais plus supporter le regard de chienne battue qu'elle levait vers moi sitôt que je m'adressais à elle. Ignorant l'escalier menant au bureau de mon père, je gagnai mon propre petit espace au fond du couloir. Il y avait des messages sur mon répondeur. Il me fallut dix bonnes minutes pour en prendre connaissance. La plupart provenaient de journalistes ; m'assurant de leur entière discrétion, ils imploraient quelques commentaires de ma part sur la tragique disparition de mon père. Un seul de ces appels, laissé une heure plus tôt, retint mon attention.

Il provenait d'une journaliste du nom de Tara Reynolds, que je connaissais bien. Elle travaillait pour le *Charlotte Observer*. Nos chemins se croisaient régulièrement. Elle m'avait toujours cité avec précision et n'avait jamais trahi la confiance que je lui portais. Les affaires criminelles s'invitaient souvent à la une des journaux, et je ne répugnais pas à utiliser leur tribune, quand les circonstances l'exigeaient. Tara faisait de même et, cependant, il y avait une invisible frontière que ni l'un ni l'autre n'avions jamais franchie. Appelez ça un respect mutuel, peut-être même de la sympathie.

La cinquantaine, forte, de grands yeux verts pétillants, elle avait la voie enrouée d'une grande fumeuse. Elle ne s'étonnait plus de rien, s'attendait au pire chez la personne humaine, et tenait le journalisme pour la chose la plus importante au monde. Elle avait peut-être raison. Elle répondit à la deuxième sonnerie.

— Je veux que vous sachiez, Work, que c'est une chose que je ne fais jamais, me dit-elle sans autre préambule.

— Quoi donc ?

— Écoutez, je vais vous confier deux ou trois choses, et puis nous n'en reparlerons plus jamais.

Elle avait réussi à capter toute mon attention.

— De quoi s'agit-il, Tara ?

— Une seconde, je vous prie… (Je perçus un bruit de voix étouffées, tandis qu'elle couvrait le combiné de sa main, et le silence revint.) Désolée, reprit-elle. Je serai brève, Work. Vous savez que je dispose de bonnes sources, n'est-ce pas ?

— En effet.

Tara Reynolds en savait plus dans ce comté en matière d'affaires criminelles que la police et le bureau du procureur réunis. Je n'avais jamais su comment elle s'y prenait, mais c'était un fait.

— Votre nom est sur toutes les lèvres au département de la police de Salisbury.

— Quoi ?

— Ça spécule de partout, Work, et je peux vous assurer que vous êtes dans le collimateur, pour ce qui est du meurtre de votre père.

— Cela ne me surprend pas vraiment.

— Peut-être, mais il y a deux ou trois choses que vous devez savoir. D'abord, ils ont identifié les balles qui ont tué votre père – ce sont des Black Talons, une munition aujourd'hui interdite. En soi, ça n'est pas une grande nouvelle, mais en enquêtant auprès des armuriers du comté, ils ont appris que votre père avait acheté trois boîtes de ces cartouches juste avant qu'elles ne soient retirées du commerce pour leur dangerosité.

— Et… ?

— Alors ils pensent à juste titre que votre père a été tué avec son propre revolver – arme à laquelle vous aviez certainement accès, selon eux. (Elle marqua une pause.) Ce flingue… vous savez où il est ?

— Non, pas la moindre idée.

— Dans ce cas, en attendant qu'on le retrouve, leurs soupçons n'ont rien d'illégitime.

— Quoi d'autre? demandai-je, me doutant que ce n'était pas fini.

Je l'entendis allumer une cigarette.

— Ils prétendent que votre alibi ne tient pas. Ils disent que vous avez menti.

— Et pourquoi croiraient-ils une chose pareille? demandai-je tout en m'étonnant du calme de ma voix.

— Je ne le sais pas, mais c'est leur position. Ajoutez à cela le facteur argent, et on tient le motif.

— Vous voulez parler de...

— Oui, de cet héritage de quinze millions.

— Je vois que les nouvelles vont vite.

— Vous n'avez pas idée.

— Y a-t-il d'autres suspects?

— Ah! je me serais inquiétée si vous ne m'aviez pas posé cette question.

— Alors?

— Oui. Il y a plusieurs affaires auxquelles était mêlé votre père, qui était aussi brillant que malhonnête, si vous me permettez de le dire. Il a lésé pas mal de monde.

— Quelqu'un en particulier?

— En tout cas, personne qui ait de bonnes raisons de vouloir sa mort. La police est encore en train de vérifier parmi ceux dont il avait obtenu la condamnation au pénal. Quant au procureur, il a cessé de vous soutenir, après la mise en doute de votre alibi.

Je n'étais pas surpris de l'apprendre. Mills en voulait à Douglas de m'avoir laissé pénétrer sur la scène de crime. Elle lui reprochait de l'avoir mise devant le fait accompli, risquant ainsi de compromettre l'enquête. À présent, à la lumière de ce que me disait Tara, je ne regrettais plus que notre amitié eût placé Douglas en mauvaise position.

C'était lui qui instruirait l'affaire, que le suspect fût Jean ou moi, et il n'aurait aucun scrupule à se retourner contre ceux-là mêmes qui avaient été ses proches. Je me souvenais de son expression sur le parking. À ses yeux, j'étais passé de l'autre côté de la barrière.

— Qui ne croit pas à mon alibi ? demandai-je, sachant qu'elle ne pourrait m'éclairer sur ce point.

— Je l'ignore, mais il doit avoir une bonne raison. Les flics y croient. Mills dit que vous ne lui étiez pas antipathique au début de l'affaire mais elle vous accuse d'avoir entravé son enquête. Elle est sous pression, et tout le monde sait qu'elle vous a laissé pénétrer sur la scène de crime. Maintenant qu'elle a découvert des failles dans votre alibi, elle est, dit-on, comme un gosse devant la vitrine d'un confiseur.

— Mills est une tordue.

— Je ne peux pas confirmer votre jugement mais je ne peux pas non plus vous donner tort. Elle déteste tout avocat de la défense, ce que je ne peux pas lui reprocher. (C'était une plaisanterie, mais elle ne me fit pas rire.) Désolée, reprit-elle. Je voulais juste vous détendre un peu.

— Ma femme peut jurer que j'ai passé toute la nuit avec elle, dis-je, dans le but de tester mon alibi, voir ce qu'elle en penserait.

— C'est un témoignage suspect, que pas un seul procureur ne prendrait au sérieux.

Elle avait raison. Ce que déclarerait Barbara aurait un faible poids face au testament d'Ezra. Les jurés pouvaient très bien imaginer qu'une femme mente pour son mari. Jetez quinze millions de dollars dans la balance, et le doute n'était plus permis.

— Il y a une bonne chose dans tout ça, reprit Tara. Connaissez-vous Clarence Hambly, l'homme de loi ?

— Oui.

— Il a déclaré que vous ignoriez tout des volontés testamentaires de votre père, que celui-ci lui avait donné à ce sujet l'instruction formelle de ne vous les dévoiler qu'après sa mort. Du coup, Mills en perd le motif qu'elle pensait tenir. Hambly passe pour un homme intègre.

Je revoyais le vieil homme me regardant de haut, la bouche pincée par le dégoût qu'apparemment je lui inspirais. Mais ce que pouvait croire Hambly n'était pas forcément la vérité, ferait remarquer Douglas au jury, en posant sa main sur l'épaule du grand notable, pour bien souligner qu'ils étaient tous deux du même côté. Il dirait encore que l'accusé était un homme intelligent, un excellent avocat, qui avait travaillé pendant dix années aux côtés du défunt... son propre père !

C'est ainsi qu'il requerrait contre moi, je le savais bien. Il ne lui resterait plus qu'à exposer le motif.

Quinze millions de dollars, mesdames et messieurs les jurés, cela fait beaucoup d'argent...

— N'oubliez pas, toutefois, reprit Tara, qu'ils n'ont toujours pas mis la main sur l'arme du crime. Et ça, c'est un grand trou dans le dossier.

Pas aussi grand que le trou dans le crâne de mon père, me dis-je, étonné par mon propre cynisme.

— Quoi d'autre ? demandai-je.

— Rien d'autre, si ce n'est que je ne vous crois pas coupable. Sans cette conviction, je ne vous aurais jamais appelé. Aussi, ne me le faites pas regretter.

Je comprenais son message. Si jamais je dévoilais d'une manière ou d'une autre ce qu'elle venait de m'apprendre, elle perdrait aussitôt ses sources d'informations et serait elle-même passible de poursuites pour entrave à la justice.

— Je comprends, lui dis-je.

— Écoutez, Work. Je vous aime bien. Vous êtes comme un petit gamin qui veut en remontrer aux grands. Ne vous faites pas surprendre le pantalon baissé. Notre petit monde ne serait plus le même sans vous. Sincèrement.

Ne sachant que dire, je la remerciai.

— Et quand le moment sera venu, reprit-elle, vous viendrez tout me raconter. S'il y a une histoire, je veux l'exclusivité.

— Vous l'aurez, Tara.

Je l'entendis allumer une autre cigarette.

— Une dernière chose, Work, avant qu'on se sépare. Ça va vous faire mal, vous m'en voyez désolée, mais cela ne dépend pas de moi.

Je sentis soudain une faiblesse dans mes jambes. Je savais ce qu'elle allait me dire.

— Non, Tara, ne faites pas ça.

— Ce n'est pas moi, Work, c'est la direction du journal. L'article va sortir. Il n'aura rien de particulièrement incriminant. "D'après ce qui a filtré de l'enquête en cours"... ce genre de chose. Vous ne serez pas mentionné comme suspect, il sera seulement dit que vous êtes interrogé dans le cadre de l'enquête.

— Mon nom apparaîtra donc.

— Je peux vous faire gagner un jour, peut-être deux, Work, mais ne comptez pas trop là-dessus. Le patron veut en faire sa une, et je n'y peux rien.

— Merci quand même, dis-je, amer malgré moi.

— Vous savez, rien ne m'obligeait à vous dire tout ça, Work.

— Je sais, Tara, mais ça ne me rend pas les choses plus faciles.

— Faut que j'y aille. Prenez soin de vous, Work.

Après qu'elle eut raccroché, je restai assis en silence pendant un long moment, repensant à ce qu'elle avait dit, essayant en vain de visualiser le train lancé à grande vitesse sur moi. Demain, après-demain, ma photo serait en première page du *Charlotte Observer*. Chassant cette image, je pensai à ce qu'elle m'avait dit d'autre.

Il y avait ces cartouches Black Talons achetées par Ezra, juste avant leur interdiction. Il était évident qu'on l'avait tué avec son propre revolver. Je repensai à ma dernière visite dans la maison de mon père, à l'empreinte d'un corps sur le lit. Quelqu'un s'était réfugié là pour y chercher un moment de paix ou y pleurer. Ce devait être Jean. C'était cette nuit-là que tout avait commencé. Elle était venue chercher l'arme; nous savions tous où Ezra la rangeait. Combien de fois était-elle revenue dans cette chambre, me demandais-je, et quelles pouvaient être alors ses pensées ?

Et puis il y avait les quinze millions. Personne ne croirait que je n'en voulais pas. Cela paraîtrait un mensonge tellement énorme. Et les flics savaient que je n'avais pas passé la nuit avec Barbara. Cela posait une inquiétante question. Comment l'avaient-ils appris ? De qui tenaient-ils l'information ? Soudain, je revis le visage de Jean, ses yeux hagards... *Papa est mort... ce qui est fait est fait...*

Et puis il y avait Tara. Pourquoi m'aidait-elle ? Qu'avait-elle dit ? Que j'étais comme un gamin qui voulait en remontrer aux grands ? Était-ce donc ainsi qu'elle me voyait ? Un petit garçon qui a enfilé le costume de son père ? Elle avait tort et raison à la fois. Si j'avais l'air déguisé, ce n'était pas parce que le costume était trop grand pour moi, mais parce que la coupe et le tissu ne pourraient jamais m'aller. Les vautours planaient en cercles à la recherche d'une carcasse pour cette machine aveugle qu'était la justice. J'espérais être assez fort pour faire ce que j'avais à faire. Penser à ma sœur m'aidait, mais la peur n'en était pas moins là, à l'affût.

Jean avait raison. Le vieil homme était mort, on n'avait plus à revenir là-dessus. Seule une chose comptait désormais.

Adossé à mon vieux fauteuil, je regardai mes diplômes et ma licence accrochés aux murs, avec l'impression de découvrir pour la première fois mon bureau. Il n'y avait pas une seule touche personnelle, ni gravure ni photo, pas même celle de ma femme. On aurait dit que je n'avais jamais réellement accepté cette partie de ma vie, que tout cela n'était qu'une parenthèse. Jusqu'à ce jour, cependant, cette situation m'avait paru normale. Et pourtant, je me savais capable de quitter ce bureau dans les cinq minutes, et ce serait comme si ces dix dernières années n'avaient jamais existé. Cette pièce demeurerait la même. Comme une cellule, en prison. Le bâtiment lui-même demeurerait inchangé, et il y avait cette envie en moi d'y foutre tout simplement le feu. Quelle importance cela pourrait bien avoir ?

M'arrachant à la contemplation morbide de ces murs nus, je composai le numéro de Vanessa. Je voulais lui dire combien je regrettais mon comportement de la veille. En fait, j'avais besoin d'entendre sa voix, avec l'espoir qu'elle me dise qu'elle m'aimait encore.

Longtemps je laissai sonner. Personne ne répondit.

Le temps d'arriver au tribunal, d'épais nuages obscurcissaient le ciel. Je m'attendais à un accueil glacé, car les nouvelles circulaient vite, mais il n'en fut rien. Je pris donc ma place au banc de la défense et attendis que le juge fixe l'ordre des comparutions, avant d'aller m'entretenir dans le couloir avec mes clients qui étaient au nombre de deux. Il s'agissait de délits relevant de la correctionnelle, et je dus consulter mes dossiers pour me rappeler ce qu'on leur reprochait. C'était une de ces matinées affligeantes comme j'en avais vu défiler des tas, à cette différence près que je croyais à l'innocence d'un de mes deux prévenus.

Le premier, un divorcé, avait quarante-trois ans et quinze kilos de trop. Il hochait sans cesse la tête pendant que je parlais et suait à grosses gouttes. La “sueur de la peur”, on appelait ça. Pour la plupart des délinquants primaires – ceux qui tombaient pour la première fois, un tribunal était un lieu imaginaire. Et, soudain, il devenait ce lieu réel, où on faisait l'appel de votre nom au milieu d'une foule de prévenus et de gardes en armes. À midi, le prétoire serait plein. Il y avait cinq cent quarante affaires, ce jour-là. Ça en faisait du monde. Les récidivistes, qui en avaient vu d'autres, grillaient une cigarette sans trop s'émouvoir. D'autres, comme mon client, suaient à grosses gouttes.

Il était accusé d'agression sexuelle, sans circonstances aggravantes, toutefois. La victime, une jeune femme attirante, qui habitait juste en face de chez lui, ne s'entendait plus avec son pasteur de mari. Comment mon client savait-il que le couple battait de l'aile ? Il avait pendant plusieurs mois écouté à l'aide d'un scanner leurs conversations téléphoniques et, contre toute raison, avait fini par se convaincre qu'il était lui-même la cause de leur mésentente : la jeune femme était tombée amoureuse de lui. Une telle supposition tenait du délire, mais il y croyait tellement que, six semaines plus tôt, il avait fait irruption chez elle en l'absence du mari et s'était littéralement frotté contre elle. Il n'y avait eu ni viol ni pénétration, pas même exhibition de son sexe. Il était reparti précipitamment mais refusait d'en dire plus. Je soupçonnais une éjaculation précoce.

Lors de notre première rencontre, il m'avait déclaré son intention de plaider non coupable. D'après lui, il n'avait fait que répondre aux avances de cette femme, et on ne pouvait le punir pour ça, n'est-ce pas ?

— Elle m'aime, je vous le jure. C'est ce qu'elle voulait, m'avait-il dit.

Je n'aimais pas la mauvaise foi chez mes clients. J'avais écouté son histoire, puis avais recueilli celle de la victime. La jeune femme ne connaissait même pas le nom de son agresseur ; elle le trouvait physiquement répugnant, et ne dormait plus depuis son agression. Je ne mis pas une seconde en doute sa sincérité. Un juge n'aurait pas eu besoin de la regarder deux fois avant d'abattre son maillet sur la tête de mon client. Pas de doute à ce sujet.

Finalement, je persuadai le bonhomme de plaider coupable pour simple attentat à la pudeur, et passai un arrangement avec le procureur. L'homme ferait une peine de travaux d'intérêt général. Pas de prison.

Dans le couloir, ce matin-là, je lui détaillai une fois de plus ce qu'il devait déclarer au juge, mais il n'écoutait pas. Tout ce qu'il voulait, c'était parler d'elle. Qu'avait-elle dit sur lui ? Comment était-elle habillée ?

C'était le portrait-robot du client à vie. La prochaine fois, le délit commis serait plus grave.

Je lui fis bien entendre que le juge lui ordonnerait de ne jamais plus approcher la jeune femme, que cela serait une violation des conditions de l'arrangement. Il ne m'entendit que d'une oreille, mais j'avais fait mon travail, et ce type pouvait regagner son trou et cultiver de nouveau ses fantasmes sur la jolie voisine d'en face.

Mon second client était un jeune Noir, accusé de résistance à agent de police. Ledit agent prétendait que le contrevenant l'avait insulté et incité les passants à prendre sa défense. Mon client avait une version différente. Voyant passer devant lui l'agent de police qui fumait au volant de sa voiture de patrouille, il lui avait lancé :

— Je sais pourquoi tu peux pas courir après les voleurs, tu fumes trop.

Le flic s'était arrêté.

— Tu veux te retrouver en taule ? avait-il menacé.

Le jeune Noir avait rigolé.

— Tu peux pas m'arrêter pour ça.

Sur ce, il s'était vu passer les menottes et poussé à l'arrière de la voiture.

Je ne mettais pas en doute la parole de mon client, parce que je connaissais le policier en question. C'était un sale type, un gras du bide, qui fumait cigarette sur cigarette. Il n'était pas inconnu du juge, non plus.

L'affaire prit moins d'une heure ; mon jeune Noir repartit libre. Alors qu'il s'arrêtait à mon banc pour me remercier, je jetai un coup d'œil derrière moi, et aperçus Douglas qui se tenait dans l'ombre près de la porte. Il ne venait jamais au tribunal sans raison. Par habitude, je lui adressai un signe de la main, mais il garda les bras croisés sur sa poitrine. Le temps que mon client me serre la main avec un sourire radieux et s'en aille, Douglas avait disparu.

Ainsi tombait la dernière de mes illusions, me laissant nu face aux vérités que j'avais fuies ce matin même. Je sentis une soudaine moiteur dans mes mains et sur mon front. Je quittai les jambes faibles la salle d'audience, sans voir ni entendre les collègues que je croisais. Dans le couloir, je me frayai tel un vieil homme un chemin à travers la foule. Poussant la porte des toilettes, je me précipitai sur le premier urinoir et, plié en deux par un spasme, je vomis dans la cuvette.

17.

Le vent soufflait quand je sortis enfin du palais de Justice. Le ciel était d'un gris de marbre et la lumière blafarde. Les gens vaquaient à leurs occupations, sans accorder de regard à la sombre bâtisse du tribunal. Probablement ne pensaient-ils jamais aux tragédies se jouant derrière ces murs et, d'une certaine manière je haïssais et enviais à la fois leur insouciance.

Mon regard remonta la rue jusqu'à la porte à la peinture défraîchie du bar le plus proche. J'avais besoin de manger quelque chose et, surtout, de boire un verre. J'avais pas mal picolé ces dernières années, mais c'était le cadet de mes soucis. Toutefois, ce ne fut pas vers le bar mais vers mon bureau que j'orientai mes pas.

Et, comme j'enfilais la rue menant à mon cabinet, je notai l'attention dont je faisais l'objet de la part de gens que je connaissais – deux avocats, un huissier, deux officiers de police venus témoigner pour quelque affaire. Certains de ces regards étaient curieux, d'autres fuyants, quelques-uns réprobateurs. Je percevais des murmures. J'avais l'impression d'avoir la braguette ouverte ou je ne sais quelle marque infamante au front. Puis je compris la raison de cette attention visqueuse en arrivant en vue de mon bureau.

La police était là, voitures de patrouille arrêtées devant ma porte et véhicules banalisés garés deux roues sur le trottoir. Des policiers allaient et venaient, les bras chargés de cartons. Quant aux badauds, je les connaissais aussi ; c'étaient pour la plupart des collègues des cabinets d'avocats jouxtant le mien. Pas un n'osait croiser mon regard. Douglas aussi était là, massif dans un long manteau gris tombant sur lui comme un sac. Il se tenait à côté de la porte. Quand il me vit, il se détacha de la petite foule pour venir vers moi. De mon côté, je continuai d'avancer avec un flegme qui n'était qu'apparent.

Quand il fut devant moi, je ne lui laissai pas le temps de parler.

— Je suppose que tu as un mandat de perquisition, lui dis-je, froidement.

Douglas me regarda, et je savais qu'il verrait ce qu'il s'attendait à voir. Un visage tendu, des yeux rougis par l'insomnie. J'avais la gueule d'un coupable. Quand il parla, je ne perçus ni tristesse ni regret dans sa voix.

— Je suis désolé d'en arriver là, Work, mais tu ne m'as pas laissé le choix.

Les policiers poursuivaient leur va-et-vient de mon bureau à leurs véhicules, et, jetant un regard par-dessus l'épaule de Douglas, j'aperçus ma secrétaire ; elle se tenait immobile, l'air hébété.

— On a toujours un choix, dis-je.

— Pas cette fois.

— J'aimerais voir ce mandat.

Je jetai un coup d'œil au document qu'il sortit de sa poche. J'avais soudain le sentiment que quelque chose ne collait pas dans le tableau. Il me fallut quelques secondes pour y mettre un nom.

— Mills ? Où est-elle ? demandai-je, en jetant un regard autour de moi.

Et, comme Douglas hésitait, je devinai la réponse.

— Elle est chez moi, hein ? Elle est en train de fouiner à mon domicile !

— Allons, Work, calme-toi. C'est la procédure légale, ce n'est pas à toi que je vais apprendre ça.

Je me rapprochai de lui, remarquant pour la première fois que je le dominais d'une bonne tête.

— Ouais, je connais la procédure : tu vas ressortir d'ici frustré, parce que tu n'auras rien trouvé mais moi, par contre, je l'aurai dans l'os. Tu crois que tous ces gens qui me connaissent vont oublier cette scène ? (Je balayai l'espace d'un grand geste du bras.) Regarde autour de toi, le mal est déjà fait !

Douglas ne broncha pas. Son regard était à la hauteur de mon menton.

— Ne nous rends pas les choses plus difficiles qu'elles ne sont, d'accord ? Personne n'a voulu ça.

— Tu oublies Mills.

Douglas soupira, manifestant pour la première fois un signe d'émotion.

— Je t'avais prévenu de ne pas jouer au plus fin avec elle. Et puis, tu n'aurais pas dû lui mentir.

— Je lui ai menti ? répliquai-je en haussant malgré moi la voix. Qui prétend que j'ai menti ?

Il me sembla que son expression s'adoucissait soudain. Me prenant par le bras, il m'entraîna à l'écart des regards. Vus de loin, un jour ordinaire, nous aurions eu l'air de deux hommes de loi s'entretenant d'une affaire. Mais ce n'était pas une journée ordinaire.

— Je vais te confier ce qui te vaut cette perquisition. Nous n'aurions jamais obtenu le feu vert du juge sans un motif valable...

— Ne me donne pas un cours de droit, Douglas. Viens-en au fait.

— C'est Alex Shiften, Work. Elle a contredit ton alibi. Tu as déclaré à Mills que la nuit où ta mère est morte, Jean et toi, après être restés un moment à l'hôpital, étiez revenus avec Ezra à la maison. Tu as aussi dit qu'un peu plus tard, tu avais pris congé de ton père, pour rentrer chez toi et retrouver Barbara avec qui tu avais passé la nuit.

Alex prétend que ce n'est pas vrai. En vérité, elle l'a affirmé sous serment.

— Et comment saurait-elle ce que j'ai fait ou pas ?

Douglas soupira de nouveau, et je sentis que la réponse à ma question lui était douloureuse.

— C'est Jean qui le lui aurait dit. Elle se serait rendue chez toi un peu plus tard dans la nuit. Elle voulait te parler et, juste au moment où elle arrivait – peu après minuit – elle t'a vu monter dans ta voiture et t'en aller. Rentrée chez elle, elle a raconté ça à Alex, qui l'a rapporté à Mills, et voilà pourquoi nous sommes là. (Il laissa passer un silence.) Tu ne nous as pas laissé le choix, Work, en mentant de la sorte.

Les événements de cette nuit-là commençaient de m'apparaître avec une clarté grandissante. Jean avait suivi Ezra et l'avait tué, puis elle s'était rendue chez moi, arrivant juste au moment où je partais chez Vanessa. Elle avait dit à Alex ce qu'elle avait vu, mais ni l'une ni l'autre ne savaient où j'étais allé ni ce que j'avais bien pu faire. Je me demandais toutefois pourquoi Jean était-elle venue chez moi ? Était-elle encore en possession du pistolet d'Ezra à ce moment-là ?

Douglas me regardait d'un air de patiente complaisance. Je lui souris d'un air froid. « Ton mandat d'arrêt, Douglas, est de seconde main. Ce n'est rien d'autre qu'un on-dit.

— Inutile de me faire la leçon, Work. Nous avons recueilli les déclarations d'Alex, puis nous avons entendu Jean. D'abord, elle n'a rien voulu nous dire, sache-le, mais elle a fini par confirmer l'histoire de Mlle Shiften.

J'avais la sensation qu'une main glacée se glissait dans mon dos. Je revoyais Jean, lors de ma dernière visite, son regard fou. « Papa est mort... et ce qui est fait est fait... pas vrai, Alex ? » Mais ce qui me touchait le plus, c'était le fait qu'elle avait parlé à la police. Douglas dut deviner mes pensées, car je sentis soudain ses doigts se refermer sur mon bras.

— Work, tu ne vas me dire que Jean nous aurait menti, n'est-ce pas ? Tu sais bien qu'elle ne ferait jamais une chose pareille, pas pour des faits aussi graves.

Je jetai un regard à la petite foule de collègues rassemblés devant le bâtiment. Ce n'était pas parmi eux que je trouverais un quelconque allié. Je n'existais plus pour eux, j'étais déjà derrière les barreaux. Ignorant la peur qui m'étreignait le ventre, je répondis à Douglas avec un calme dont je ne me serais pas cru capable.

— Non, je ne pense pas que Jean aurait pu inventer une chose pareille. Pas elle, c'est certain.

Elle m'avait vu partir en pleine nuit au volant de ma voiture. Qu'avait-elle pensé ? Que j'avais tué notre père ? Avait-elle perdu à ce point le sens commun ? Ou bien avait-elle voulu me piéger ? Si la mort lui semblait être un juste châtiment pour celui qui avait tué sa mère, quelle peine méritais-je moi-même à ses yeux pour le silence complice que j'avais promis à mon père ? Ma lâcheté lui inspirait-elle assez de haine pour me détruire à ce point ?

— Barbara soutien mon alibi, Douglas. J'ai passé toute la nuit avec elle, et elle en témoignera. Tu n'as qu'à le lui demander.

— Nous l'avons fait.

— Quand ? demandai-je, surpris.

— Ce matin.

Je comprenais, maintenant.

— Mills, n'est-ce pas ? Elle a parlé à Barbara, ce matin.

Je revoyais l'inspecteur devant le restaurant. Elle savait déjà que le mandat d'arrêt serait délivré, et c'est pour cela qu'elle s'était enquise de mon emploi du temps.

— Tu comptes me placer en détention ? demandai-je.

Douglas pinça les lèvres, l'air embarrassé.

— Ce serait un peu prématuré, dit-il enfin, ce qui signifiait qu'il manquait de preuves suffisantes pour m'incarcérer.

Je compris alors que si Barbara était revenue sur ses déclarations, ç'aurait été un mandat d'arrêt que Douglas m'aurait présenté. C'est pourquoi ils avaient attendu si longtemps pour lui parler. Ils savaient ce qu'elle leur dirait, et la confirmation de mon alibi aurait probablement nui à l'obtention du mandat de perquisition.

— Très bien, dis-je à Douglas, avec un signe de tête en direction de mon bureau. Je te laisse à tes basses œuvres.

— Si tu désires faire une déclaration, Work, ce serait dans ton intérêt de la faire maintenant.

— Va te faire foutre, répliquai-je en me penchant vers lui. La voilà, ma déclaration.

— Tu ne te rends pas service, Work.

— Tu veux que je te l'écrive ?

Douglas jeta un regard en direction de mon bureau.

— Ne parle pas à Jean de tout cela, dit-il. Elle a assez de problèmes personnels sans que tu l'accables des tiens. Je te rappelle qu'elle a fait une déclaration sous serment, et que c'est tout ce qui compte.

— Tu n'as pas cette autorité-là, Douglas. Tu ne peux pas m'interdire d'approcher ma propre sœur.

— Dans ce cas, prends ça comme une mise en garde. Essaie d'entraver l'enquête d'une manière ou d'une autre, et je te tomberai dessus si fort que tu n'en reviendras pas.

— C'est tout ? dis-je.

— Ouais, c'est tout. À propos, Hambly a très officiellement homologué le testament de ton père, aujourd'hui. Félicitations.

Je le regardai rejoindre la petite troupe qui venait d'investir ce qui avait été mon cabinet d'avocat et ma vie pendant si longtemps. À cet instant, j'étais bien trop furieux pour avoir peur. Ce n'était pas des regards de curiosité que je croisais. Tous ces gens me connaissaient et, cependant, j'étais passé à leurs yeux de l'autre côté de la barrière, du côté des suspects voire des coupables. Je me savais seul, désormais. Seul en pays hostile. Je sortis, direction le parking situé derrière l'immeuble, et grimpai dans mon pick-up.

Arrivé en vue de ma maison, celle-ci me parut curieusement étrangère. Dressée dans une lumière laiteuse, elle me paraissait plus haute que d'habitude sous ce ciel gris fer. Les flics étaient là, bien sûr, et les voisins aussi, rassemblés pour la curée, tel des vautours. Les langues se délieraient vite, et Ezra s'élèverait rapidement au rang de héros et martyr, le brillant avocat qui avait arraché sa famille à la pauvreté pour finir assassiné par son propre fils.

J'imaginai la police dans ma maison ; en particulier, Mills fouillant dans ma commode, dans mon bureau, sous mon lit, dans le grenier. Rien ne serait intime ou sacré à ses yeux. Elle mettrait mon petit univers à nu. Je connaissais bien ceux de son espèce. Ils prendraient connaissance de choses de ma vie qui ne les regardaient en rien. Ce je mangeais, buvais, quelle marque de dentifrice j'utilisais, les sous-vêtements de ma femme, nos méthodes de contraception. Et ce fut la colère qui me poussa à m'engager dans l'allée, au lieu de faire demi-tour.

Barbara faisait les cent pas devant l'entrée.

— Dieu merci, te voilà ! s'écria-t-elle en me voyant. J'ai essayé de te joindre, j'ai...

Je passai un bras autour de ses épaules plus par habitude que par tendresse.

— J'étais au tribunal, et j'avais éteint mon portable.

Elle se mit à pleurer, sa voix étouffée contre ma poitrine.

— Ça fait des heures qu'ils sont à l'intérieur, Work. Ils fouillent tout, et ils ont emporté des choses ! Mais ils ne veulent rien me dire. (Elle se dégagea de mon bras.) Fais quelque chose. Tu es avocat, non ? Tu ne peux pas les laisser faire !

— Ils t'ont montré un mandat de perquisition ?

— Oui, un bout de papier, je suppose que ce devait être ça.

— Alors, on ne peut rien faire. Je suis désolé. Cela me fait horreur autant qu'à toi.

— Bon Dieu, Work, tu es décidément un nul. Jamais Ezra n'aurait permis une chose pareille. Il leur serait tombé dessus, et pas un seul flic n'aurait osé s'opposer à lui !

— Je ne suis pas mon père, lui dis-je avec une conviction dont elle ne pouvait soupçonner la force.

— Ça, c'est bien vrai ! éructa Barbara.

Elle eut un geste en direction du groupe de curieux massés plus bas dans la rue.

» Je peux te dire que c'est un grand jour pour eux. Ils en parleront pendant longtemps.

— Qu'ils aillent se faire foutre.

— Non, toi, va te faire foutre, Work. C'est notre vie, ma vie. Tu as une idée de ce que ce mot représente, « notre vie » ?

— Je le sais infiniment plus que toi. (Mais elle ne m'entendit pas.) Écoute, Barbara, ce qu'ils ont à faire, ils le feront avec ou sans nous. Il n'y a aucune raison de rester ici. Laisse-moi t'emmener quelque part. Je vais voir si tu peux prendre quelques-unes de tes affaires. Nous prendrons une chambre à l'hôtel.

Elle secoua la tête.

— Non, dit-elle, j'irai chez Glena.

Le peu de sollicitude que je pouvais encore avoir pour ma femme s'évapora.

— Chez Glena, hein ? répétai-je. Mais naturellement.

Elle se tourna vers moi un visage pâli.

— Demain, Work. Demain, nous parlerons. Pour le moment, j'ai besoin de prendre un peu de recul. Je suis désolée.

Au même moment, deux coups de klaxon retentirent, et j'aperçus la Mercedes noire de Glena Werster au bas de l'allée.

— C'est toi, Work, qui me contraint à ça, me dit Barbara d'une voix glacée.

— Barbara... dis-je en faisant un pas vers elle.

— Je te verrai demain. En attendant, je te prie de me laisser tranquille.

Je la regardai descendre l'allée et monter dans la voiture. L'instant d'après, la Mercedes tournait en direction du country-club et de la maison des Werster. Puis, comme je portais mon regard vers le parc, une horrible pensée me vint. Barbara ne m'avait pas demandé une seule fois si j'avais fait ce dont on me soupçonnait.

Soudain, je sentis une présence derrière moi. Je n'avais pas besoin de me retourner pour savoir que c'était Mills. Elle portait un pantalon bleu et une veste assortie. Je ne vis pas son pistolet. L'expression calme de son visage me surprit. Je m'attendais à y lire du défi, voire un air de triomphe, et c'était une erreur. Mills était une professionnelle ; elle ne crierait victoire qu'une fois qu'elle aurait recueilli mes aveux, et que je passerais mon premier Noël en prison.

— Où est votre voiture ? me demanda-t-elle.

— Quoi ?

— Votre BMW ? Où est-elle ?

— Je ne comprends pas.

— Allons, Work, ne jouez pas au plus fin avec moi. La voiture fait partie de la perquisition. Je veux la voir.

Je comprenais ça. Une expertise scientifique pourrait se révéler juteuse... des cheveux d'Ezra sur les sièges, des taches de sang dans le coffre, bref, le jackpot.

— Je l'ai vendue, répondis-je, sachant bien ce qu'une telle réponse déclencherait.

— Comme ça tombe bien, dit-elle.

— C'est une pure coïncidence.

— Quand l'avez-vous vendue ?

— Hier.

— Hier ? répéta-t-elle. Ça faisait des années que vous l'aviez, et vous vous en débarrassez quelques jours après la découverte du corps de votre père, juste avant que j'obtienne enfin un mandat de perquisition, et vous voulez me faire croire que c'est un hasard ? Pourquoi l'avez-vous vendue ? Je vous le demande officiellement.

Je grimaçai un sourire.

— Parce que quelqu'un m'a dit d'arrêter de jouer les trouillards.

— Vous jouez un jeu dangereux, Work. Faites gaffe.

— Quoi ! vous venez fourrer vos sales pattes dans mon domicile et mon bureau, et vous avez le culot de me menacer ? Mais je vais vous répondre au sujet de ma BMW... je n'en voulais plus. Je pourrais vous dire que c'est une question d'image mais vous ne pigeriez pas. Je l'ai vendue ou plutôt échangée contre un pick-up dans ce garage qui est à la sortie ouest de la ville, sur la route 105. Vous n'avez qu'à aller vérifier.

Elle n'était pas contente. Les chances de relever un indice dans la voiture venaient de chuter considérablement. Je savais que, de toute façon, cette voiture n'avait pas le moindre lien avec la mort d'Ezra, mais elle l'ignorait, et je n'allais pas bouder le plaisir que me procurait son évidente déception.

— Je veux le pick-up aussi, dit-elle en désignant l'engin garé dans l'allée.

— Il est mentionné dans le mandat ?

Elle hésita.

— Non, dut-elle finalement admettre.

Je ne pus retenir mon rire.

— Et c'est donc à moi que vous demandez donc la permission de le saisir ?

Mills me regarda.

— Vous savez que vous êtes en train de saper le peu de considération que je pouvais encore avoir pour vous ?

— Oh, nous sommes déjà passés par là, dis-je. Si vous voulez aussi mon véhicule, faites-vous délivrer un autre mandat.

— C'est bien ce que je vais faire.

— À la bonne heure. En attendant, c'est *niet*.

Elle me regarda, et je lus dans ses yeux une émotion qui n'avait plus rien de professionnel. Elle me détestait. Elle avait envie de me passer les menottes, et je me demandai un instant si elle se comportait toujours de cette façon ou bien si c'était ma propre personne ou encore l'affaire elle-même qui était en cause.

— Vous en avez fini avec ma maison ? demandai-je.

Elle me montra les dents, qu'elle avait petites et blanches, à l'exception d'une incisive légèrement jaunie.

— Non, ce n'est pas terminé, loin de là, dit-elle, sans dissimuler le plaisir que cela lui procurait. Mais vous pouvez entrer et regarder. C'est votre droit.

Je perdis patience.

— C'est quoi, votre problème avec moi, inspecteur Mills ?

— Cela n'a rien à voir avec vous, dit-elle. J'ai un cadavre, une arme introuvable, et un homme qui a quinze millions de raisons de me cacher où il se trouvait réellement la nuit du meurtre. C'est suffisant pour moi, et ça l'a été pour un mandat de perquisition. Si j'en savais plus, je vous aurais arrêté. Telle est ma position. Si cela veut dire que j'ai un problème avec vous, alors, la réponse est oui. Aussi, vous pouvez entrer ou rester dehors, c'est comme il vous plaira. Personnellement, j'en suis encore à l'échauffement. Quant à votre voiture, je m'en occuperai, soyez-en sûr, et si je découvre que vous m'avez menti, j'aurai un autre problème avec vous.

Je me rapprochai d'elle.

— Très bien, faites votre travail, dis-je du même ton combatif que le sien. Dans ma carrière, je me suis fait une spécialité de foutre le feu aux mandats de perquisition. Il ne suffit pas à un flic d'en obtenir un du juge, il a intérêt à en faire bon usage. Aussi, faites bien gaffe à la manière d'utiliser le vôtre. Votre enquête a déjà pris un mauvais départ.

Je faisais référence à ma présence sur la scène de crime, et je vis que ma remarque avait fait mouche. Je savais ce qu'elle pensait. Tout indice matériel me reliant à la scène de crime pouvait n'être dû qu'à ma présence sur les lieux le jour de la découverte du cadavre d'Ezra, et non le jour de sa mort. Tout avocat digne de ce nom n'aurait aucun mal à en convaincre un jury. Mills avait ainsi de bonnes raisons de s'inquiéter. Nous nous étions déjà affrontés au tribunal, et elle connaissait mes talents de plaideur. Il se pouvait même qu'elle n'obtienne même pas ma mise en examen. L'impuissance que je lisais sur son visage ne m'était pas une mince consolation. Certes, je devais protéger Jean mais je n'étais pas obligé de rendre les choses faciles à Mills ou à quiconque d'autre.

— Je vais chercher mon chien, lui dis-je. À moins que vous comptiez le fouiller, lui aussi. (Les mâchoires serrées, elle se taisait.) Et quand tout ça sera terminé, vous me devrez des excuses.

Je bluffais, bien sûr, parce je ne voyais vraiment pas comment tout cela pourrait bien se terminer pour moi.

— Nous verrons, me dit-elle en commençant à s'éloigner.

— Et fermez la porte, quand vous aurez fini, lui criai-je.

J'avais placé quelques coups, mais elle avait gagné le combat, et elle le savait. Avant de rentrer dans la maison, elle se tourna dans ma direction et m'adressa son petit sourire glacé.

18.

Je me réfugiai dans mon pick-up et pris la route. Je doublai des voitures, m'arrêtai aux stops, tournai à droite et à gauche, je n'avais nulle part où aller ; tous les chemins me ramenaient au point de départ. C'était un sale temps, pourri de questions inquiétantes et de fausses vérités. Finalement, je regagnai le parc, avec ses enfants bruyants, ses vieux sur les bancs. La police était toujours dans ma maison, à traquer des indices improbables. Cela m'enrageait, mais je ne pouvais rien y faire. Cloué à mon siège par l'impuissance, je serrais le volant entre mes mains comme si c'était le cou de Mills. La sonnerie de mon portable me fit violemment tressaillir.

— Allô ?

— Hé, comment va ?

Il me fallut une seconde pour situer la voix.

— Hank ?

— Qui d'autre ?

Il semblait tendu. Était-ce bien là veille que nous nous étions vus à Charlotte ? J'avais l'impression que cela faisait des jours.

— Alors, du nouveau ?

— Tu vas bien ? demanda-t-il.

— Ouais, dis-je, sachant bien que le ton de ma voix exprimait tout le contraire. Je t'écoute.

— J'ai appelé à ton bureau, dit-il. Et je suis tombé sur un flic. Il m'a demandé mon nom.

Il marqua une pause, m'offrant une chance de commenter, mais qu'aurais-je pu lui dire ?

— Alors, j'ai essayé chez toi, et devine quoi ?

— Je sais. Je suis en ce moment même assis dans ma caisse, à regarder ces nazes aller et venir dans ma baraque.

— Je ne sais quoi te dire.

— Alors, ne dis rien.

— C'est con, cette histoire. Ça me met en mauvaise position. (Il marqua une pause.) Je suppose qu'ils ont un mandat de perquisition.

— Ouais, ils espèrent tomber sur l'arme du crime ou quoi que ce soit qui puisse me faire tomber.

Je savais ce qu'il pensait : la police n'obtenait pas de mandat sans un solide motif.

— Ils ont une chance d'obtenir ta mise en examen ?

— Ouais, je le pense.

Hank se tut un instant. Après ce qu'il venait d'apprendre, sa perplexité était légitime. On était copains, on buvait des coups ensemble, mais on n'était pas à proprement parler des amis. Il travaillait pour le compte d'avocats de la défense mais ne pouvait certainement pas se permettre de se mettre les flics à dos.

— L'affaire est sérieuse ? demanda-t-il enfin, peu pressé de se fourrer dans un guêpier.

— Elle pourrait l'être. La femme qui mène l'enquête ne me porte pas dans son cœur. Tu en sauras plus en lisant le journal, demain.

— Mills, n'est-ce pas ?

J'avais le sentiment qu'il cherchait à gagner du temps, hésitant à s'engager.

— Que puis-je faire pour toi ? demanda-t-il toutefois.

Je lui étais reconnaissant de sa question, mais je savais quelle réponse il attendait.

— Rien pour l'instant, Hank, mais je te remercie de ton aide.

— Hé, ton père était un sacré tordu, mais je ne crois pas une seconde que tu aurais pu le descendre.

— Merci, Hank, malheureusement il y a pas mal de gens qui pensent autrement.

— Eh bien, ne te laisse intimider, Work. Tu en as vu bien d'autres, et tu sais comment fonctionne le système.

Douglas m'avait dit à peu près la même chose. Mieux valait changer de sujet.

— Alors, quoi de neuf, mec ? T'as vraiment pas une seule bonne nouvelle pour moi ?

Hank, qui était tout sauf un idiot, passa aussitôt aux sujets pratiques.

— Je me suis rendu à Charter Hills, ce matin. J'y ai traîné deux petites heures, et appris deux ou trois choses.

Charter Hills était un établissement psychiatrique de la ville de Charlotte, l'un des meilleurs de la Caroline du Nord. C'était là qu'Ezra avait envoyé Jean, après qu'elle eut tenté pour la deuxième fois de se suicider. J'avais gardé un souvenir précis de ses murs aux couleurs chaudes et des bouquets de fleurs qui ne pouvaient masquer la douleur de ceux et celles enfermés derrière ces hauts murs de brique. J'avais souvent rendu visite à Jean, sans qu'une seule fois je ne parvienne à forcer son mutisme, mais l'un des psychiatres m'avait assuré qu'il n'y avait là rien d'anormal. Je ne l'avais pas cru. Comment aurais-je pu ? C'était ma sœur, non ?

Elle y avait séjourné six longs mois. C'était là qu'elle avait fait la connaissance d'Alex Shiften.

— Écoute, Hank…

— Ils n'ont aucun dossier au nom d'Alex Shiften, me dit-il, m'interrompant.

— Quoi ?

— Rien, pas la moindre fiche.

— Ce n'est pas possible. C'est là que ma sœur l'a rencontrée.

— Dans ce cas, Alex était là-bas sous une autre identité.

J'avais décidément bien du mal à réfléchir.

— Qu'es-tu en train de me dire ?

— Franchement, je ne le sais pas moi-même, me répondit-il. Mais le fait est là et, bien que je ne dispose d'aucune information précise, je sens que ça pue.

Je pensais que si Jean ressortait blanchie de l'enquête que menait Mills, elle se retrouverait seule avec Alex, et Alex était dangereuse. Il m'incombait de faire quelque chose, avant qu'il ne soit trop tard. Mais quoi ?

— Que proposes-tu ? demandai-je à Hank.

— Il me faut une photo d'Alex. Je pourrai alors retourner à Charter Hills, et nous saurons à quoi nous en tenir.

J'éprouvai soudain une grande reconnaissance envers Hank. Sa manœuvre lui éviterait une confrontation avec la police, ce qui valait mieux pour lui, et lui permettrait cependant de faire quelque chose pour Jean et moi. Je lui devrais beaucoup.

— Merci, Hank. Merci...

— Laisse tomber, c'est rien qu'un petit service.

— Tu veux que je t'envoie la photo par la poste ?

— Trop lent. Mets-la dans ta boîte aux lettres, après que les flics seront partis. Je descendrai ce soir à Salisbury, je ne sais pas à quelle heure mais tard, probablement. Si t'es chez toi, tu me verras. Sinon, j'emporterai la photo, et j'appellerai dès que j'aurai appris quelque chose.

— Alors on fait comme ça, Hank. Je sais pas comment te...

Mais il avait déjà raccroché.

J'éteignis mon portable. Nonos dormait sur le siège à côté de moi. Comment tant de choses pouvaient-elles se produire en même temps ? Fermant les yeux, j'imaginai de vertes prairies ondoyant sous de doux alizés. Quand je les rouvris, il y avait un homme qui me regardait à travers la vitre. J'étais trop épuisé pour manifester la moindre surprise. C'était Max Creason, coiffé comme toujours de sa casquette de chasse et affublé d'un poncho rouge. J'abaissai la vitre.

— Salut, Max. Comment ça va ?

Il me regarda attentivement, les yeux brillants derrière le verre sale de ses lunettes. Il eut un signe en direction de la maison.

— Les flics sont chez toi.

Le ton était plus interrogateur qu'affirmatif, mais je ne mordis pas à l'appât. Manifestement, cette présence policière ne lui plaisait pas, et un rictus hostile découvrait ses dents sales.

— Quand j'ai fait ta connaissance, dit-il, je ne savais pas que tu habitais ici et que tu étais le fils de cet avocat qui a été assassiné. (Il tourna son regard vers la maison.) Et maintenant tu as la police chez toi. Ils te considèrent comme un suspect ou quoi ?

— Je n'ai pas envie d'en parler, Max. C'est une affaire trop compliquée.

— En parler te ferait peut-être du bien.

— Non, je ne pense pas. Je suis content de te revoir, mais tu arrives à un mauvais moment.

Il ne parut pas m'entendre.

— Viens, dit-il, en s'écartant de la portière, allons marcher un peu.

— Non, je te remercie mais...

Feignant de ne pas m'entendre, il ouvrit la portière.

— Allez, ça te fera du bien. Laisse ton chien dormir. On va se dégourdir les pattes.

Je n'avais pas la force de discuter, et puis n'avais nulle part où aller. Laissant Nonos dans la voiture, je suivis Max qui prenait déjà le sentier longeant le lac. Il marchait d'un bon pas, le bas de son poncho lui battant les jambes. On marcha ainsi pendant une bonne dizaine de minutes sans échanger un mot, jusqu'à ce que le parc soit derrière nous et que nous prenions une rue étroite flanquée de maisons modestes. Des jouets d'enfants traînaient dans les courettes. Habitaient là de jeunes couples et des personnes âgées.

— Je vais te raconter une histoire, dit enfin Max, se tournant vers moi. C'est une histoire importante, et tu dois bien m'écouter. C'est au sujet de mes mains.

Il les leva un instant dans la lumière et les laissa retomber, taches pâles et torturées sur le rouge du poncho.

— Tu m'as posé la question, un jour, reprit-il, et maintenant je vais te répondre.

— Pourquoi ?

— J'ai mes raisons, mais tais-toi, maintenant. Personne dans cette ville ne connaît cette histoire, et ça m'est pas facile d'en parler.

— Je t'écoute.

— J'ai hérité ça du Viêt-nam. J'étais rien qu'un bidasse comme les autres, et c'était ma deuxième tournée là-bas, comme on disait. On était en patrouille et on est tombé dans une embuscade. La plupart des gars avaient été tués, deux ou trois ont réussi à s'échapper. Pas moi. J'étais blessé à la jambe, et je me suis retrouvé dans un camp de prisonniers. Le colonel qui dirigeait le camp pensait que j'en savais plus que je le disais.

Je remarquai le tremblement qui s'était emparé de ses mains, alors qu'il me racontait son histoire.

— Ou alors ce type n'était qu'un salaud. Finalement, la question est sans importance. Il s'est donc occupé de moi pendant quelques semaines, me bousillant les mains, et puis il m'a enfermé dans un trou, où j'ai passé cinq ans. J'ai bien failli y laisser la peau. Cinq putains d'années, répéta-t-il, avant de se taire enfin, manifestement plongé dans de lointains souvenirs.

— Cinq ans de taule, dis-je, me représentant la chose.

— Non, mon pote, pas une cellule comme tu l'imagines, mais une cage de fer de deux mètres sur deux. Ils m'en sortaient une fois par mois. Le reste du temps, je faisais quatre petits pas d'un côté, quatre petits pas de l'autre, je dormais, chiais sur place. (Il me regarda.) C'est pour ça que je supporte plus les espaces clos. C'est pour ça que je marche, Work. Quand les murs de la maison se resserrent, je sors. Sortir, j'en ai rêvé pendant cinq ans. (Il embrassa d'une main les arbres, le ciel.) Tu ne peux pas savoir, dit-il, fermant les yeux, ce que ça représente pour moi, cet espace.

Je hochai la tête tout en pensant qu'il se pourrait bien que, sous peu, j'en fasse moi-même l'expérience.

— Pourquoi me racontes-tu tout ça ? lui demandai-je.

Il rouvrit les yeux, et il n'y avait pas la moindre lueur de folie dans ce regard.

— J'ai un problème avec le pouvoir, me dit-il. Je ne supporte pas la vue d'un uniforme. Et les flics de cette ville n'ont rien fait pour que je pense autrement. On ne peut pas vraiment dire qu'ils m'ont traité avec respect et sympathie. (Il grimaça un sourire.) Je leur parle pas, aux flics, tu comprends ?

Je comprenais très bien cela, mais je ne voyais pas en quoi tout cela me concernait. Je finis par lui poser la question. Il ne me répondit pas tout de suite. Curieusement, il se détourna et se remit en marche. Je lui emboîtai le pas.

— Comme tu le sais, Work, je marche beaucoup, me dit-il enfin. Je marche la nuit, le jour. Je marche dès que je me sens mal entre quatre murs.

On venait de tourner dans une rue bien entretenue, où toutes les maisons avaient un charme particulier. Max s'arrêta devant l'une d'elles – un petit cottage avec une belle pelouse et des haies bien taillées le séparant des voisins. La façade était peinte en jaune, les volets bleus, et il y avait sur la véranda deux fauteuils à bascule. Un rosier grimpant habillait les colonnes du porche.

— Je te parle, reprit-il, parce que je n'ai pas l'intention d'aller voir les flics.

Il dut lire de l'agacement sur mon visage car, ôtant soudain sa casquette il se gratta le crâne de ses doigts mutilés et, me regardant dans les yeux, il me dit :

— Il a été tué le lendemain de Thanksgiving, n'est-ce pas ? Il pleuvait, cette nuit-là.

Je hochai la tête, retenant mon souffle.

— Et ils ont retrouvé le corps dans l'ancien centre commercial, près de l'autoroute, hein ? Là où le ruisseau et le gros conduit d'eaux pluviales passent sous le parking ?

— Co...comment ? bafouillai-je.

— Je te raconte ça, parce que je ne pense pas que ce soit toi qui aies tué cet homme.

J'avais le ventre noué.

— Que dis-tu ? demandai-je d'une voix sans timbre, sans me rendre que je lui avais saisi le bras, dur et noueux sous ma main.

— Je me souviens de cette nuit-là, continua-t-il sans se troubler, parce qu'il pleuvait et que c'était après Thanksgiving. Il était tard, minuit passé, et j'ai vu les voitures devant l'ancienne entrée du centre. Il n'y en a jamais la nuit. C'est un endroit sinistre, et personne ne vient jamais traîner là, à part de rares clochards ou des junkies. Une seule fois, j'ai assisté à une bagarre, c'était il y a longtemps, mais des voitures garées là, c'était nouveau.

J'avais le cœur battant et la bouche sèche. Que racontait-il ? Plongeant mon regard dans le sien que protégeaient des verres épais, je cherchais quelque raison de ne pas avoir peur.

— Tu as vu, entendu quelque chose ?

Soudain conscient de lui serrer le bras à en avoir mal à la main, je relâchai ma prise.

— Je sais pas vraiment si cela est important ou pas, me répondit-il, mais peut-être bien que les flics devraient le savoir. Quelqu'un devrait leur dire.

— Leur dire quoi ? m'écriai-je d'une voix plus forte que je n'aurais voulu.

— J'ai vu quelqu'un sortir des bâtiments, cette nuit-là, et se diriger rapidement mais sans courir vers le puisard donnant dans le conduit souterrain du ruisseau. Cette personne a jeté quelque chose puis elle a filé avec une des deux voitures.

La révélation de Max me stupéfiait.

— Quelqu'un a jeté quelque chose dans le puisard et puis est parti ? répétai-je.

— C'est comme je te l'ai dit, répondit Max avec un haussement d'épaules.

— Et tu as vu à quoi ressemblait cette personne ?

— Non.

Sa réponse me soulagea. Il ne pourrait ainsi identifier Jean.

— Il faisait nuit, il pleuvait, et tout ce que j'ai pu distinguer, c'est une silhouette en manteau et chapeau. Mais c'était pas toi, du moins je ne le pense pas.

— Qu'est-ce qui te fait dire ça ?

— Cette personne était de taille moyenne, bien plus petite que toi.

— Un homme ou une femme ?

— Peux pas le savoir. Ça pouvait être l'un ou l'autre.

— Mais pas moi ?

Max haussa les épaules.

— Ça fait des années que je te connais de vue. Tu ne fais pas grand-chose, quand tu es chez toi, à part t'asseoir sur les marches de ton perron et siroter de la bière. J'en ai connu, des tueurs, et j'en ai vu, des morts, et je t'imagine pas tuer un homme de sang-froid. Mais c'est jamais que mon opinion.

Je ne pouvais lui reprocher le tableau peu reluisant qu'il venait de brosser de moi. Sa description était juste. En dehors du fait que j'avais passé mon droit, m'étais marié et exerçais la profession d'avocat, je ne faisais rien d'autre.

— Tu disais que cette personne portait un manteau et un chapeau ?

— Oui, de couleur sombre.

— Et les voitures, tu peux m'en dire quelque chose ?

— Il y en avait une plus grosse que l'autre, de couleur sombre.

— Avec laquelle la personne est partie ?

— Avec la plus petite. Je regrette de ne pas pouvoir t'en dire plus. Je me trouvais loin de la scène, et puis je faisais que passer par là, j'ai pas vraiment prêté attention à tout ça.

— Et la grosse voiture, elle est restée sur le parking ?

— Elle y était encore quand je suis parti quelques minutes plus tard. Mais, deux jours après, je suis repassé dans le coin, elle n'y était plus.

— Et tu as vu ce que cette personne jetait dans le puisard ?

— Non, mais je me doute de ce que c'est, tout comme toi.

— Dis-le-moi, insistai-je, sachant bien de quoi il s'agissait.

— Quand quelqu'un balance quelque chose dans un trou, c'est pour s'en débarrasser et pour qu'on ne retrouve pas la chose en question. J'ai lu dans le journal que les flics cherchent le revolver avec lequel ton père a été tué. À mon avis, il est peut-être dans cet égout, mais c'est jamais que mon opinion.

Bien sûr qu'il s'agissait du pistolet de mon père. Si les flics le retrouvaient, les jeux étaient faits. Mais si l'arme était bien là où Max me l'indiquait, je ne pouvais y voir qu'une bien cruelle ironie. Le fait que le corps de mon père eût été découvert dans l'ancien centre commercial avait déjà remué de douloureux souvenirs et, maintenant, il me fallait pénétrer à nouveau dans ce conduit obscur et mettre la main sur cette arme avant la police.

— Tu as bien fait de me dire tout ça, Max. Je te remercie.

— Tu vas en informer les flics ?

Incapable de lui mentir les yeux dans les yeux, je lui répondis ce qui, somme toute, était vrai.

— Je ferai ce que je dois faire, Max. Merci.

— Tu sais, me dit-il en regardant passer une voiture dans la rue, ça fait dix-neuf ans que je suis dans cette ville, Work. J'ai dû marcher des milliers de kilomètres pendant tout ce temps. Tu es la seule personne qui m'ait jamais demandé de faire quelques pas avec moi, la seule qui m'ait adressé la parole. C'est peut-être pas grand-chose à tes yeux, mais pour moi ça compte beaucoup. (Il posa sur mon épaule une main déformée et me regarda droit dans les yeux.) Ce que je te dis là, c'est pas une chose facile pour moi, mais il fallait que ça sorte.

La sincérité et la simplicité de ses propos m'émut vivement. Je prenais conscience que pour lui comme pour moi, chacun à notre façon, nos chemins réciproques dans cette ville avaient été marqués d'une même douleur, d'une même solitude.

— Tu es un type bien, Max, lui dis-je, et je suis heureux de te connaître. (Je lui tendis ma main et, cette fois, il la serra de son mieux.) Viens, allons marcher un peu, l'invitai-je.

Mais il secoua la tête.

— Non, c'est ici que je m'arrête, dit-il.

— Pourquoi ?

Il se tourna vers le cottage à la façade jaune.

— C'est là que je crèche.

Dissimulant tant que bien que mal mon étonnement, je le complimentai.

— Mais c'est une très jolie maison, Max.

Il examina la façade comme s'il y cherchait quelque imperfection, puis reporta son regard sur moi.

— Je l'ai héritée de ma mère et, depuis, j'y ai toujours vécu. Viens, on va se boire une bière sous la véranda.

Un soudain sentiment de honte me clouait au sol. Cela faisait des années que je voyais passer cet homme dans ma rue, et je n'avais vu en lui qu'un clochard, un

SDF. D'une certaine manière, j'étais aussi médiocre que Barbara et ses détestables amis, et je venais de me prendre en pleine gueule une belle leçon d'humilité.

— Max ?

— Ouais ?

Il grimaça un sourire qui n'avait plus rien d'horrible à mes yeux.

— Je peux te demander un service ? C'est important.

— Demande toujours, je pourrais peut-être dire oui.

— S'il m'arrivait quelque chose, j'aimerais que tu prennes soin de mon chien. C'est une bonne bête. Tu pourrais l'emmener en balade avec toi.

Max me regarda avec gravité.

— S'il t'arrive quelque chose, Work, je m'occuperai de ta bête. On est des potes, non ?

— Oui, on est des potes, dis-je avec une sincérité que je n'avais plus ressentie depuis longtemps.

— Alors, tout va bien. Il ne t'arrivera rien. Tu vas parler de ce flingue aux flics, et je prendrai soin de ton compagnon. Maintenant, viens, on va s'en jeter une. C'est pour toi que j'ai acheté cette bière.

On s'est assis dans sa véranda, à regarder son petit jardin fleuri en sirotant de la bière. On a bavardé, mais pas de choses graves, et, pendant un moment je ne me suis plus senti seul. Lui non plus, j'en suis sûr.

19.

Je retrouvai Nonos qui dormait encore, lové sur le siège dans le pick-up. La maison était vide à présent, mais je répugnais à y entrer, ça devait puer le flic. Je décidai de regagner mon bureau, pensant qu'il me serait peut-être plus facile de commencer par là-bas.

Il était un peu plus de quatre heures de l'après-midi, et la rue était vide. J'avais envie d'être un homme en colère, et marchais comme une victime. Passant par l'arrière du bâtiment, je poussai la porte et découvris le carnage. Tiroirs béants, armoires vidées, classeurs disparus, y compris mon propre dossier médical, mes photos, le journal de bord que je tenais tous les trente-six du mois. Ma vie entière ! Jetant un coup d'œil dans la petite cuisine, je vis que ces porcs s'étaient généreusement servis dans le frigo. Boîtes de soda et paquets de biscuits vides jonchaient le sol. La pièce empestait le tabac. Je tentai bien de mettre un peu d'ordre et de foutre leurs merdes dans un sac-poubelle, mais abandonnai rapidement. À quoi bon ?

Je grimpai dans le bureau d'Ezra, pour découvrir qu'ils ne l'avaient pas épargné non plus. Gagnant l'emplacement du coffre, je m'empressai de relever le tapis. Apparemment, rien n'avait bougé : les deux lattes du parquet étaient toujours maintenues par quatre clous.

À l'évidence, la chose avait échappé à l'équipe de Mills, et j'en ressentis une joie sauvage. Si quelqu'un avait le droit de découvrir le secret du vieil homme, c'était moi, et personne d'autre.

Le marteau était là où je l'avais laissé, et je m'en servis pour déclouer les pointes, qui cédèrent avec une plainte presque animale. Je me penchai au-dessus du coffre. Hank m'avait suggéré de penser à des chiffres, une date, bref, quelque chose qui aurait pu être important pour mon père.

C'était quoi, l'important pour lui ? La réponse était simple : le pouvoir, la situation sociale, l'influence, autrement dit le fric.

Il n'y avait qu'une seule photo dans le bureau de mon père, et c'était une photo de lui, enfant, les jambes maigres et crottées, et des yeux noirs qui n'avaient jamais changé.

J'étais né dans le confort, et lui et moi avions toujours su que jamais je ne ressentirais la faim et l'ambition qui avaient été les siennes, faisant de lui un homme dur, impitoyable, ce qui était pour lui une vertu – vertu qui me faisait singulièrement défaut et me désignait à ses yeux comme le maillon faible de sa descendance. Je cherchais du sens, quand lui n'avait jamais ambitionné que la fortune. À ses yeux, l'argent, c'était la grande maison dans les beaux quartiers, les voitures de luxe, les réceptions, le financement des campagnes politiques. C'était le levier pour soulever le monde et les gens. Il avait choisi ma propre carrière et, d'une certaine manière, m'avait acheté, moi aussi. Seule Jean lui avait échappé. Le prix à payer était trop élevé pour elle. Incapable de ployer, elle avait fini par se briser. Finalement, Ezra aussi avait payé, et de sa propre vie. Appelons ça le destin.

À présent, ce coffre, dont j'avais découvert par hasard l'existence, pesait de tout son poids sur ma propre vie.

Je me souvenais de la première fois que mon père avait obtenu pour un client des dommages et intérêts se montant à un million de dollars. J'avais dix ans. Il nous emmena tous à Charlotte pour fêter l'événement. Je le revoyais parfaitement avec le cigare entre les dents, commandant le meilleur vin du restaurant. Je me souvenais surtout de ce qu'il avait dit à ma mère. « Rien ne peut plus m'arrêter, désormais. »

Il avait parlé de lui ; le « nous » lui était étranger.

Ma mère avait passé son bras autour des épaules de Jean, et ce geste, je le comprenais maintenant, trahissait bien des craintes.

Ce verdict judiciaire représentait la plus grosse réparation financière jamais obtenue dans le comté de Rowan, et la presse fit de mon père le roi des prétoires. Après ça, les clients vinrent en masse solliciter les services d'Ezra Pickens.

En vérité, plus rien ne pouvait l'arrêter. Devenu une célébrité, son amour-propre grandit au même pas de charge que sa fortune, et tout changea pour lui, comme pour nous.

Je me souvenais de la date de ce premier succès : Jean fêtait ses six ans, ce jour-là. Espérant que ce soit la combinaison, je tapai les chiffres sur le petit clavier. En vain. Remettant les lattes en place, j'enfonçai quatre clous neufs, et rabattis le tapis.

Ç'aurait été trop facile. Faisant le tour de la pièce, j'entrepris de refermer les tiroirs et d'éteindre les lumières. Je m'apprêtais à partir quand le téléphone sonna. Je faillis ne pas répondre.

— Ça m'apprendra à être généreuse ! (C'était Tara Reynolds, qui m'appelait depuis le *Charlotte Observer*.) Mon patron est au bord de la crise cardiaque.

— De quoi parles-tu, Tara ?

— Tu n'as pas vu le *Salisbury Post* ?

Ce quotidien, à la différence de l'*Observer*, sortait l'après-midi, et devait être arrivé en kiosque il y a un peu moins d'une heure.

— Non.

— Eh bien, tu ferais bien d'aller t'en chercher un. Tu fais la une, Work, et c'est une saloperie d'injustice. J'ai misé mes fesses sur cette histoire, et j'étais prête à sortir mon papier demain, comme convenu, quand un conard du *Post* a reçu un coup de fil lui apprenant que les flics étaient en train de perquisitionner dans ton bureau. Alors, il est accouru sur les lieux et a pu prendre une photo de toi.

— Je suis désolé, dis-je d'un ton glacé.

— *La police investit le bureau du fils de l'avocat assassiné*, voilà pour le titre. Et, sur la photo, on te voit en conversation avec le procureur.

— Mais ça s'est passé il y a quatre heures à peine, dis-je, cachant difficilement ma stupeur.

— Les bonnes nouvelles vont toujours très vite. L'article n'est pas bien long. Tu veux que je te lise ?

Ainsi l'affaire était désormais publique. Le *Post* comptait cinquante mille abonnés. Dans vingt-quatre heures, l'*Observer* prendrait le relais avec son million de lecteurs. Étrangement, cette pensée ne m'affolait pas. Quand vous perdez ce qui faisait votre réputation, vos inquiétudes prennent un tour plus concret : la vie ou la mort, la liberté ou la prison. Tout le reste devient insignifiant.

— Non, je n'ai aucune envie de l'entendre, dis-je à Tara. Hormis le fait de me pourrir un peu plus la journée, y a-t-il un autre motif à ton appel ?

— Oui, et je compte sur toi pour apprécier ce que j'ai encore à t'apprendre... toujours aux mêmes conditions... tu ne révèles tes sources à personne, et j'ai l'exclusivité quand tout sera fini.

Je ne savais plus quoi dire. Une violente migraine s'était emparée de mon crâne, et elle n'était pas près de partir.

— Si ce que je dis ne t'intéresse pas, dis-le-moi, et je raccroche.

— Tara, je viens de passer une sale journée, et je suis un peu assommé.

Elle dut déceler du désespoir dans ma voix.

— Je peux le comprendre, dit-elle, mais tu me connais, je m'emballe toujours trop. Désolée.

Ne percevant nul regret dans sa voix, je n'eus soudain aucun scrupule à mettre les choses au clair.

— Ça va bien, Tara. Tu te sers de moi, et je me sers de toi. Alors, il n'y a vraiment aucune raison de se prendre la tête, d'accord ?

— Parfaitement d'accord, répondit-elle, désinvolte. Mon info, la voici : la police semble avoir compris pourquoi on a retrouvé le corps de ton père dans le vieux centre commercial.

— Comment ça ?

— Le centre était menacé de saisie. Ton père, qui défendait les intérêts de la banque, était en possession des clés des bâtiments.

Cette information me surprenait. Certes, je ne connaissais pas tous les engagements de mon père, mais une telle affaire ne m'aurait pas échappé.

— À qui appartenait le centre ? lui demandai-je.

— Je suis en train de le vérifier. Apparemment, il s'agit d'un groupe d'investisseurs, dont certains sont de la région. Ils ont acheté le centre il y a quelques années, au moment où il allait fermer ses portes. Ils ont mis des millions dans sa restauration mais les locataires escomptés ne se sont jamais présentés. Ils étaient au bord de la faillite, quand la banque a finalement fermé le robinet.

— Et il y a une chance de relier son meurtre à l'affaire ? demandai-je.

— Je ne pense pas.

— Comment ça ? Ezra diligentait une saisie de plusieurs millions de dollars, quand il a été tué sur les lieux mêmes, et les flics n'y voient aucun rapport ?

Je l'entendis allumer une cigarette.

— Pourquoi chercheraient-ils de ce côté, Work, alors qu'ils pensent tenir le coupable ?

— Détrompe-toi, ils ne me tiennent pas encore, comme tu dis.

— Eh bien, voilà qui nous amène à mon autre nouvelle.

Le ton de sa voix raviva soudain mes inquiétudes.

— Je t'écoute, Tara.

— Je ne sais rien de précis, note-le bien, mais le bruit court qu'ils auraient trouvé chez toi matière à t'inculper.

— Ce n'est pas possible.

— Je te rapporte ce que j'ai entendu.

— Allons, tu en dois savoir plus que ça.

— Pas vraiment, Work. Je sais seulement que Mills en aurait eu un orgasme, et ce détail, je le tiens directement de ma source.

Je pensai à tous les gens qui étaient venus chez moi depuis la disparition d'Ezra, les dîners et les fêtes, sans parler des visites occasionnelles. Jean était passée deux ou trois, fois, ainsi qu'Alex. Même Douglas. Bon sang, la moitié de la ville avait défilé chez nous depuis un an et demi. De quoi Tara pouvait-elle bien parler ?

— Tu ne me caches rien, n'est-ce pas ? lui demandai-je. Ce que tu viens de me dire est important.

— Je t'ai dit tout ce que je savais, répondit-elle, mais je ne sais pas si tu en as fait autant de ton côté.

— Que veux-tu savoir ?

— L'issue de l'enquête dépend de la découverte de l'arme. C'est le revolver qu'ils cherchent, Work. Alors, toujours aucune idée de l'endroit où il peut être ?

Je revis soudain le visage de Max, tandis que j'avais l'impression de baigner de nouveau dans cette humidité glacée, cette odeur d'essence et de vase.

— Non, je n'en sais toujours rien, dis-je enfin.

— Tu pourrais me le déclarer par écrit ? Je serais heureuse de faire valoir ton point de vue.

— Non, dis-je, pensant à Douglas. Ce serait prématuré.

— Appelle-moi, si tu changes d'avis.

— Je serai le premier à le faire.

— Le seul, tu veux dire ?

— Ouais.

— Écoute, reprit-elle, je ne suis pas vraiment une salope. Seulement, mes trente années m'ont appris à ne jamais mêler les sentiments avec les affaires que je couvrais. Il me faut garder mes distances. C'est une question de professionnalisme.

— Rassure-toi, tu es très professionnelle.

— À t'entendre, ce n'est pas un compliment.

— Peut-être, mais je trouve qu'il y a beaucoup trop de professionnels autour de moi en ce moment.

— T'inquiète, ça finira par s'arranger, dit-elle, mais nous connaissions tous deux la vérité.

Tous les jours, des innocents allaient en prison, et les bons saignaient comme les méchants.

— Fais gaffe à toi, ajouta-t-elle avant de raccrocher, et cette fois elle était sincère.

Je reposai le combiné. Bien des questions se posaient soudain. Pourquoi Ezra s'était-il rendu cette nuit-là dans le centre commercial abandonné ? Sa femme venait tout juste de mourir. Sa famille partait en lambeaux. Qui avait bien pu l'appeler au téléphone passé minuit, et pour lui dire quoi ? S'était-il d'abord rendu à son bureau ? Dans quel but ? Mon père conduisait une Lincoln noire, et ce devait être elle, la grosse voiture dont parlait Max, mais à qui appartenait l'autre véhicule ? Jean aussi avait une caisse de couleur sombre, ce qui était le cas d'une foule de gens. Se pouvait-il qu'il y eût à la mort de mon père une raison autre que celle que j'avais supputée jusque-là ? Je ne pouvais plus reporter cette action qui me terrifiait. L'ancien centre commercial était à moins de deux kilomètres de chez moi. Sa démolition était presque achevée, mais le parking était encore intact, ainsi donc que la canalisation qui passait en dessous. Si, comme Max en avait été témoin, le tueur avait balancé l'arme dans le puisard, il y avait alors une chance que celle-ci se trouve encore dans ce terrible lieu qui hantait toujours ma vie. Je devais y retourner, et je ne savais pas si j'en serais capable. Mais je n'avais guère le choix. Si le revolver était bien celui d'Ezra, je le ferais disparaître, et Mills ne pourrait jamais l'utiliser contre Jean. Et si ce n'était pas l'arme d'Ezra ? Si je me trompais, et que ce ne fût pas ma sœur qui ait pressé la détente ?

Pensant soudain à Vanessa, je la revis pleurant dans sa cuisine, tandis qu'un autre homme s'efforçait de la consoler. Dirait-elle les mots qui m'innocenteraient ? Je ne devais pas en douter. Quel que fût le mal que je lui avais fait, elle resterait une femme au grand cœur.

Il était presque cinq heures à ma montre. Je pensai un bref instant à remettre un peu d'ordre dans mon bureau mais n'en fis rien. Ce n'était plus ma vie, après tout. Je m'en allai, verrouillant la porte derrière moi. Dehors, le ciel s'était un peu dégagé. Les gens sortaient des bureaux voisins, pressés de rentrer chez eux. Personne, parmi ceux et celles qui me connaissaient, ne m'adressa un salut. J'étais devenu invisible. Je pris ma voiture et regagnai la maison. À peine avais-je poussé la porte que j'eus l'impression de marcher sur une blessure ouverte. Notre chambre était chamboulée, le lit défait, nos vêtements à Barbara et moi jetés en tas par terre. Une même désolation régnait dans toutes les pièces. Fermant les yeux, je revis Mills et son sourire suffisant, quand elle m'avait quitté dans l'allée, pour reprendre sa besogne de fouille-merde.

Dans la cuisine, je me versai d'une main tremblante un grand verre de bourbon dont je vidai d'un coup la moitié, avant de me figer à la vue du journal que Mills avait pris soin d'étaler sur la table à mon intention.

C'était le *Salisbury Post*, et mon portrait s'étalait en première page. Ce n'était pas le titre qui me soulevait de rage mais l'intention perverse de Mills. Elle avait fait cela pour me faire mal, me surprendre chez moi et m'ouvrir le ventre avec un torchon à cinquante cents.

Je balançai le verre contre le mur. L'auteur de l'article disposait de peu d'informations, mais l'essentiel était entre les lignes. Le fils d'un avocat de renom faisait l'objet d'une enquête criminelle pour avoir été l'une des dernières personnes à avoir vu la victime en vie, puis empiété sur la scène de crime. Par ailleurs, il y avait un testament, et quinze millions de dollars en jeu.

C'était bien peu de chose, mais assez tout de même pour une crucifixion publique. D'autres pseudo éléments suivraient, portés par les commentaires peu flatteurs qu'on ne manquerait pas de soutirer aux voisins et collègues de travail.

Je pouvais imaginer les titres suivants… *UN AVOCAT DE SALISBURY DEVANT LES ASSISES… COUPABLE, DÉCLARENT LES JURÉS DANS L'AFFAIRE PICKENS… VERDICT, CE JOUR…*

Le téléphone sonna. Je décrochai d'une main rageuse.

— Quoi ?

Il y eut d'abord un silence. Pensant qu'il n'y avait personne en ligne, j'allais raccrocher quand je perçus un gémissement suivi de pleurs que rythmaient des coups assourdis. Jean ! Je savais que c'était elle, se tapant probablement la tête contre le mur ou se balançant sauvagement sur sa chaise. Mes problèmes personnels s'estompèrent aussitôt.

— Jean, tout va bien. Calme-toi, je suis là.

Je l'entendis qui s'efforçait de reprendre son souffle, puis exhalait mon prénom si faiblement que je le devinai plus que je ne l'entendis.

— Oui, c'est moi, je suis là, répondis-je, alarmé par sa détresse. Parle-moi, Jean. Que se passe-t-il ? Tu es chez toi ?

Elle prononça de nouveau mon prénom, comme une supplique, et puis une autre voix me parvint, celle d'Alex.

Qu'est-ce que tu fais, Jean ? Un bruit de pas résonnant sur le plancher se rapprocha rapidement. *À qui parles-tu ?* Silence de Jean, dont je ne percevais même plus la respiration. *C'est Work, hein ?* demanda Alex, élevant la voix. *Donne-moi ce téléphone.*

Je tremblais d'envie de cogner cette femme.

— Work ? dit-elle dans un grognement.

— Repasse-moi Jean ! Tout de suite !

— Je me doutais bien que c'était toi, dit-elle, peu émue par la rage que charriait ma voix.

— Alex, fais gaffe, je plaisante pas. Je veux parler à ma sœur, et tout de suite !

— Elle n'a pas envie de t'entendre, crois-moi.

— C'est pas à toi d'en décider.

— Jean est trop secouée pour savoir ce qu'elle fait.

— Ça aussi, c'est pas à toi d'en décider.

— C'est à qui, alors ? À toi ?

Je ne répondis pas et, dans le silence qui suivit, je perçus les pleurs de Jean et en conçus une douloureuse impuissance.

— Alex, tu sais ce qu'elle a déjà traversé, tu connais son histoire. Pour l'amour du Ciel, elle a besoin d'aide.

— C'est vrai, mais pas de la tienne, et sache que si elle est dans cet état, c'est parce qu'elle vient de voir ta gueule dans le journal, pauvre con. C'est écrit en gros que tu y es pour quelque chose dans l'assassinat de ton père. Et tu t'étonnes qu'elle soit mal ?

Je comprenais enfin. L'article n'avait fait qu'exacerber la culpabilité de ma sœur. Elle avait tué notre père, et c'était son frère qu'on accusait. Je n'étais pas étonné qu'elle s'effondre. Cette issue lui était peut-être venue à l'esprit, quand elle avait parlé avec Mills, mais le réel avait un tout autre poids, et il l'entraînait par le fond. Je savais que j'étais moi-même en train de perdre pied et ne lui étais d'aucune aide. Pauvre Jean.

— S'il lui arrive quoi que ce soit, Alex, je t'en tiendrai responsable.

— Je te conseille pas de te pointer ici.

— Dis-lui que je l'aime.

Mais elle n'était plus en ligne. Je raccrochai et, m'asseyant à la table de la cuisine, je regardai le mur sans le voir. Toutes choses semblaient s'écrouler autour de moi, et je me demandais ce que cette journée me réservait encore.

La bouteille de bourbon était devant moi. Je m'en envoyai une lampée au goulot. L'alcool me brûla la gorge, m'étouffant presque. Et puis j'entendis qu'on frappait doucement à la porte vitrée donnant sur le garage. Levant la tête, je vis le visage du Dr Stokes de l'autre côté. Il entra sans attendre que je lui fasse signe. Il portait un blouson de daim, une chemise blanche et un jean. Ses cheveux blancs étaient bien peignés.

— Je ne te demande pas si je tombe mal, dit-il.

Il avait un beau visage sillonné de rides et une expression chaleureuse. S'adossant à la porte, il ancra ses mains à son ceinturon en balayant des yeux la cuisine.

— Où est-ce que tu ranges les verres ? demanda-t-il.

Je désignai sans un mot l'un des placards, redoutant le son de ma propre voix. S'avançant dans la pièce, il s'arrêta à ma hauteur. Un instant, je pensai qu'il allait me serrer la main ou de donner une tape sur l'épaule mais, au lieu de ça, il ramassa le journal grand ouvert sur la table, et le replia. Les éclats du verre que j'avais brisé crissaient sous ses semelles. Il remplit deux grands verres de glaçon.

— Tu n'aurais pas d'eau gazeuse, par hasard ? demanda-t-il.

— Il y en a dans la glacière, répondis-je en me levant.

— Reste assis, Work, tu m'as l'air épuisé.

(Je le laissai préparer les boissons.)

— Le bourbon est meilleur avec du soda, tu sais. Ça te brûle l'estomac de le descendre sec. (Il me tendit un verre.) Et si on allait dans ton bureau, plutôt ?

On prit le couloir pour gagner mon bureau – une petite pièce confortable aux murs verts, avec de grands fauteuils en cuir devant une cheminée. Stokes prit place en face de moi, son verre à la main.

— Je ne serais pas venu si Barbara avait été là, me dit-il. À moins qu'elle...

— Non, rassure-toi, elle est partie.

— C'est ce qu'il me semble.

On sirota nos verres en silence pendant un moment.

— Comment va ta femme ? lui demandai-je, mesurant l'absurdité de ma question en pareilles circonstances.

— Bien, répondit-il. Elle fait une partie de bridge chez des voisins.

— Elle était à la maison, quand la police était ici ? demandai-je, contemplant le liquide ambré dans mon verre.

— Oui, elle a tout vu. Difficile de faire autrement. Les flics n'ont pas fait dans la discrétion. (Il sirota une gorgée.) Je t'ai aperçu dans ton pick-up, en bas de la rue. J'avais de la peine pour toi, et j'ai dû me faire violence pour ne pas te rejoindre, parce que ça n'aurait pas été une bonne chose à faire.

Je lui souris.

— Et tu as eu raison, parce que j'aurais été de bien mauvaise compagnie.

— Je suis vraiment désolé de ce qui t'arrive, Work, et je ne crois pas une seconde que tu aies pu faire ce dont ils te soupçonnent. Je veux que tu saches que ma femme et moi nous sommes prêts à t'aider, quoi que tu nous demandes.

— Merci.

— Nous sommes tes amis. Nous l'avons toujours été.

Ces paroles me firent du bien. Nous restâmes un instant silencieux.

— As-tu jamais rencontré mon fils, William ? demanda soudain le Dr Stokes.

— Le cardiologue installé à Charlotte ? Oui, j'ai fait sa connaissance. Mais cela remonte à trois ou quatre ans.

Le Dr Stokes me regarda.

— J'aime ce garçon, Work. Je l'aime plus que moi-même. Il est ma joie et ma fierté.

— Je peux le comprendre.

— Attends, je ne suis pas encore devenu sénile. Je parle de lui parce que j'ai une histoire à te raconter, une histoire qui contient un message.

— D'accord, dis-je, perplexe.

— Quand Marion et moi sommes venus nous installer à Salisbury, je venais tout juste de terminer mon internat à Johns Hopkins. J'étais jeune et, je l'avoue, bien naïf. Mais j'aimais la médecine, et j'étais impatient de me faire une clientèle. Marion, elle, voulait une famille. Elle avait rongé son frein pendant toutes mes études, mais son désir d'enfant était plus fort que celui que j'avais de me faire un nom. Et, finalement, un fils vint.

— William, dis-je.

— Non, pas William, dit-il, vidant son verre. Michael est né un vendredi, à quatre heures du matin. Tu ne l'as jamais connu. Tu es né toi-même bien plus tard. C'était un beau garçon, et nous l'aimions. (Il eut un rire amer.) Bien sûr, je travaillais comme un fou et je n'étais pas souvent là pour lui, si ce n'est le soir, au coucher, pour lui raconter une histoire, et une promenade au parc de temps en temps. Mais voilà, j'avais mes patients, des responsabilités.

— Je comprends, dis-je, mais il ne parut pas m'entendre.

— Marion voulait d'autres enfants, bien sûr, mais pas moi. J'étais en train de rembourser l'emprunt que j'avais dû faire pour payer mes études, et c'est tout juste si j'avais un peu de temps pour Michael. Marion n'était pas contente, inutile de te le dire, mais elle accepta la situation.

Je vis une ombre voiler le regard du vieil homme.

— Michael, reprit-il d'une voix sourde, avait trois ans et demi quand il est mort de leucémie, après sept mois de calvaire. (Il leva vers moi un regard sec, qui n'en était pas moins chargé d'une grande douleur.) Je te passe les détails de ces longs mois, Work. Ce fut aussi horrible que tu peux l'imaginer. Personne ne devrait souffrir une telle misère. Mais vois-tu, reprit-il, si Michael n'était pas mort, nous n'aurions jamais eu William. C'est aussi une chose douloureuse à dire, comme s'il y avait là quelque terrible échange. Michael vit toujours dans notre mémoire, mais William, lui, est réel, et cela depuis bientôt cinquante ans. Je ne sais pas quelle aurait ma vie si Michael était encore en vie. Peut-être aurait-elle été meilleure, qui peut le savoir ? Mais voilà, William est là, et c'est tout ce qui compte.

— Je ne comprends pas très bien pourquoi vous me dites tout ça, docteur.

— Non ?

— Désolé, mais j'ai les idées brouillées, en ce moment.

Il se pencha en avant et posa une main sur mon épaule.

— Work, me dit-il, l'enfer n'est pas éternel, et il ne nous empêche pas d'espérer. La mort m'a appris qu'on ne sait jamais ce qui nous attend de l'autre côté. Pour moi, ç'a été William. Et pour toi aussi, il y aura quelque chose. Il te faut seulement garder la foi.

Il se fit un bref silence, tandis que je considérais ses paroles.

— Cela fait bien longtemps que je n'ai mis les pieds dans une église, dis-je, tandis qu'il se relevait en s'appuyant de sa main sur mon épaule.

— Je ne parlais de foi religieuse, mon garçon.

Je l'accompagnai jusqu'à la porte.

— Alors, de quelle foi s'agit-il ? lui demandai-je.

Il se tourna vers moi et, du plat de la main, me tapota la poitrine.

— La foi de te sortir du trou, aussi profond soit-il.

20.

Il était quatre heures du matin, il faisait froid et humide. Je contemplais l'entrée du conduit, trou noir pâlissant la nuit autour de lui. Dissimulé dans les broussailles en bordure du parking, je percevais en contrebas le gargouillement du ruisseau sur le tapis de débris poussés par les pluies jusqu'à l'entrée de la voûte. Cent mètres plus loin, ce qui restait du centre commercial était ceinturé de camions et de bulldozers enveloppés dans un silence d'acier que seul rompait le ruissellement de l'eau... une petite voix enfantine qui murmurait, *Viens, entre, n'aie pas peur.*

Je m'étais garé derrière le magasin de pneumatiques jouxtant le centre. La boutique était fermée, bien sûr, mais il y avait là d'autres véhicules en stationnement, et mon pick-up ne risquait pas d'attirer l'attention. Je m'étais équipé pour la tâche – vêtements sombres et bottes en caoutchouc. J'avais pris ma batte de base-ball, j'aurais volontiers emporté un flingue, si j'en avais eu un. J'avais aussi une torche électrique dont les piles – je venais juste de le constater – n'étaient pas fameuses, mais je savais que si je retournais en chercher des neuves, je n'aurais pas le courage de revenir.

C'était en dessous de la première grille d'égout en partant de l'entrée du conduit que je devrais chercher. Ce puisard était le plus proche de l'endroit où on avait découvert le corps d'Ezra, et c'était là qu'avait été jeté le revolver. Je savais aussi qu'à cet endroit précis un épaulement de béton se dressait tel un autel sur lequel m'attendait le plus terrible de mes souvenirs.

— Et merde, grommelai-je, c'était il y a bien longtemps de ça.

Je dévalai le talus herbeux, ne tombant qu'une seule fois sur les fesses, et pris pied dans le ruisseau avec un floc sonore. Je m'étais griffé le visage à un buisson mais n'avais lâché ni la batte ni la torche.

Voilà, j'y étais, et je devais faire vite. Il y avait peu de chance qu'un flic passe par là, mais je ne pouvais éliminer ce risque. Cette fois, l'obscurité était mon alliée, et le tunnel mon sanctuaire.

J'allumai la torche et, me courbant, entrai sous la voûte. Elle me parut plus basse et plus étroite que j'en avais le souvenir. L'eau m'arrivait aux chevilles, et le fond sous mes bottes était un mélange de boue, de cailloux et de détritus de toutes sortes. La paroi sous ma main était humide et grasse, et cette sensation fit brutalement remonter un souvenir de sanglots et de cris. Les faisant taire d'un coup de batte, j'avançai, m'enfonçant un peu plus dans les ténèbres. Je pris soudain conscience du rythme régulier de mon souffle et des battements de mon cœur. En vérité, je me sentais fort, regrettant de ne pas l'avoir été bien des années plus tôt. C'était comme une thérapie et, à cet instant, j'aurais donné cher pour retrouver le salaud qui avait tant hanté mes rêves. Mais il était probablement mort, à ce jour.

Continuant ma progression, je parvins à la table de béton sous le puisard. Je la balayai du faisceau. Ce que je cherchais n'était pas là, mais comme mon regard s'attardait sur la surface rugueuse, je remarquai des taches brunes, semblables à celles que laisse le sang en séchant. Je me figeai, comme sous l'effet d'une apparition, et un horrible flash-back m'emporta. Les images étaient si fortes que je ressentais dans mon esprit et ma chair ce que j'avais vécu ce jour-là... le sang épais coulant sur ses cuisses, ses paupières tuméfiées, le bref éclat de ses yeux, quand dans un murmure elle m'avait remercié.

Bon Dieu, me remercier!

Pris d'un vertige, je raclai la plaque à pleines mains pour effacer tout souvenir. Ce qui était fait était fait. J'étais venu là pour retrouver l'arme. Posant la torche sur le rebord en ciment, je plongeai les mains dans l'eau, tâtant le fond. Le revolver devait être ici, le courant n'était pas fort, me disais-je, avant de penser soudain aux orages et au flot torrentueux qui devait parfois s'engouffrer là-dedans, charriant déchets et branches mortes. Une arme à feu pouvait-elle être emportée?

Je me redressai et, ramassant la lampe, braquai le faisceau dans le tunnel. Il devait bien s'étendre sur plus de cinq cents mètres. Une bien longue distance.

Peut-être Max s'était-il trompé. Peut-être n'était-ce pas la bonne bouche d'égout, peut-être que quelqu'un, un fumeur de crack cherchant un lieu tranquille, était-il tombé sur l'arme.

De nouveau, je scrutai l'eau avec la lampe. En vain. Découragé, je m'assis sur la plaque de béton. Le faisceau de la torche faiblissait à vue d'œil, mais je m'en fichais. Qu'elle s'éteigne. Ce tunnel ne me faisait plus peur. Mes démons se conjuguaient au passé. M'adossant à la paroi, ce fut d'un geste purement machinal que je braquai la lampe sur la voûte au-dessus de moi. Il me fallut une seconde pour enregistrer ce que je voyais. Le puisard ne donnait pas directement dans le tunnel mais sur une lèvre en béton de près d'un mètre de large sur autant de longueur.

Je grimpai aussitôt sur la table et, me dressant de toute de ma taille, découvris un déversoir obstrué de débris de toutes sortes. Plongeant le bras à l'intérieur, j'entrepris de dégager brindilles, feuilles mortes et déchets avec des gestes frénétiques, redoutant de ne pouvoir en atteindre l'extrémité. Soudain, je sentis du bout des doigts un objet dur, métallique. Patiemment, je le poussai d'un côté et de l'autre, le rapprochant insensiblement, jusqu'à ce que ma main se resserre dessus. Je savais ce je tenais. Max avait vu juste.

Accroupi sur la table, je reconnus à la lueur de la torche le revolver d'Ezra. Il ne m'avait jamais permis de le toucher, mais pour l'avoir vu un jour le braquer sur ma propre mère, comment aurais-je pu l'oublier. C'était un Smith & Wesson en acier à crosse nacrée gravée aux initiales d'Ezra Pickens. Il était très fier de cette arme.

J'ouvris le barillet. Six cartouches, dont deux tirées, portant la marque du percuteur. Je ne doutais pas qu'en dépit de la corrosion qu'il avait subi, le coup partirait si je pressais la détente. Un instant, je me vis porter le canon à ma tempe et faire feu. Le geste ne serait pas sans élégance.

Je refermai d'un coup sec le barillet. Je tenais en main l'instrument de la mort de mon père. Son dernier regard avait-il été suppliant ? Méprisant ? Quelles avaient pu être ses pensées face à sa propre fille qui le mettait en joue ? Avait-il mesuré soudain sa responsabilité ou bien avait-il affiché sa morgue légendaire. Je penchai à regret pour cette dernière attitude, car il n'avait jamais témoigné la moindre estime à Jean.

J'eus soudain le besoin urgent de fuir ce trou à rat et les souvenirs dont il était chargé. Je devais me débarrasser de cette arme et puis décider de la suite. Mais, d'abord, avec un mouchoir, j'entrepris de l'essuyer minutieusement, y compris son mécanisme, les quatre cartouches intactes et les deux douilles. J'avais connu des gens qui étaient tombés pour avoir négligé ces élémentaires précautions.

Si les flics me surprenaient avec, Jean serait hors de danger, et j'aurais au moins servi à ça, bien que ce ne fût pas suffisant.

Jetant un dernier regard à ce lieu sinistre, je me remis en route vers l'entrée du conduit, le faible écho de mes pas clapotant derrière moi. Je retrouvai bientôt l'air frais et la lueur de la lune et, réprimant une envie de m'agenouiller pour remercier le Ciel, je grimpai le talus broussailleux, et le ruissellement de l'eau ne fut plus qu'un murmure presque imperceptible.

21.

Complice après coup, je tenais l'arme du crime dans ma main. La joue entaillée, crotté des pieds à la tête, je redoutais que les flics ne me tombent dessus avant que je puisse achever ce que j'avais entrepris. Je n'étais pas encore un individu recherché, mais cela ne tarderait plus. Cinq jours s'étaient écoulés depuis la découverte du corps de mon père – cinq jours pendant lesquels j'avais appris deux ou trois choses de la vie. Mon père disait que nous avions chacun nos démons à combattre, mais il oubliait de dire que, pour cela, il fallait d'abord les identifier, ces démons.

J'étais seul sur le pont, situé à moins de dix kilomètres de la ville. Le jour se levait. La rivière coulait en dessous dans un murmure résolu. Je tâtais le revolver dans ma poche en pensant à Jean, et à ce qu'elle avait dû ressentir après avoir pressé la détente, fuyant le lieu du crime pour tenter encore de vivre. Je comprenais mieux ses tentatives de suicide. D'une certaine manière, j'avais emprunté la même route. Ce qui m'avait paru fou devenait maintenant parfaitement sensé. Après tout, qu'avais-je à perdre ? Une carrière prometteuse ? Une famille ? L'amour d'une femme aimante ? Non, je n'avais que le souvenir de Vanessa, et la pensée que nous aurions pu être tellement heureux.

Jean était le dernier membre de la famille qui me restât, et peut-être pouvais-je faire quelque chose pour elle. Si je me tuais maintenant avec le revolver d'Ezra, je passerais pour l'assassin de mon père. L'affaire serait classée. Jean pourrait alors connaître un peu de paix, quitter Salisbury et s'installer quelque part où les fantômes des disparus ne seraient plus là pour la hanter. Pourrais-je en faire de même avec Vanessa ?

La réponse était non. Elle avait choisi à juste titre son propre chemin. Alors, pourquoi hésiter ? Il suffisait d'un petit instant de courage.

J'armai le chien du revolver, déclic qui résonna comme une sommation. Avais-je cherché et retrouvé cette arme pour la retourner contre moi ? Non, je l'avais fait pour Jean. Mais l'idée d'en finir me paraissait légitime. Une détonation, une brève douleur, et ma petite sœur serait libre. Mills aurait son butin de chair, et ma mort aurait au moins servi à quelque chose.

Contemplant la rivière, je vis les premiers rayons du soleil éclaircir la brume et toucher la cime des arbres. Le monde s'éclairait sous mes yeux. Pointant le canon sous mon menton, je tentai de puiser la force d'actionner la détente dans le souvenir de visages aimés, celui de ma mère juste avant qu'elle ne tombe dans l'escalier, et celui de Jean maudissant ma soumission à Ezra. Visage de Vanessa, battue et violentée dans la boue d'un égout. Ça s'était passé sous mes yeux, et j'en éprouvais encore la même honte douloureuse. Cette pensée me donna la force de resserrer mon index et de presser le canon si violemment sous mon menton que je levai la tête malgré moi. Dans le ciel, une buse en chasse planait, rémiges écartées, dessinant de larges cercles. Je l'observai, médusé, jusqu'à ce qu'elle s'éloigne, et compris que je ne me tuerais pas.

J'abaissai mon bras, le revolver pendant à mon index, et, dans le silence du petit jour, les larmes jaillirent, brûlant mes joues. Je ne regardai pas où tombait le revolver quand je le balançai dans la rivière. Le front plaqué contre la balustrade en fer, je pleurai au nom des souvenirs et des échecs, de ce qui aurait pu être et qui n'avait pas été, jusqu'à ce que soudain je reprenne conscience que je respirais, que j'étais vivant, que pendant longtemps encore je pourrais contempler le ciel et me souvenir.

Je quittai la rivière. Je sentais renaître en moi de la force et de la détermination, et même quelque chose comme de l'espoir. Sur la route, derrière mon volant, je mesurai que j'avais encore touché le fond mais que, cette fois, j'avais rebondi. Je m'en étais sorti vivant et, cette fois, ce n'était pas au prix de la lâcheté. J'aurais pu presser la détente et, si je ne l'avais pas fait, c'était parce que j'avais enfin accepté que la vie ne soit pas parfaite, qu'elle ne le serait jamais. Max avait raison à ce sujet.

Arrivé chez moi, je m'arrêtai en bas de l'allée pour regarder dans la boîte aux lettres. La photo d'Alex destinée à Hank n'y était plus. J'en conclus qu'il était passé la prendre. Dans un sens, j'étais soulagé de ne pas m'être trouvé là. J'avais perçu de la méfiance dans sa voix, et j'aurais souffert de la lire dans son regard. Plus tard, peut-être. Pour le moment, j'avais assez encaissé comme ça.

L'épuisement me tomba littéralement dessus en entrant dans la cuisine. J'eus le plus grand mal à me débarrasser de mes bottes. La maison était vide, ce qui ne m'étonnait pas. J'avais besoin de manger, de boire du café, mais je préférai me laisser choir dans le fauteuil à côté de la petite table à laquelle Barbara passait une bonne partie de son temps à bavarder au téléphone avec ses amies. Les pieds posés sur le plateau de bois verni, le pantalon mouillé et maculé de boue, je restai ainsi prostré pendant un long moment, à contempler le clignotement du répondeur. Finalement, j'appuyai sur le bouton d'écoute, et la machine m'informa de sa voix numérisée que j'avais dix-sept messages.

Treize provenaient de journalistes. Je les effaçai. Il y en avait un de Hank, me confirmant qu'il était passé prendre la photo, et trois de Barbara. Le premier, la voix était suave; au deuxième, elle était polie. Le troisième vibrait de colère. Oh, elle se gardait bien de crier, mais la sécheresse du ton ne me trompait pas. Où est-ce que j'avais disparu ? Telle était la question. Elle devait s'imaginer, bien entendu, que j'étais chez Vanessa.

J'effaçai aussi ses messages. Il était six heures et demie du matin. Trop tard pour dormir. Je passai dans la cuisine pour me faire du café. Je sortais la cafetière quand le téléphone sonna. Je laissai le répondeur prendre la communication. Soudain, je me figeai. La voix que crachotait l'appareil était celle de Jean… une voix faible, angoissée.

— Work ? Tu es là ? Work, s'il te plaît…

Je m'empressai de décrocher.

— Je suis là, Jean ! Je suis là !

— Tant mieux, dit-elle si bas que je pouvais tout juste l'entendre. Je voulais… je voulais te dire…

— Me dire quoi, Jean ?

— Dire que ça va bien… que je te pardonne… Tu t'en souviendras, hein ?

— Jean ! m'écriai-je, alarmé. Où es-tu ?

— … je te dis que ça va bien, que je te pardonne…

— Jean, où es-tu, dis-le-moi. Que se passe-t-il ?

— Dis-le-moi, que tu t'en souviendras… j'ai besoin de l'entendre.

— Je m'en souviendrai, Jean, lui répondis-je sans comprendre ce qu'elle attendait de moi.

— Je t'aime, Work, reprit-elle d'une voix si ténue que j'avais le plus grand mal à l'entendre. Ne laisse pas Alex prétendre que ce n'est pas vrai. Tu es mon frère, tu l'as toujours été, même quand je voulais tellement…

Soudain, je compris ce qu'elle venait de faire, et cette seule idée me foudroya.

— Pour l'amour de Dieu, Jean ! m'écriai-je.

Il se fit un silence à l'autre bout du fil, et puis je perçus un faible rire.

— C'est drôle, dit-elle, que tu parles de Dieu. Je le lui dirai si je le vois.

Dans le bref silence qui suivit, je perçus un bruit sourd, et compris que le téléphone venait de lui échapper des mains.

— Jean ! hurlai-je. Jean !

Mais cette fois, elle ne répondit pas.

Reposant le combiné sans raccrocher, j'appelai les urgences sur mon portable, indiquai à la réceptionniste ce qui se passait et lui donnai l'adresse de Jean. Ils envoyaient immédiatement une ambulance, me dit-elle. J'appelai ensuite chez Jean, mais la ligne était occupée. J'en déduisis que ma petite sœur était chez elle.

Renfilant mes bottes, je raflai mes clés de voiture et courus à mon pick-up. Ce n'était pas un véhicule taillé pour la vitesse mais il n'y avait pas encore de circulation à cette heure matinale, et j'arrivai avant l'ambulance. Je courus à la porte, cognant au battant et appelant Alex sans obtenir d'autre réponse que les aboiements d'un chien de l'autre côté de la rue. Je shootai de toutes mes forces à hauteur de la serrure. Le bois craqua. Un coup d'épaule acheva la besogne, et je fus dans la pièce obscure, appelant Jean de toutes mes forces. Alex apparut soudain dans l'encadrement de la chambre. Elle était en short et t-shirt, les cheveux en bataille. Elle venait d'émerger.

— Où est Jean ? lui demandai-je.

— Mais qu'est-ce que tu fous ici ? Tu casses ma porte, maintenant ?

Je fus sur elle en une seconde, la saisissant par les épaules et la secouant si fort que ses dents claquèrent.

— Où est-elle ?

Alex se dégagea et, après une brève retraite dans la chambre, revint avec un revolver qu'elle pointa sur moi en armant le chien.

— Fous le camp d'ici, Work, avant que je te colle une balle.

Ignorant sa menace, je fis un pas vers elle.

— Putain, Alex, il est arrivé quelque chose à Jean. Elle m'a appelé. Elle va très mal. Où est-elle ?

La nouvelle parut l'ébranler. Elle me regarda.

— De quoi parles-tu ?

— Je pense qu'elle est en train de se suicider.

L'incertitude se lisait maintenant sur le visage d'Alex. Elle balaya la pièce d'un regard.

— Je ne sais pas où elle peut être, dit-elle. Elle n'est pas dans la chambre, en tout cas.

— Comment ça, tu ne sais pas où elle est ?

— Je dormais quand tu as débarqué. Tu m'as réveillée. Elle n'est pas dans le lit, vas-y voir, si tu ne me crois pas.

— Alors, explique-moi pourquoi votre ligne sonne occupé.

— La nuit, on décroche toujours le téléphone.

Sans un regard pour Alex, je fis le tour de la maison. Jean n'était nulle part.

— Sa voiture ! m'exclamai-je en courant à la fenêtre. (Mais il n'y avait que la vieille Ford d'Alex.) Où est-ce qu'elle a pu aller ? Réfléchis vite, Alex !

Mais elle semblait perdue, secouant la tête d'un air confondu.

— Elle ne ferait pas une chose pareille. Jamais elle ne me quitterait comme ça. Non, pas Jean, ajouta-t-elle en me prenant soudain le bras. Elle ne le ferait pas sans moi.

— Eh bien, elle l'a fait, et toute la question est de savoir où.

À peine avais-je posé cette question que la réponse s'imposait à moi avec une absolue certitude.

— Jean a un portable ? demandai je.

— Oui, bien sûr.

— Oh, mon Dieu, elle est dans la maison de mon père.

— Comment le sais-tu ?

— Une intuition. (Je me tournai vers la porte.) Tu connais l'adresse d'Ezra ?

— Oui.

— Alors appelle les urgences, et donne-leur l'adresse.

— Et puis, je fais quoi ?

— Tu attends ici, au cas où l'ambulance arrive. Dans ce cas, tu les guides jusque chez Ezra.

— Non, dit-elle. Elle a besoin de moi. Il faut que j'aille là-bas.

— Pas cette fois.

— Tu ne peux pas m'en empêcher, Work.

J'étais déjà à la porte. Je me retournai.

— C'est moi que Jean a appelé au secours, Alex. Pas toi.

Je la vis encaisser le coup, mais je ne ressentais aucune satisfaction à la voir souffrir. Je devais toutefois lui préciser une chose de plus.

— Je t'ai avertie, Alex. Je t'ai dit que Jean avait besoin d'aide, et je te tiens pour responsable de ce qui arrive.

La seconde d'après, je sautai derrière le volant et fonçai. La maison de mon père n'était qu'à trois kilomètres de là, mais la circulation était plus dense, à présent. Il n'était plus question de respecter le code. Zigzaguant entre les voitures, empruntant un sens unique qui me permit de couper tout droit vers mon but, je surgis dans l'allée et freinai dans une gerbe de gravillons derrière la voiture de Jean. Je courus à la porte de derrière. Fermée à clé ! Et les clés, je les avais laissées dans le pick-up. Quelques secondes plus tard, j'étais de retour. Enfin à l'intérieur, je fis de la lumière, hurlant le nom de Jean, qui résonna sur les sols de marbre et sous les hauts plafonds qui hantaient encore ma mémoire.

Je parcourus d'abord le rez-de-chaussée, car elle pouvait être n'importe où. Je pensai à son ancienne chambre de jeune fille à l'étage mais je n'avais pas fait deux mètres dans cette direction que je devinai avec une certitude qui m'arracha un frisson où elle se trouvait.

L'instant d'après, j'étais au pied du grand escalier, où elle gisait au milieu d'une mare de sang. M'agenouillant auprès d'elle, je vis les longues entailles verticales aux deux poignets et la lame de rasoir à côté sur le tapis.

Le sang continuait de sourdre des entailles.

— Jean ! appelai-je, mais elle avait perdu conscience.

Lui ôtant ses tennis, j'en défis les lacets avec lesquels je m'empressai de lui garrotter les poignets juste au-dessus des entailles, afin de stopper l'hémorragie. Puis, pressant doucement la veine jugulaire, je tâtai son pouls. Celui-ci était si faible que j'eus le plus grand mal à le sentir sous mes doigts. Ne sachant que faire d'autre, je lui remontai les bras sur la poitrine puis lui soulevai la tête pour la poser sur mes genoux.

Ainsi penché sur elle, je cherchai en vain un signe d'espoir sur ce visage pâle comme de l'ivoire. Elle avait la bouche entrouverte, et je pouvais voir qu'elle s'était mordu les lèvres. Cependant, c'était bien elle, ma petite sœur, avec qui j'avais, enfant, partagé bien des rires et des pleurs. À cet instant, je me jurai que si elle survivait, je ferais tout ce qui serait en mon pouvoir pour lui rendre la vie heureuse. Je me mis à lui parler, lui dire des mots dont je ne garderais pas le souvenir.

Et puis une vague de bruits et de mouvements déferla soudain autour de nous – cliquetis d'une civière métallique qu'on dépliait, instructions données d'un ton sûr, mains qui m'écartaient gentiment. Jean était soudain entourée d'hommes en blanc qui pansaient ses poignets, posaient une perfusion, la couvraient pour la maintenir au chaud. Le médecin me demanda si c'était moi qui avais posé les garrots ; j'acquiesçai.

— Eh bien, vous lui avez sauvé la vie, me dit-il.

Puis, levant la tête, je rencontrai le regard d'Alex. Elle semblait avoir retrouvé cet orgueil et cette colère qui faisaient sa force, mais je savais qu'à cet instant, elle partageait avec moi la même pensée : si Jean vivait, c'est à moi qu'elle le devrait.

Puis les secouristes emportèrent Jean sur la civière, et nous restâmes seuls, elle et moi.

— Tu vas à l'hôpital ? me demanda-t-elle.

— Oui, et toi ?

— Bien sûr.

Je remarquai soudain qu'elle était pieds nus. Avait-elle, dans son émoi, oublié de se chausser ?

— Tu crois qu'elle s'en tirera ? demanda-t-elle.

— D'après l'urgentiste, elle vivra, si c'est ça, ta question.

Je la regardai plus attentivement, et vis qu'elle avait pleuré.

— Et toi, tu penses qu'elle s'en sortira un jour, de ses problèmes ?

— Je la croyais forte, dit-elle, mais, là, je ne sais plus très bien. Nous nous disions toujours que...

Elle passa une main sur son visage, et je me souvins soudain de ce qu'elle avait dit un peu plus tôt à la maison, et je sentis un froid m'envahir.

— Vous vous êtes toujours dit que vous... partiriez ensemble, n'est-ce pas ?

Elle recula d'un pas comme sous l'effet d'un coup, et je vis qu'elle avait laissé une empreinte rougie de sang de son pied sur le parquet. Je lui dis ce que je pensais.

— Pas sans moi, c'est que tu as dit.

— Quoi ? fit-elle, élevant la voix.

— Elle ne partirait pas sans toi, ce sont tes propres paroles, et je veux savoir ce que ça signifie.

Je m'étais levé sans même m'en rendre compte. J'étais en colère.

— C'est de ça dont vous parliez. Vous flinguer ensemble, hein ?

— Non, dit-elle, reculant encore.

— C'est donc ça toute l'aide que tu lui apportais ? Alors, c'est un miracle qu'elle soit encore en vie, et je comprends maintenant pourquoi elle m'a appelé au secours, moi, et pas toi.

Alex s'immobilisa soudain, et je la vis se redresser. Elle n'était plus sur la défensive mais en colère, une Alex que je connaissais trop bien.

— Non, tu te goures, dit-elle.

— Jean m'a appelé parce qu'elle avait besoin d'aide. Pourquoi moi, et pas toi, sa compagne ?

— Tu ne pourrais jamais comprendre. Ne te prends pas pour ce que tu n'es pas. Vous êtes bien tous les mêmes.

— Qui ça, les hommes ? Les hétéros ?

— Ouais, les hommes, et en particulier les Pickens, comme toi et ton salaud de père.

— Ah ouais, mais encore ?

— Tu n'as pas le droit de nous juger.

J'étais furieux, à présent. J'avais peur aussi. M'associer à mon père était une insulte insupportable. Je pointai ma main en direction du couloir que l'équipe de secours avait pris, emportant ma sœur.

— Ce droit m'appartient, criai-je, et c'est ma sœur qui me l'a donné. Si elle s'en sort – et tu devrais prier pour ça – on verra qui a le droit et qui ne l'a pas, parce que je vais la faire soigner. Je veux qu'elle reçoive toute l'aide dont elle a besoin.

— Si tu es encore là, dit Alex, le regard mauvais.

— C'est une menace ?

Elle haussa les épaules.

— Je veux juste dire par là que tu as bien d'autres soucis devant toi.

— Tu pourrais préciser ?

— Tu sais très bien de quoi je parle. Maintenant, si tu as terminé ta tirade, je vais à l'hôpital. Mais souviens-toi que tu n'auras jamais aucun pouvoir sur Jean tant que je serai là.

— Elle m'a appelé pour me dire qu'elle m'aimait, que j'étais toujours son grand frère. Tu vois, je n'ai pas besoin d'exercer un pouvoir sur elle. Je viens de lui sauver la vie, comme je l'ai déjà fait une fois, bien avant qu'elle te rencontre. Alors, on ferait mieux de voir ensemble ce que nous pourrions faire pour aider celle que nous aimons tous les deux.

Si j'avais espéré faire baisser sa garde à Alex, je m'étais trompé.

— C'est pas ce que je voulais dire, Work, et tu le sais bien. Arrête un peu de jouer les avocats.

Sur ce, elle s'en fut dans le tapement feutré de ses pieds nus, et je restai seul dans cette maison trop familière. Je portai mon regard vers l'escalier. Du sang rougissait le bas des marches ; des empreintes de pas partaient en s'estompant vers le couloir et la porte d'entrée. Apercevant le téléphone portable de Jean, je le ramassai et le posai sur la console près de la porte.

Je songeais à me rendre à l'hôpital, mais je ne doutais pas que Jean s'en sortirait une fois de plus, et puis j'étais trop fatigué pour une nouvelle confrontation avec Alex. Je pensai soudain à ma chambre là-haut, à mon grand lit aux draps blancs, à leur odeur de propre. J'avais envie de faire comme si j'étais de nouveau un enfant, comme si je n'avais pas de souvenirs. Mais voilà, j'étais une grande personne, et j'avais cessé depuis longtemps de me raconter des histoires. Épuisé, je m'allongeai sur le tapis, à quelques pas des taches de sang laissées par ma sœur.

22.

À l'hôpital, on me confirma qu'elle vivrait. Il s'en était fallu d'une minute. Ils ne pouvaient accepter qu'un visiteur à la fois, et je dus passer par l'infirmière pour demander à Alex de m'accorder cinq minutes. Nous nous retrouvâmes dans le couloir sous une lumière crue.

— Comment est-elle ? demandai-je.

— D'après eux, elle s'en sortira.

— Pas de lésion cérébrale ?

Alex secoua la tête en enfonçant ses mains dans les poches de son jean sale.

— Ils ne le pensent pas mais ne le jurent pas non plus.

— Ils me font penser à des avocats, dis-je, sans dérider Alex. Écoute, poursuivis-je, quand Jean reprendra connaissance, elle aura besoin de gens qui la soutiennent, pas de gens qui se font la guerre.

— De gens qui font semblant, tu veux dire ?

— On peut le voir comme ça.

— D'accord, dit-elle, je le ferai pour Jean, mais ça ne changera rien à ce que je pense. Tu es néfaste pour elle, même si elle ne le comprend pas très bien.

— Tout ce que je désire, c'est qu'elle s'en sorte, et qu'elle se sache entourée de gens qui l'aiment.

Alex porta son regard dans le couloir.

— Je vais boire un café, je serai de retour dans dix minutes.

— D'accord. Merci.

Elle commençait de s'éloigner quand elle se retourna.

— Je t'aurais pas tiré dessus, tu sais, me dit-elle.

Je sursautai légèrement; j'avais complètement oublié qu'elle avait pointé sur moi un flingue d'une main qui ne tremblait pas.

— Merci, lui dis-je.

— Je voulais que tu le saches.

La chambre de Jean me rappelait toutes celles où elle avait déjà échoué après chacune de ses tentatives de suicide. Lit étroit, draps blancs, une perche de perfusion, un moniteur cardiaque. Contournant le lit, j'ouvris les rideaux, laissant entrer la chaude lumière du matin, qui éclaira le visage de cire de ma jeune sœur. J'aurais aimé avoir le pouvoir de remodeler cette cire, mais je n'étais pas le mieux placé pour le faire, après avoir manqué moi-même quelques heures plus tôt me tirer une balle dans la tête. De ce point de vue, nous nous étions singulièrement rapprochés. Nous étions en quelque sorte deux survivants. M'asseyant sur la chaise à côté du lit, je lui pris la main et, comme je baissais les yeux sur elle, je rencontrai son regard. Ses lèvres bougèrent. Je me penchai.

— Alors, je suis toujours en vie? murmura-t-elle.

— Oui, tu es en vie, mais il s'en est fallu de peu.

Elle détourna la tête, et je vis des larmes sourdre de ses paupières closes. Un moment plus tard, quand Alex revint, Jean s'était rendormie, et je sortis de la chambre sans un mot.

Une fois dans le couloir, hésitant à m'en aller, je jetai un regard dans la chambre par la petite fenêtre vitrée de la porte. Alex était assise sur la chaise, tenant la main de Jean, qui avait les yeux fermés, et je me demandai si elle s'était rendormie ou bien si elle se détournait maintenant d'Alex, comme elle l'avait fait de moi ? Puis Jean rouvrit les yeux, vit Alex et se couvrit le visage de ses mains, le corps tremblant. Alex était déjà debout, penchée vers sa compagne, pressant son visage contre celui de Jean. Je m'en allai, me sentant de trop dans cette triste petite famille qui était la mienne.

Je sortais de l'ascenseur au rez-de-chaussée, quand j'aperçus Mills près de la porte. Elle regardait par la fenêtre mais je savais qu'elle m'attendait. Comme je me rapprochais, je vis une voiture de patrouille garée le long du trottoir, et un flic en uniforme appuyé à la portière, la main reposant sur la crosse de son arme. Il était jeune et se la jouait.

— C'est pour moi que vous êtes ici ? demandai-je.

Mills se retourna au son de ma voix et me regarda attentivement. Les vêtements sales, tachés de sang, les bottes crottées, j'avais mauvaise allure. À côté de moi, elle incarnait l'autorité amidonnée avec ses pompes bien cirées et l'impeccable pli de son pantalon.

— Oui, c'est pour vous, répondit-elle.

— Et lui ? Je désignai le jeune flic dans la rue.

Pour toute réponse, Mills eut un haussement d'épaules.

— Vous pourriez vous passer de ce cinéma, non ?

Comme s'il m'avait entendu, le policier monta dans sa voiture sans un regard vers nous, et démarra.

— Je vous trouve un peu nerveux, Work, me dit-elle. Je n'ai jamais dit qu'il était avec moi.

— Comment saviez-vous que je serais ici ?

— J'ai eu vent de la tentative de suicide de votre sœur, et j'ai pensé que vous seriez à l'hôpital.

— Je vous remercie de votre sollicitude, dis-je, incapable de dissimuler mon amertume.

— Votre sarcasme est déplacé.

— Écoutez, je ne suis pas d'humeur à vous écouter, inspecteur Mills. Pas ce matin et pas ici, en tout cas. Alors, si vous voulez bien m'excuser.

La contournant, je m'en fus en direction du parking. Le ciel s'était éclairci, et il y avait du monde dans la rue. Je n'avais pas besoin de me retourner pour savoir que Mills me suivait, le bruit de ses pas se rapprochait. Finalement, je m'arrêtai et lui fis face.

— Que me voulez-vous encore ?

Elle s'arrêta à deux pas de moi et me regarda avec son petit sourire froid.

— J'espérais que nous pourrions bavarder un peu, dit-elle. Peut-être avez-vous une ou deux choses à me dire ? Par ailleurs, je n'ai rien de mieux à faire pour le moment.

— Ce n'est pas mon cas.

— Que vous est-il arrivé au visage ?

— Une simple égratignure, pourquoi ?

— Comment est-ce arrivé ?

— En me baladant dans les bois.

— Dans les bois, hein ?

— Oui, j'avais un ou deux cadavres à enterrer.

— Toujours les sarcasmes.

Je lui répondis d'un haussement d'épaules.

— Nous pourrions poursuivre cette conversation au poste, dit-elle d'une voix neutre.

— Au poste, hein ?

— Oui, ce serait peut-être plus productif.

— Vous avez un mandat d'arrêt ?

Elle secoua la tête.

— Alors, ma réponse est non, lui dis-je.

— Vous prétendez donc que vous ne saviez rien du testament de votre père, n'est-ce pas ?

La question, pour le moins inattendue, me prit par surprise. Il y avait danger, là.

— Pourquoi me demandez-vous ça ?

Elle haussa les épaules.

— C'est ce que vous m'avez déjà dit, non ? Et je veux seulement m'assurer que c'est bien le cas, que vous ignoriez les dispositions testamentaires prises par votre père.

Je savais pertinemment ce qu'elle cherchait. La connaissance de testament aurait fourni un mobile plausible, et nous entrions là en terrain miné. Les flics procédaient comme les avocats. Les meilleures questions étaient celles dont ils connaissaient déjà les réponses.

— Je ne suis pas disposé à parler de ça. Ma sœur vient de faire une tentative de suicide. Comme vous le voyez, je suis encore tout taché de son sang, mais cela n'a probablement pas de sens pour vous.

— Je veux seulement la vérité, Work. Comme tout le monde.

— Je sais ce que vous voulez, inspecteur.

Elle ignora mon hostilité.

— Vraiment ?

— Si vous voulez la vérité, alors pourquoi ne pas vous intéresser plutôt à la liquidation du centre commercial. Il y a là des millions de dollars en jeu, des investisseurs en colère, et mon père au beau milieu. Bon sang, c'est dans ce putain de centre qu'il a été assassiné. Mais peut-être n'y voyez-vous aucun rapport.

— Je ne savais que vous étiez informé de cette affaire.

— Peu importe que je l'aie su ou pas. Cherchez-vous de ce côté-là ou pas ? Savez-vous seulement qui sont les bailleurs de fonds ?

— Je mène cette enquête comme bon me semble.

— Oui, je l'ai déjà remarqué.

— Ne faites pas le malin avec moi, Work.

— Alors, enlevez vos œillères et faites votre boulot !

— Votre père n'était que le porte-parole des banques. Son élimination physique ne pouvait en rien bloquer la saisie, comme vous le savez très bien.

— Un meurtre est rarement exécuté de sang-froid. On tue par haine, colère, vengeance, et bien d'autres motifs.

— Vous auriez pu mentionner la cupidité.

— Vous avez fini ?

— Oui, pour le moment.

— Parfait. Dans ce cas, je vais pouvoir aller faire un brin de toilette.

— Ne quittez pas la ville, me dit-elle, alors que je commençais à m'éloigner.

Je tournai les talons et revins vers elle.

— Ne jouez pas ces petits jeux avec moi, inspecteur. Je connais le système. Si vous n'avez pas de quoi justifier un mandat d'arrêt contre moi, je suis libre d'aller où je veux.

Sur ce, je regagnai mon pick-up et démarrai. Sortant du parking, je pris la direction de mon domicile, et ce ne fut qu'en tournant dans ma rue que je m'aperçus qu'elle m'avait suivi. Je compris son message : je pouvais circuler à ma guise, mais elle aurait toujours le dernier mot.

Je me garai dans l'allée et descendis de voiture, tandis qu'elle se rangeait le long du trottoir, à hauteur de la boîte aux lettres. Nous échangeâmes un regard de loin, et je rentrai dans la maison.

Ma rage était telle qu'agrippant le comptoir de la cuisine, je serrai jusqu'à ce que je n'aie plus aucune force. Puis je vis le téléphone, et je n'eus plus qu'une envie, peu m'importait qu'elle fût bonne ou mauvaise. Je décrochai et composai le numéro de Vanessa. Écoutant la sonnerie, je l'imaginai courant répondre, laissant derrière elle un léger parfum, vis ses lèvres murmurer mon nom. Pour toute réponse, je n'eus que le message de son répondeur, ce qui était bien éloigné de mes attentes. Je raccrochai.

Je passai la demi-heure suivante sous la douche, n'en sortant qu'après épuisement du ballon d'eau chaude. Je me séchai et me glissai sous les draps, tout en pensant que j'étais bien trop secoué pour trouver le sommeil. Je me trompais. Je rêvai en noir et blanc, d'ombres sur le sol s'étendant en travers de mes jambes tels des barreaux. Les pieds en sang, je courais, m'enfonçant dans une obscurité de plus en plus dense, jusqu'à ce qu'une nuit d'encre m'immobilise. J'étais aveugle et sourd, mais quelque chose se rapprochait de moi, je le savais.

— Bonjour, Barbara, dis-je sans même me retourner vers elle.

— Il est trois heures de l'après-midi.

— Je n'ai pas beaucoup dormi, la nuit dernière.

— Je sais, dit-elle.

Je me résignai à lui faire face. En tailleur Chanel rose, chapeau assorti, elle était parfaite. La lumière de l'après-midi dessinait de petites ombres aux coins de sa bouche.

— Comment le sais-tu ? lui demandai-je.

— Je t'ai appelé dans la nuit, il devait être quatre heures du matin, et comme tu ne répondais pas, je me suis inquiétée et je suis venue ici. Je regrettais de ne pas être restée à la maison avec toi.

Elle lissa sa jupe. Pas une seule fois, depuis son entrée, elle ne m'avait regardé.

— Tu imagines ma stupeur en découvrant la maison vide.

— Barbara, commençai-je, ne sachant quoi lui dire.

— Je ne veux pas entendre tes excuses, Work. Je prendrais ça pour une insulte. Je peux accepter que tu sois allé la retrouver, car je n'étais pas à tes côtés dans cette pénible situation, et je m'en repens, mais je ne veux pas en parler et ne veux pas non plus entendre tes mensonges.

Je me redressai dans le lit.

— Assieds-toi, Barbara.

Je tapotai le lit à côté de moi.

— Ce n'est pas parce que je suis venue te parler que je t'ai pardonné. Non, je suis là pour te dire comment nous allons faire pour rester un couple uni. D'abord, sache que je ne crois pas une seconde que tu aies pu tuer ton propre père.

— Oh, je te remercie beaucoup de ne pas me prendre pour un assassin.

— Je te dispense de tes sarcasmes, Work, et laisse-moi finir, s'il te plaît.

— Je t'écoute, Barbara.

— Tu ne reverras plus cette Vanessa, et je resterai auprès de toi pour t'aider et affronter cette épreuve avec toi. Je jurerai sur la Bible que tu étais avec moi, la nuit où Ezra a été assassiné. (Elle leva enfin les yeux vers moi. Une étrange lueur animait son regard, et sa voix avait une note dure et tranchante.) Nous sourirons à nos voisins. Quand on nous demandera comment on va, on leur dira qu'on va très bien. Je ferai la cuisine et je coucherai même avec toi. Tout finira par s'arranger et nous n'aurons pas à quitter cette ville.

Je l'observais avec stupeur poursuivre de ce même ton désincarné le tableau qu'elle dressait de notre avenir.

— Nous resterons le plus souvent à la maison pendant quelque temps et recevrons peu, mais tout se passera bien. Glena a déjà passé quelques coups de fil. Nous aurons un peu de mal pendant un moment, mais la tempête passée, tout ira bien.

— Barbara...

— Non, ne m'interromps pas. Pas maintenant, pas après ça. (Se reprenant soudain, elle grimaça un sourire.) Je t'offre une nouvelle chance, Work. Une chance de revenir.

— Revenir à quoi ? lui demandai-je.

— Mais à la normalité, enfin, me dit-elle en s'asseyant à côté de moi, une main posée sur ma jambe.

Ce fut plus fort que moi, je me mis à rire. Un rire dénué de joie, un rire de fou, et je la vis retirer sa main de ma jambe, une expression confuse au visage.

— La normalité, répétai-je ? Parce que notre vie jusqu'ici t'a paru normale ? Tu délires ou quoi ?

— Que veux-tu dire ? dit-elle en se levant.

Repoussant le drap, je me levai dans le plus simple appareil et, m'approchant d'elle, posai mes mains sur ses épaules, pensant à ce qui avait été notre vie commune, à l'inconsistance de nos joies et la vulgarité de nos rêves.

— Il y a deux ou trois choses que je sais, lui dis-je, et la première c'est je ne recommencerai pas ce que j'ai vécu avec toi, ce serait comme d'entrer dans une nouvelle prison.

Sur ce, je m'écartai d'elle et, soudain gêné par ma nudité, je me dirigeai vers le dressing.

— C'est elle, hein ? s'écria-t-elle derrière moi.

— Qui ?

— Cette salope dont tu te sers contre moi ?

Je me retournai.

— De qui parles-tu ?

— Ne joue pas au plus fin avec moi. Je ne serai pas la risée de cette ville, et tu ne me quitteras pas pour une dégénérée, une racaille blanche.

— Je ne vois vraiment pas à qui tu peux faire allusion, et même si j'en ai une petite idée, je peux t'affirmer qu'elle n'a rien à voir là-dedans. Il s'agit de moi, il s'agit de nous. De nos choix, de nos priorités. Il nous faut ouvrir les yeux et voir la réalité en face. Notre vie est une farce, tu n'en as donc pas conscience ? Nous sommes ensemble par habitude, parce que nous ne voulons pas reconnaître notre erreur, parce que la vérité est trop dure pour qu'on l'admette.

— La vérité ? s'écria-t-elle. Tu veux la vérité ? Eh bien, je vais te la dire. Tu penses que tu n'as plus besoin de moi, maintenant que tu vas toucher tout ce fric et pouvoir ainsi te barrer avec cette pute.

— Quel fric ?

— C'est curieux, Work. Ça fait dix ans qu'on vit petitement et, maintenant qu'on voit enfin la fortune nous sourire, je ne suis plus assez bonne pour toi. Je lis les journaux. Je sais qu'Ezra t'a laissé quinze millions de dollars.

Je ne pus m'empêcher de rire.

— D'abord, il n'y a que toi pour oser dire qu'on a vécu pauvrement, alors que je t'ai toujours donné tout ce que je pouvais gagner par mon travail. Quant au testament d'Ezra, je ne verrai jamais cet argent.

— C'est bien vrai, et pour la seule raison que je suis ton alibi, et que tu es en train de me perdre.

— Je ne veux pas d'alibi. Je n'en ai pas besoin. Aussi, tu peux continuer de soigner ces apparences qui te sont si chères, et m'oublier une bonne fois pour toutes.

Un silence de cristal tomba entre nous, et j'en profitai pour m'habiller. J'enfilais mes chaussettes quand Barbara reprit la parole.

— Je crois qu'on s'est un peu emportés, tous les deux. Je ne veux pas me disputer avec toi, et je sais que tu es très secoué par tout ce qui s'est passé, mais je n'en suis pas responsable, comme tu as peut-être tendance à le penser. Alors, revenons un peu en arrière, tu veux bien ?

— Pas de problème, grommelai-je en me chaussant.

— Il nous faut examiner calmement la situation, reprit-elle. Ça fait longtemps que nous sommes ensemble, et il doit y avoir une bonne raison à ça. Moi, je pense que nous nous aimons toujours. Je le sens. Quand tous ces problèmes seront derrière nous, tout nous paraîtra différent.

— Il n'y aura pas d'argent, Barbara. Il n'y en aura jamais. Il faudrait que je vende mon âme pour ça, et c'est une chose que je ne peux faire. Je ne laisserai pas mon père avoir une fois de plus le dernier mot.

— Avoir le dernier mot, mais de quoi parles-tu, Work ? Il y a quinze millions de dollars en jeu !

— Il y en aurait cent fois plus que cela ne changerait rien, affirmai-je en passant devant elle. Nous en reparlerons une autre fois, si tu y tiens, mais je ne vois pas ce que je pourrais ajouter.

— Allons, Work, dit-elle, m'emboîtant le pas, nous traversons une mauvaise période, voilà tout. Quand toutes ces histoires seront derrière nous, ça ira beaucoup mieux, tu verras.

Je pris mes clés et ma serviette en passant par la cuisine.

— Je ne le pense pas, Barbara, lui dis-je sans un regard. Pas cette fois.

J'étais dans l'allée quand elle me lança depuis la porte :

— Tu es mon mari, Work. Tu ne peux pas me traiter comme ça ! »

Je démarrai le moteur.

— Nom de Dieu, je suis ta femme !

Je m'en allai. Pour une fois, Barbara avait raison. Tout passe.

23.

Je me rendis au bureau parce qu'il me fallait faire quelque chose. Sinon, je picolerais encore, et finirais beurré. À la vérité, c'était tentant, mais l'ivresse n'était qu'une échappatoire, une dérobade de plus.

Je m'assis à mon bureau, ignorant le désordre, et cherchai le numéro du médecin légiste. Ancien joueur de foot, ex-fumeur, ex-marié, c'était un bon praticien et un témoin solide en salle d'audience. Nous avions collaboré dans plusieurs affaires, et nous nous entendions bien. Il ne crachait pas non plus sur la bouteille.

Sa secrétaire me le passa.

— Je ne sais vraiment pas si je dois te parler, me dit-il sans préambule d'un ton qui me surprit.

— Et pourquoi cela ?

— Il m'arrive, entre deux autopsies, de lire les journaux.

— Et alors ? dis-je, devinant ses intentions.

— Eh bien, je ne peux rien te dire.

— Il s'agit de mon père.

— Bon sang, Work, tu es un suspect.

— Écoute, je sais qu'il a été tué de deux balles. Je connais le type de cartouche. Je veux juste savoir s'il y a autre chose.

— On se connaît bien tous les deux, Work, mais je ne peux rien te dire sans l'autorisation du procureur ou de la police, tu le sais mieux que moi.

— Tu me crois coupable ?

— Ce que je crois n'entre pas en ligne de compte.

— Tu es légiste, et, dans une affaire de meurtre, ce que tu crois ne compterait pas ?

— Cette discussion est vaine, Work. S'il y a procès, je ne tiens pas à répondre d'une violation du secret médical. Et maintenant, je vais raccrocher.

— Attends, je dois m'occuper de l'enterrement, et j'aimerais savoir quand tu libéreras le corps.

— Mais sitôt que... que le procureur m'aura demandé mes conclusions...

Son hésitation me mit la puce à l'oreille.

— Il y a autre chose, n'est-ce pas ? demandai-je.

— Eh bien, pour ce qui est de la remise du corps, je préférerais que ce soit ta sœur qui le réceptionne, et cela pour les mêmes raisons.

— Elle est à l'hosto, dis-je. Elle a tenté de se suicider, cette nuit.

— Je l'ignorais.

— Eh bien, plus maintenant.

Un silence s'ensuivit. Il avait rencontré Jean une ou deux fois.

— Dans ce cas, j'attendrai le feu vert du procureur. Je devrai mentionner cette conversation dans le dossier, et on te contactera quand la paperasse sera prête. En attendant, je te demanderai de ne plus m'appeler.

— C'est quoi, ton problème ?

— Work, ne te fous pas de ma gueule. J'ai eu vent de ta présence sur la scène de crime. Tu as piégé Mills, et elle est en train de te le faire payer. Ça pourrait lui coûter l'enquête, voire son job. Aussi, je n'ai pas l'intention de me faire avoir à mon tour. Et maintenant, salut.

Il raccrocha, et je mis quelques secondes à en faire autant. À qui avait-il pensé en reconnaissant ma voix. À un collègue ? Un ami ? Non, sûrement pas. C'était le coupable, le parricide qu'il avait soudain au bout du fil. Je connaissais ce type depuis huit ans, et, pour lui, pas de doute, c'était moi, l'assassin. Tout le monde, Douglas, Mills, ma propre femme, la ville entière le pensait.

Je fermai les yeux et revis des lèvres de femme se plisser en une moue méprisante. *Racaille blanche*, disait cette bouche. *Pauvre Barbara, elle aurait dû s'en douter.*

Pris d'une rage soudaine, je me levai et, saisissant le téléphone, je le projetai contre le mur, où il s'éclata en morceaux. Un instant, je restai interdit, le souffle court, puis allai m'installer dans le bureau de ma secrétaire pour appeler, cette fois, les pompes funèbres. Si le directeur était étonné de m'entendre, il n'en montra rien. Sa voix était aussi fluide que le formol dont il devait user pour ses embaumements. Je ne devais pas m'inquiéter, m'assura-t-il. Il me suffisait de fixer la date du service funèbre. Tout le reste était déjà arrangé.

— Votre père avait tout prévu.

— Quand ça ?

Il marqua une pause, comme si toute référence au défunt exigeait une soigneuse et respectueuse considération.

— Oh, depuis un certain temps, déjà.

— Le cercueil ?

— Son choix.

— Le cimetière ?

— Aussi.

— L'éloge funèbre, la musique, la pierre tombale ?

— Votre père a veillé à toutes ces dispositions, et il l'a fait avec le plus grand soin. Et, en grand gentleman qu'il était, il n'a pas lésiné sur la dépense.

— Je m'en doute, dis-je.

— Y a-t-il quelque chose d'autre que je puisse faire pour vous en ces temps difficiles ?

Il avait dû poser tant de fois cette question qu'une voix numérisée aurait paru plus sincère.

— Non, rien, je vous remercie.

— Dans ce cas, je vous suggère de me rappeler quand vous jugerez le moment venu, et de me fixer la date de l'enterrement.

— D'accord, je vous appellerai. (J'allais raccrocher quand il me revint un détail du début de notre conversation.) Qui mon père a-t-il choisi pour son éloge ?

L'homme parut surpris.

— Mais vous-même, naturellement.

— Oui, bien sûr, dis-je, dissimulant ma confusion.

— Autre chose ?

— Non, merci.

Je raccrochai. Quand Ezra avait pris ces dispositions mortuaires, je n'étais pas le même homme qu'aujourd'hui. J'étais son porte-voix, sa marionnette, le dépositaire de sa vérité. Au travers de ma voix, il revivrait une fois encore, de manière à ce que tous les présents se souviennent et fassent acte d'humilité. Voilà pourquoi il m'avait désigné… parce qu'il m'avait fait. Mais les paroles étant vouées à l'éphémère, et le souvenir périssable, il avait créé la Fondation Ezra Pickens qui, elle, saurait perpétuer son nom. Et, ultime assurance, il avait sorti cette carotte de quinze millions de dollars qui, à ses yeux, saurait entretenir la flamme de son souvenir.

Je l'aurais volontiers serré dans mes bras pour lui dire que je l'aimerais toujours et puis je lui aurais démoli la gueule, le laissant pour mort. Car quel était le prix de la vanité, le coût de l'immortalité ? Un nom n'était jamais qu'un nom, qu'il fût gravé dans la pierre ou tatoué dans la chair. Nous n'avions jamais désiré, Jean et moi, qu'un père aimant.

J'étais las, soudain. Les coudes sur la table, le front appuyé à mes mains croisées, je fermai les yeux. Dans le silence, une scène remonta lentement du passé.

C'était la première fois pour elle comme pour moi. J'avais quinze ans, et Vanessa était en terminale. La pluie tambourinait sur le toit de zinc, mais la grange à Stolen Farm était sèche, et la peau de ma belle luisait dans la lumière vespérale. Nous étions des explorateurs et le plaisir cambrait nos corps au rythme du tonnerre. En dessous de nous, dans les stalles fleurant bon le foin, les chevaux raclaient le sol de leurs sabots, comme en signe d'approbation.

— *Tu m'aimes ?*

— *Tu le sais bien.*

— *Dis-le.*

— *Je t'aime.*

— *Dis-le encore.*

Je le fis – trois syllabes, qui imprimaient un rythme à nos corps. Puis sa voix murmura à mon oreille, disant mon nom, Jackson, le répétant encore et encore, jusqu'à m'en remplir.

Soudain, mon nom retentit, et ce n'était plus un murmure mais un appel.

Je rouvris les yeux. J'étais dans le bureau de ma secrétaire. Je levai la tête, et la vis devant moi, réelle.

— Vanessa ?

Elle entra dans la pièce. Je me frottai les yeux, doutant de sa réalité.

— J'ai pensé que tu aurais besoin de voir un visage amical, dit-elle d'une voix qui me semblait être celle d'un amour disparu.

J'avais tant de choses à lui dire, combien je regrettais le mal que j'avais pu lui faire, et combien je redoutais de la perdre. Mais je fus trahi par je ne sais quelle perversité.

— Tu es venue seule ? Sans ton nouveau compagnon ?

Je vis son visage se fermer.

— Ne t'en prends pas à moi, Jackson. C'est déjà assez dur comme ça. Ce n'était pas facile pour moi de venir te voir.

Je me levai.

— Je suis désolé, je ne sais pas pourquoi j'ai dit ça. Je suis un idiot, Vanessa. Je ne me reconnais plus. Tout s'écroule autour de moi.

— C'est très dur pour moi aussi, tu sais, dit-elle.

Je n'en doutais pas, il me suffisait de regarder ses traits tirés, son regard douloureux.

— J'ai essayé de te joindre au téléphone, lui dis-je, mais ça ne répondait pas.

— Je ne voulais pas te parler, et puis j'ai appris tes ennuis et me suis dit que tu avais besoin d'un peu de soutien.

— Tu ne t'es pas trompée.

— Mais ce n'est pas l'amante qui est venue, c'est l'amie, parce que nul ne devrait affronter seul une saleté pareille.

Je hochai la tête.

— Mes proches, mes confrères, tout le monde agit envers moi comme si j'étais le coupable. Les regards se détournent à mon passage.

— Et Barbara ?

— Elle se sert de cette situation comme une arme contre moi. C'est fini entre elle et moi. Je ne reviendrai plus jamais auprès d'elle.

— Elle le sait ?

— Bien sûr, mais elle se refuse à l'accepter.

— Et elle m'en tient pour responsable, je suppose ?

— Oui, et je n'ai pas pu la persuader du contraire.

— Et dire, reprit-elle, qu'il n'y a pas si longtemps j'aurais joyeusement endossé cette responsabilité, parce que cela aurait signifié qu'on pouvait enfin être ensemble.

— Mais plus maintenant ?

— Non, plus maintenant.

J'aurais tout donné à cet instant pour effacer ces paroles mais l'idée de l'avoir perdue me terrifiait au point de me paralyser.

— J'ai trente-huit ans, reprit-elle en me regardant dans les yeux. Dans ma vie, mon seul désir a été qu'on vive ensemble dans cette ferme et qu'on ait des enfants.

Elle avait pâli, et je savais ce que lui coûtait un tel aveu.

— Je t'ai aimé, reprit-elle, écrasant furtivement une larme, comme peut-être aucune femme n'a aimé un homme. Je t'aime depuis toujours, Jackson. Nous avions ce que peu de gens ont. Et puis, tu m'as abandonnée. Tu as épousé Barbara. J'ai failli en mourir mais, comme tu vois, j'ai survécu.

Elle me regarda.

— Je ne pense pas que je puisse jamais te pardonner ça. Mais j'en ai tiré une leçon – une dure leçon, Jackson.

— Non, je t'en prie, dis-je, redoutant ce qu'elle allait me dire.

— Il y a en toi, Jackson, quelque chose d'inaccessible, qui se dresse comme un mur entre nous, un mur contre lequel je me suis heurtée à en saigner. Mais c'est fini, je ne tenterai plus jamais de le renverser.

— Et s'il n'y avait plus de mur ?

Elle parut surprise.

— Reconnaîtrais-tu l'existence de ce mur ?

— Je sais de quoi il est fait.

— Et de quoi ? demanda-t-elle d'un air de doute.

— Une fois que je te l'aurai dit, il n'y aura pas de retour en arrière possible. C'est une chose laide, dont j'ai honte, mais que j'ai souvent été tenté de t'avouer.

— Pourquoi ne pas l'avoir fait ?

— Parce que tu cesserais alors de m'aimer.

— Allons, ça ne peut pas être aussi terrible que cela.

— C'est pire. C'est la raison pour laquelle notre liaison a échoué. C'est ce qui m'a empêché de m'ouvrir à toi. C'est pourquoi j'ai laissé Ezra me marier à Barbara. Encore maintenant, cela me fait peur. (Je la regardais et lisais dans ses yeux ma propre nudité.) Tu m'en voudras, si je te le dis.

— Comment peux-tu penser ça ?

— Parce que je me déteste moi-même.

— Pour l'amour du Ciel, Jackson, dis-moi pourquoi ?

— Parce que je t'ai abandonnée quand tu avais le plus besoin de moi, et parce que ton amour pour moi est le fruit de mon mensonge.

Tendant le bras par-dessus la table, je lui pris la main.

— Je ne suis pas ce que tu crois, Vanessa. Je ne l'ai jamais été.

— Tu te trompes, je sais très bien qui tu es, et tu n'es pas aussi compliqué que tu le prétends.

— Alors, tu veux savoir ?

— J'en ai besoin.

Je contournai la table et, la voyant se raidir, je craignais qu'elle ne fuie, mais c'était sans compter sur la force qu'il lui avait fallu pendant toutes ces années pour m'aimer et ne jamais désespérer de moi.

— Vanessa.

Nous étions l'un face à l'autre, proches à nous toucher, et je sentis ses mains se refermer sur les miennes. Je voulais m'excuser, lui expliquer, lui demander pardon. Au lieu de ça, je m'entendis lui dire que je l'avais toujours aimée, et ce dès la première fois que je l'avais vue, et que cet amour n'avait jamais faibli.

Soudain, elle se mit à trembler, et des larmes jaillirent de ses yeux. La gorge serrée, je la pris dans mes bras.

— Et dire que je m'étais juré de ne pas pleurer, dit-elle contre ma poitrine.

— Tout ira bien, maintenant, tout ira bien, répétai-je en m'efforçant de croire à mes propres paroles.

Je n'entendis pas s'ouvrir la porte du bureau, et je ne découvris ma femme qu'en entendant sa voix.

— Quelle scène touchante, dit-elle d'une voix qui souffla la petite flamme que mes paroles d'espoir avaient allumée.

Vanessa s'écarta de moi et se tourna vers la porte, devant laquelle se tenait Barbara, un bouquet de fleurs dans une main, une bouteille de vin dans l'autre.

— J'avoue, Work, que tu me surprendras toujours.

Elle balança le bouquet dans la corbeille à papiers, et posa le vin sur le guéridon dans l'entrée.

— Qu'est-ce que tu viens faire ici, Barbara ? demandai-je avec colère.

Vanessa s'écarta de moi, tandis que Barbara feignait de ne pas avoir entendu ma question.

— À la façon dont tu m'as toujours parlé de cette petite pute, j'ai pensé que tu n'aurais aucun scrupule à te servir d'elle, au nom du bon vieux temps, dit Barbara en couvrant Vanessa d'un regard de dédain. Un dernier petit coup pour la route, hein, Work ?

Je vis Vanessa pâlir, et mon cœur se serra.

— Tu es loin du compte, Barbara, dis-je, les dents serrées par la rage.

Et puis je vis Vanessa qui se détachait de moi et filait vers la porte, sans que j'aie le temps de la retenir.

— Tu ne pensais tout de même pas que tu pouvais rivaliser avec moi, espèce de racaille blanche ? eut le temps de lui lancer Barbara, alors que Vanessa franchissait le seuil.

Soudain la colère m'emporta. En deux enjambées je fus sur Barbara et la giflai avec une telle force qu'elle tomba comme une quille. Debout au-dessus d'elle, j'eus le plus grand mal à ne pas la frapper à coups de pied, jusqu'à ce qu'elle implore pitié.

Elle dut percevoir mes intentions car elle ne souffla mot, attendant que ma fureur passe et que je redevienne son mari, cette coquille vide qu'elle connaissait depuis dix ans.

— Tu as fini ? dit-elle. Fini de jouer les hommes tels que tu les imagines ?

— Tu crois me blesser en disant ça ?

— Il arrive que la vérité fasse mal.

— Écoute, Barbara. Je te l'ai dit. C'est fini entre nous.

— Ce sera fini quand je l'aurai décidé, et personne ne se moquera jamais de moi. Surtout pas toi ni cette femme.

— Je croirais entendre mon père, dis-je.

Elle me sourit, et je m'étonnai soudain de ne pas en avoir pris conscience plus tôt. Elle était réellement comme mon père. Mêmes valeurs. Même arrogance.

— Je prends ça pour un compliment, dit-elle en se relevant et défroissant sa robe d'un air méprisant.

— Ce n'en était pas un.

Elle tourna vers moi un visage durci.

— Il faut bien que l'un de nous soit fort, dit-elle, et ce ne sera jamais toi.

— Tu peux toujours dire d'un fou qu'il est un génie, mais il n'en reste pas moins un fou.

— Et ça veut dire quoi ?

— Ça veut dire que l'obsession de la domination, ce n'est pas de la force, ce n'est qu'une obsession. (Je pensais à Vanessa.) Je sais ce qu'est la force.

J'ignorais ce qu'elle pouvait bien lire sur mon visage – mépris ? pitié ? À la vérité, ma femme avait toujours confondu force et colère. Et, au fond d'elle-même, elle le savait.

— Tu as besoin de moi, Work et, que ça te plaise ou non, il en sera toujours ainsi.

J'étais déjà à la porte, décidé à rattraper Vanessa, quand j'entendis Barbara me crier.

— Tu sais où me trouver !

Dehors, la lumière de l'après-midi m'éblouit. Clignant les yeux, j'aperçus Vanessa qui sortait du parking au volant de son pick-up. Je courus derrière elle, criant son nom, mais elle ne s'arrêta pas et disparut rapidement dans le flot de la circulation.

Je n'allais pas la laisser s'enfuir, pas cette fois. Je courus à ma voiture. Je la rattraperais sur la route ou chez elle, et nous finirions ce que nous avions commencé.

J'étais fatigué et avais le souffle court en arrivant sur la bande de gazon qui séparait le parking de la rue. D'une main tremblante, j'ouvris la portière. Levant la tête, je vis

Barbara debout devant la porte de mon bureau. Elle me regardait, le visage impassible. De mon côté, je n'avais rien à dire. Je grimpai derrière le volant, mis le contact et donnai des gaz. Sortant de mon emplacement en marche arrière, j'allais prendre la sortie quand mon univers bascula. Soudain, sirènes hurlant et gyrophares tournant, des voitures de police surgirent, des hommes en uniforme en jaillirent. J'étais fait comme un rat. Personne ne sortit son arme pour me mettre en joue, mais j'avais soudain du mal à respirer. Et puis Mills apparut à ma portière, frappant à la vitre, le visage impassible.

Cette scène, je l'avais maintes fois imaginée, allongé sur mon lit, conscient que la roue tournait, et je m'étais toujours représenté une Mills fébrile, survoltée. À présent, le calme qu'elle affichait n'en était que plus impressionnant.

J'abaissai la vitre d'une main sans force. « Voulez-vous, je vous prie, couper le moteur et descendre de votre véhicule. »

Je m'exécutai, et le sol sous mes pieds me parut étrangement caoutchouteux.

Mills ferma la portière derrière moi, tandis que deux agents en uniforme me tournaient face au capot du pick-up et que derrière moi s'élevait la voix de Mills.

— Jackson Pickens, vous êtes en état d'arrestation pour le meurtre d'Ezra Pickens. Vous avez le droit de garder le silence…

La dureté du capot contre ma poitrine m'arracha un sourd grognement.

Levant la tête, je vis Barbara, qui n'avait pas bougé de la porte de mon bureau. L'expression de son visage ne livrait rien, si ce n'est peut-être une rage sourde.

Je sentis l'acier des menottes se refermer autour de mes poignets. Deux mains me redressèrent. Des piétons s'étaient arrêtés pour regarder la scène, tandis que Mills terminait de me lire mes droits.

— Vous avez le droit de vous faire assister par un avocat, disait-elle. Si vous ne pouvez en assurer les frais, il vous en sera désigné un d'office.

Refusant de la regarder, je levai les yeux vers le ciel, pensant soudain au busard que j'avais vu depuis le pont. Mais le ciel, à cet instant, était vide de toute rédemption.

— Avez-vous compris quels sont vos droits, tels que je vous les ai lus ?

— Oui, je les ai compris, répondis-je d'une voix qui me parut celle d'un étranger.

— Fouillez-le, dit Mills à ses hommes.

Et fouillé je fus ; des mains palpèrent mon corps, prirent mon portefeuille, mon canif, la ceinture de mon pantalon, et cela devant la foule des badauds. Ça faisait partie du système.

Je ne savais que trop bien comment ça fonctionnait. On m'escorta jusqu'à l'une des voitures de patrouille, et je pris place sur la banquette arrière. La portière claqua derrière moi. Je jetai un regard en direction de mon bureau. La porte était fermée, et Barbara n'était plus là. Elle devait être à l'intérieur, épiant depuis l'une des fenêtres, car il lui fallait savoir qui, de nos connaissances, avait pu être témoin de ma disgrâce publique.

Mills s'entretenait avec l'un des policiers en uniforme. Mon véhicule serait remorqué et passé au peigne fin. Je serais conduit à la prison du comté et incarcéré. Je connaissais la procédure.

Je devrais me déshabiller et revêtir une salopette de couleur orange. On me remettrait une couverture, une brosse à dents, un rouleau de papier toilette et une paire de sandales. On m'attribuerait un numéro et on me conduirait en cellule.

Tôt ou tard, je serais interrogé, et c'était à cela que je devais dès maintenant me préparer.

Pour le moment, je m'en foutais. Je n'avais de pensées que pour Vanessa, qu'une fois de plus je n'avais su préserver de la douleur.

Combien de temps attendrait-elle, avant qu'elle ne me ferme sa porte une bonne fois pour toutes ?

La réponse était évidente : pas longtemps.

Je pensai soudain à Jean, et dus faire un effort pour garder mon calme. Réfléchis, pensai-je. Pour le moment, je ferais l'objet d'une garde à vue. Il y avait un long chemin avant l'inculpation pour homicide.

Mais, tandis que la voiture m'emportait, je guettais ces premières sueurs que, jusque-là, j'avais humées chez mes clients.

24.

C'était une pièce carrée, éclairée d'ampoules protégées par du grillage. Il y avait dans l'air une vague odeur de sueur. Au sol, un lino noir gondolait, distordant la perspective au point que je me demandais si cet effet était réel ou bien le produit de mon angoisse. Les murs étaient peints en vert et au centre de la pièce trônaient une table et deux chaises. Il y avait aussi un grand miroir, masquant la fenêtre du réduit d'où Mills ou quiconque de son équipe pourrait suivre l'interrogatoire. Ils m'avaient enlevé les menottes, et cela faisait bientôt une heure que j'attendais. Je n'avais pas touché à la carafe d'eau sur la table, sachant qu'il s'agissait d'un de ces petits tours vicieux chers aux flics. Le suspect avec une vessie pleine était enclin à s'épancher plus vite, pressé qu'il était d'aller pisser. Le faire attendre était du même ordre : laisser mijoter le bonhomme dans sa sueur.

Fort de ces connaissances, je m'efforçais d'attendre calmement, en dépit d'une formidable envie de griller une cigarette. Évidemment, je pensais à tous mes clients qui avaient séjourné dans cette pièce avant moi.

Enfin Mills entra et, avec elle, son parfum de pêche trop mûre. Elle était accompagnée d'un autre détective que je connaissais de vue. Elle s'assit en face de moi, tandis qu'il se plaçait le dos au mur, à côté du miroir. Il avait de grandes mains et une petite tête ; les pouces ancrés dans les poches de son pantalon, il me regardait sans ciller.

Mills posa devant moi sur la table un document qui, lui aussi, m'était familier ; il faisait état de mes droits. Puis elle mit en marche le magnétophone, annonça le jour et l'heure et identifia les personnes présentes.

— Monsieur Pickens, pouvez-vous confirmer qu'on vous a déjà donné lecture de vos droits ?

— Pourrais-je avoir une cigarette ?

Mills se tourna vers son collègue, qui sortit un paquet de Marlboro et me donna du feu, avant de reprendre sa station contre le mur.

Mills répéta sa question, et je lui répondis par l'affirmative.

— Vous avez devant vous le document faisant état de ces droits. Voulez-vous nous en donner lecture à haute voix ?

Je fis ce qu'elle me demandait, et ce à l'intention de tout juge susceptible de s'assurer de la légalité de ladite procédure.

— Si vous souhaitez maintenant nous faire une déclaration, reprit Mills, je vous demanderai de notifier votre intention sur le formulaire, de le dater et signer.

Selon la loi, sitôt qu'un suspect est en garde à vue et qu'il demande à être assisté par un avocat, la police est dans l'obligation de suspendre l'interrogatoire. Tout ce qui peut être dit après la formulation de cette demande devient irrecevable par un tribunal. Et c'est ce que je disais toujours à mes clients : « Ne signez pas ce foutu formulaire. Exigez la présence d'un avocat, et surtout ne dites rien. »

Cette fois, je ne tins pas compte de mes propres conseils, et signai le document. Si Mills était surprise, elle n'en montra rien, s'empressant de glisser le papier dans une chemise, comme si elle craignait que je change d'avis et le déchire. Elle me parut hésiter pendant un instant, et il me vint à l'esprit qu'elle n'avait pas envisagé que je puisse coopérer. Mais j'avais besoin d'informations, que je ne pouvais obtenir qu'en jouant le jeu. Ils avaient découvert quelque chose, et je voulais savoir quoi. La partie serait serrée.

Je pris l'initiative.

— Est-ce que je fais l'objet d'une inculpation et, dans ce cas, pour quel motif ?

— C'est moi qui pose les questions, monsieur Pickens.

Elle restait calme, affichant un détachement professionnel, mais cela ne durerait pas.

— J'ai le droit de revenir sur ma signature, comme vous le savez, dis-je.

Peu de gens le savaient, mais vous pouviez renoncer à votre droit d'être assisté par un avocat, répondre à toutes les questions qu'on vous poserait, et puis changer d'avis. Les policiers se voyaient alors contraints d'arrêter l'interrogatoire, ce qui n'était pas pour leur plaire. Je vis Mills contracter les mâchoires.

— Non, dit-elle enfin, vous ne faites pas l'objet d'une inculpation.

— Mais vous avez cependant un mandat d'arrêt ?

— Oui.

— À quelle heure l'avez-vous obtenu ?

Elle pinça les lèvres, et je vis son collègue se redresser contre le mur.

— C'est sans importance, dit enfin Mills.

Je savais qu'elle attendait que je parle, guettant le moindre de mes faux pas, avec l'espoir de remporter une victoire rapide. En revanche, si j'exerçais mon droit de garder le silence, je la priverais de ce plaisir. Mais c'était bien le K.O. qu'elle cherchait, et elle avait confiance dans ses capacités à l'obtenir.

— Une heure de l'après-midi, répondit-elle enfin.

— Et vous avez attendu qu'il soit cinq heures passées pour m'arrêter ?

Elle jeta un coup d'œil à ses notes, manifestement gênée que cet échange soit enregistré sur bande magnétique. Les flics ont des règles, eux aussi, et l'une d'elles est de ne jamais permettre aux suspects de prendre le contrôle d'un interrogatoire.

— Je veux seulement qu'on se comprenne bien tous les deux, inspecteur. Je sais pourquoi vous avez attendu.

Je ne le savais que trop bien, en effet. En m'appréhendant à cinq heures de l'après-midi elle ne me laissait pas le temps d'obtenir d'un juge une remise en liberté sous caution, pas ce jour-là, en tout cas. Cela signifiait que je devrais passer au moins une nuit en cellule, et ça, c'était un coup bas personnel, exactement comme le journal étalé sur la table dans ma cuisine. Elle voulait m'en faire baver.

— Dans ce cas, poursuivons, dit-elle.

Je dus reconnaître qu'elle connaissait bien son travail. Elle établit mon identité, mon lien avec le défunt et mes occupations professionnelles avec une parfaite concision. Elle m'interrogea sur la nuit du meurtre, et je lui racontai ce que je lui avais déjà raconté : la chute accidentelle de ma mère, l'hôpital, le retour chez Ezra. Le mystérieux coup de téléphone et le départ précipité de mon père. J'évoquai aussi la dispute avec Jean et répétai une fois de plus qu'après le départ d'Ezra, j'étais rentré chez moi auprès de ma femme, et que je n'avais jamais plus revu mon père depuis cette nuit-là.

— Et le revolver ?

— Eh bien, quoi, le revolver ?

— Saviez-vous où il le rangeait ?

— Oui, je le savais, et je n'étais pas le seul.

— Savez-vous vous servir d'une arme à feu ?

— On vise et on presse la détente, ce n'est pas sorcier.

— Savez-vous où se trouve cette arme ?

— Non, je n'en ai aucune idée.

Elle revint au début, et passa en revue chaque détail, en quête de ces petits mensonges propres aux personnes coupables. À quelle heure vous êtes-vous couché, cette nuit-là ? De quoi avez-vous parlé avec votre femme ? Que s'est-il passé à l'hôpital ? Que vous a dit votre père avant de partir ? Bon, reprenons.

Et cela pendant des heures.

— Comment vous entendiez-vous avec votre père ? Vous associait-il à ses affaires ou bien n'étiez-vous que son assistant ? Aviez-vous une clé de sa maison ? Verrouillait-il la porte de son bureau en partant ?

Je demandai de l'eau, et Mills me remplit un verre, dont je ne bus qu'une gorgée.

— Quand avez-vous eu connaissance du testament ?

— Hormis le legs de la maison, je ne savais rien avant de rencontrer Hambly.

— Votre père ne vous en a jamais parlé ?

— C'était un homme secret, surtout avec les questions d'argent.

— Hambly m'a rapporté que vous étiez furieux en apprenant les termes du testament.

— C'est vrai, mon père ne laissait rien à ma sœur Jean. Et je trouve ça ignoble.

— Parlons un peu de votre mère.

— Que voulez-vous savoir ? demandai-je, me raidissant malgré moi.

— Vous l'aimiez ?

— C'est quoi, cette question ?

— Répondez, je vous prie.

— Oui, j'aimais beaucoup ma mère.

— Et votre père ?

— Il l'aimait aussi.

— Ce n'est pas ce que je voulais dire.

— C'était mon père.

— Cela ne répond toujours pas à ma question.

— Je pense au contraire qu'elle y répond très bien.

Elle s'adossa à sa chaise, savourant manifestement le pouvoir qu'elle avait sur moi.

— Vous étiez amis, votre père et vous ?

— D'abord, c'était mon père, et j'étais son associé. Nous n'étions pas des amis.

— Pourquoi ?

— C'était un homme dur. L'amitié n'était pas son fort.

Mills feuilleta les pages de son calepin, revenant à des notes antérieures.

— La nuit où votre mère est morte...

— C'était un accident, dis-je avec un peu trop d'impatience.

Mills me regarda.

— C'est ce que vous avez déclaré, cependant il y a eu enquête.

— Oui, vous n'avez pas lu le rapport ?

— Je l'ai fait, et ce rapport soulève des questions.

Je haussai les épaules d'un air fataliste.

— Il n'y a pas de mort d'homme qui ne soulève des interrogations.

— Où se trouvait Alex Shiften, cette nuit-là ?

La question me prit au dépourvu.

— Alex ?

— Oui, Alex. Où était-elle pendant la dispute entre votre père et votre sœur ?

— Je n'en ai strictement aucune idée.

Mills prit une note, et puis revint à ses questions.

— Donc, vous n'aviez pas connaissance du testament de votre père, n'est-ce pas ?

La répétition ne me surprenait pas, elle était propre à la tactique de tout interrogatoire.

— Non, j'en ai eu connaissance par Clarence Hambly, et j'ignorais que la fortune de mon père fût si grande... (Je marquai soudain une brève pause, sentant que je m'étais avancé en terrain glissant.) Plus précisément, repris-je, j'ignorais totalement que mon père me laissait quinze millions de dollars.

Il y avait dans le regard de Mills une lueur qui ne trompait pas : elle avait un atout dans sa manche, et je n'allais pas tarder à le découvrir. Elle tira de ses papiers un document qui, comme toute pièce à conviction, était protégé par une chemise de plastique portant un numéro. Elle lut ce dernier à haute voix aux fins d'enregistrement et puis le posa devant moi. Je devinai aussitôt ce que c'était, et un coup d'œil me le confirma. C'était « Le Dernier Testament d'Ezra Pickens ».

— Vous n'avez jamais eu connaissance de ce document ?

— Non, jamais, répondis-je, le ventre noué soudain.

— Mais il s'agit pourtant des dernières volontés de votre père, n'est-ce pas ?

— Il se présente comme tel, apparemment, mais encore faut-il que Clarence Hambly le confirme.

— Ce qu'il a fait, dit Mills, sortant enfin son atout. Et vous prétendez l'ignorer ?

— Je ne le prétends, je l'affirme.

Mills reprit le document.

— Je me reporte à la page cinq, dit-elle. Il y a là une phrase dont les trois derniers mots ont été soulignés à l'encre rouge. Je vais vous la montrer, et vous me direz si cela vous rappelle quelque chose ou pas.

Elle me présenta la feuille en question, et je sentis le calme que j'avais affiché jusque-là commencer de s'effriter.

— Je n'ai jamais eu connaissance de ce document, dis-je.

— Je vous prie de lire la portion soulignée.

Je sentis l'inspecteur Petite Tête se détacher de son mur et se placer derrière Mills. Je fis ce qu'on me demandait et, lisant d'une voix sans timbre ce que mon père avait écrit de sa main, j'eus le sentiment de prononcer une sentence de mort venue d'outre-tombe.

— Je lègue à mon fils Jackson Norman Pickens la somme de quinze millions de dollars.

Le chiffre était souligné d'un trait rouge épais. Je n'osais plus relever la tête, sachant quelle serait la prochaine question de Mills.

— Comment expliquez-vous que ce document, dont vous prétendez ignorer l'existence, se soit trouvé dans votre maison ?

Que pouvais-je répondre ? Ils tenaient leur motif. Soudain, une main s'abattit sur la table, me faisant tressaillir, et je levai les yeux sur Mills.

— Répondez, Pickens ! Que faisait ce papier à votre domicile ? Ce testament n'avait pas de secret pour vous. Vous aviez besoin d'argent, et vous avez tué votre père.

— Non, c'est faux, et je m'étonne que vous puissiez formuler une telle accusation.

— Hambly nous a déclaré que votre père avait l'intention de modifier ses dispositions testamentaires. En vérité, il vous déshéritait, Pickens. Les quinze millions allaient vous passer sous le nez, alors vous avez paniqué. Vous lui avez collé deux balles dans la tête et attendu qu'on découvre le corps. C'est ainsi que ça s'est passé, n'est-ce pas ? Reconnaissez-le !

J'étais sonné. Mon père allait me déshériter ? Hambly ne m'en avait rien dit. C'était un sale coup, pas de doute, mais j'avais vu pire dans ma carrière de défenseur. Il me fallait réfléchir, rester calme. Tout ce que j'avais jusqu'ici pu dire au cours de cet interrogatoire n'était qu'une déposition, rien de plus, me dis-je, sans trop y croire.

Je m'adossai à ma chaise.

— Vous avez fini ? demandai-je à Mills d'une voix calme qui contrastait avec la véhémence de la sienne. Puis-je examiner ce document ? poursuivis-je.

— Vous pouvez, répondit-elle, à la condition que vous continuiez de vous expliquer.

L'ignorant, je parcourus attentivement le testament, et trouvai ce que je cherchais obscurément à la dernière page, celle de la signature.

— Il s'agit d'une copie, dis-je.

— Et après ? demanda-t-elle d'une voix qui me parut moins assurée.

— La règle en matière de testament veut qu'on ne fasse qu'un petit nombre d'originaux – un pour l'exécuteur testamentaire, l'autre pour l'héritier. Donc, deux originaux, parfois trois. Mais les copies, elles, de par leur nature, peuvent être illimitées.

— Peu importe, il n'en reste pas moins que vous connaissiez le testament de votre père.

Elle venait de commettre sa première faute en croisant le fer avec moi dans ce domaine. Elle m'avait ouvert une porte, et c'était à mon tour de me pencher en avant et de parler le plus clairement possible dans le micro.

— Vous avez obtenu une copie du testament auprès de Clarence Hambly, et vous l'avez fait avant même de perquisitionner chez moi. Voilà donc une première copie entre vos mains. Je suppose aussi que vous en avez remis une autre au procureur, ce qui fait deux. Clarence Hambly qui, lui, possède les originaux, a pu de son côté en émettre une autre. Cela fait trois personnes nanties de copies du testament, et ces trois personnes se sont trouvées présentes chez moi durant ces derniers jours. (Je comptais sur mes doigts.) Hambly est venu à la veillée funèbre, la nuit qui a suivi la découverte du corps d'Ezra. Le procureur est également passé chez moi, l'autre jour, pour s'entretenir avec ma femme. Et vous, inspecteur Mills, vous y étiez pendant tout le temps qu'a duré la fouille ou, devrais-je dire, la mise à sac de ma maison. L'une de ces trois personnes aura donc pu facilement y laisser cette copie.

— Mettez-vous en doute mon intégrité ? demanda Mills avec colère. Ou celle du procureur ?

La rougeur qui colorait soudain son visage m'assurait que j'avais visé juste. Elle était en colère.

— Parce que vous vous gênez pour douter de la mienne, peut-être ? Trois personnes étaient en possession d'une copie du testament, trois personnes qui ont toutes été chez moi au cours de ces derniers jours. Vous avez un problème sur les bras, inspecteur Mills. Le public adore les histoires de conspiration. Et n'oublions pas le personnel de l'étude d'Hambly. Il y a là une quinzaine de clercs et d'employés, sans parler de cinq avocats. Toutes ces personnes auraient pu disposer d'une copie. Les avez-vous interrogées ? Je parie qu'avec cent dollars, on doit facilement se procurer le double d'un testament, à condition de frapper à la bonne porte. Quant à ma femme, Barbara, elle a reçu des dizaines et des dizaines de personnes chez nous, depuis la découverte du corps de mon père. Vous pourriez les interroger, elles aussi.

Mills était furieuse, comme je l'avais prévu.

— Vous pouvez présenter la chose de mille manières, dit-elle en élevant la voix, mais aucun jury ne marchera. Les jurés font confiance aux policiers, ils font confiance aux procureurs. Le testament était chez vous. Vous saviez que vous hériteriez de quinze millions.

— À votre place, je n'insulterais pas l'intelligence des jurés dans ce comté. Ils sont bien plus avisés que vous ne le pensez, et ils pourraient bien vous surprendre.

Mills devina le danger qu'elle courait en me laissant prendre l'initiative. J'étais calme, à présent. Pas elle. Sans le dire expressément, elle avait traité les jurés de moutons, alors que de mon côté j'avais défendu leur perspicacité. Tout cela était dûment enregistré.

— Nous en avons fini avec cette question-là, déclara-t-elle, dissimulant mal sa rage.

Mais je n'allais pas la lâcher. Pas tout de suite. Il y avait un autre angle de l'affaire que je voulais exposer.

— Il me semble que vous oubliez la personne qui s'est introduite dans mon cabinet, fis-je remarquer. Celle qui m'a balancé un lourd fauteuil sur le dos, alors que je grimpais à l'étage où mon père avait son propre bureau. Que cherchait donc cette personne ? Pourquoi pas une copie de ce testament ?

— Ça suffit.

Mills était debout, les mains appuyées sur la table.

Sachant qu'elle ne me laisserait plus placer un mot, je sortis mon dernier atout.

— Fort bien, dans ce cas, je reprends mon droit de garder le silence, comme la loi m'y autorise. Cet interrogatoire est terminé.

La colère rougissait le visage de Mills. Elle avait reniflé la bête aux abois, la mise à mort était proche, et je venais de foutre en l'air sa belle théorie. Cela ne suffirait pas, je le savais, à m'innocenter mais il y avait matière à doute. Elle n'avait pas mesuré les implications juridiques d'une copie. Un original aurait été plus dommageable. Toutefois, elle avait ce qu'elle voulait. Je venais de faire l'objet d'un interrogatoire dûment enregistré et, bien que je n'aie jamais eu connaissance du testament avant mon entrevue avec Hambly, on en avait découvert une copie à mon domicile.

Quinze millions de dollars pèseraient leur poids aux yeux des jurés.

Et, comme Mills quittait la pièce, me laissant seul avec mes pensées, deux questions troublantes se posaient maintenant à moi : pourquoi mon père aurait-il eu l'intention de me déshériter, et pourquoi Hambly ne m'en avait-il rien dit ?

Perdu dans mes pensées, je sursautai légèrement alors que l'adjoint de Mills posait devant moi un téléphone.

— Vous avez le droit à un seul appel, maître, me dit-il. Faites-en sorte que ce soit le bon.

— Je n'ai pas le droit à un peu d'intimité ?

— Non, désolé.

Il repartit soutenir son mur.

Je regardai l'appareil mais c'était le visage de Vanessa que je voyais, alors qu'elle sortait de mon bureau sous les insultes de Barbara. Un seul appel m'était autorisé. Je pensai aux confrères que je connaissais mais composai le seul numéro qui avait encore un sens pour moi. J'entendis le timbre sonner à la ferme Stolen et serrai plus fort le combiné dans ma main. Était-ce un alibi que je cherchais ? Peut-être, mais je voulais surtout lui dire que je ne l'avais pas abandonnée. Décroche, suppliais-je en silence. Décroche. Mais seul le répondeur répondit ; j'étais prié de laisser un message. Qu'aurais-je pu dire ? Rien. Je raccrochai, vaguement conscient du regard perplexe de l'inspecteur et du fait qu'à quelques kilomètres de là, un appareil sans âme venait d'enregistrer le chuintement de mon souffle inquiet.

25.

Je m'imaginais des cellules glacées mais il faisait chaud dans celle où je fus emmené. C'était un espace étroit d'un peu moins de quatre mètres carrés, avec une petite fenêtre en verre armé, à laquelle je collai mon visage pour en savoir un peu plus sur le lieu que Mills m'avait réservé. Je ne l'avais plus revue après qu'elle eut quitté la salle d'interrogatoire, laissant le soin à son collègue et deux autres policiers en uniforme de me menotter de nouveau et de me conduire à travers un dédale de couloirs jusqu'au garage souterrain du poste de police, où je fus embarqué dans une voiture et emmené à la prison du comté.

Ce qui m'attendait au greffe était pire que ce que j'avais jusque-là imaginé. Je dus me déshabiller entièrement et, avec une lampe électrique et un gant de caoutchouc, on m'arracha le peu de dignité qui pouvait me rester. L'inspecteur Petite Tête observa la scène en tirant sur sa cigarette.

Finalement on me donna une salopette orange, que je m'empressai d'enfiler. Les jambes étaient trop courtes, les sandales de caoutchouc trop petites, mais je me fis un devoir de me tenir bien droit.

— Dormez bien, maître, me glissa Petite Tête, avant de s'en aller, me laissant seul avec les gardiens, qui feignaient de ne pas me connaître, alors qu'il ne s'était passé de semaine durant ces dix dernières années sans que je ne les croise dans les couloirs du palais de Justice.

Je dus attendre dix minutes de plus que le sergent d'écrou termine sa paperasse, pendant que son jeune collègue se rongeait les ongles. J'avais envie de m'asseoir. M'approchant des deux chaises qui flanquaient le mur, je vis qu'elles étaient maculées de taches. Je m'en écartai.

— Du calme, maître, me dit le plus âgé. Vous avez tout le temps devant vous.

Devant moi, il y avait la porte menant aux parloirs. Je l'avais franchie tant de fois pour m'entretenir avec mes clients, mais ce ne serait pas de ce côté qu'ils me conduiraient, cette fois. Nous irions dans le quartier de détention. C'était vrai, j'avais tout le temps devant moi, et je pris soudain pleinement conscience que j'étais en état d'arrestation et que, demain, devant le juge, je n'étais pas du tout certain d'obtenir ma mise en liberté sous caution.

Ses écritures terminées, le sergent d'écrou me jeta un regard.

— Cellule n° 4, dit-il à son collègue.

Je suivis ce dernier dans un monde où rien ne semblait réel. Ils m'avaient retiré ma montre, mais je savais qu'il était tard. Nous pénétrions dans un univers où seuls les sons et les odeurs avaient une réalité : le crissement des semelles de cuir de mon guide, le couinement de mes tongs, les relents de sueur et de javel. Une odeur de peur, aussi. J'enviais la sûreté du pas de mon geôlier et j'en arrivais à redouter le moment où il m'abandonnerait à moi-même. Nous parvînmes dans un espace octogonal flanqué de portes en fer. Il y avait là huit cellules, et je pouvais voir un visage derrière chaque fenêtre grillagée. L'une des portes était ouverte, et le garde me la désigna, se tournant vers moi d'un air hésitant et gêné.

— Je suis désolé de tout ça, m'sieur Pickens, me dit-il. Vous avez toujours été très poli avec moi.

Il me fit signe d'entrer, et referma la porte sans la claquer. Je n'avais pas gardé un souvenir précis de cet homme, que j'avais dû côtoyer plus d'une fois au tribunal, et sa gentillesse me touchait d'autant plus.

Ainsi, c'était maintenant mon tour de presser mon front sur la vitre glacée de ma lucarne. En face de moi, derrière une vitre semblable, deux yeux noirs me fixaient. Pendant un long moment, nous nous dévisageâmes, puis je le vis s'écarter de la vitre et presser ses lèvres sur le verre en un baiser obscène. Je reculai, écœuré, et me laissai choir sur l'étroite banquette recouverte d'une paillasse dure. Mon cœur battait, et j'avais le souffle court, comme si je venais de courir. Une sonnerie stridente résonna soudain dans les couloirs, puis les lumières s'éteignirent. Dans l'obscurité, je redevins un bref instant le jeune garçon qui s'était aventuré un jour dans un certain conduit sous un parking. Mais ce souvenir disparut aussitôt. Le gardien qui m'avait accompagné m'avait donné du « monsieur ». Je n'étais plus un gamin. Alors, je me forçai à me lever et me mis à arpenter ma cellule tel un aveugle. Soudain, je pensai à Max Creason. Quatre pas en avant, quatre pas en arrière, et cela pendant cinq ans. Ce fut lui qui me donna la force, et me fit prendre possession de ma cellule et de son obscurité. Et, allant et arpentant ma cage comme un fauve, j'eus également la certitude que jamais je ne supporterais de passer ma vie derrière des barreaux. J'aurais mieux fait de presser la détente, quand j'étais sur le pont. Si jamais je me sortais de cette saloperie, plus jamais je ne prendrais la liberté pour acquise. J'avais passé une bonne partie de ma vie dans un enfermement de mon invention, à vivre et agir en fonction de ce que les autres attendaient de moi. Que l'assassinat de mon père et ma propre incarcération présente m'en fissent soudain prendre conscience m'auraient fait éclater de rire, si le lieu m'en avait dissuadé. Demain, le tribunal m'attendait. Avec un peu de chance, j'obtiendrais ma mise en liberté sous caution. Du temps passerait avant que l'affaire ne soit définitivement instruite. D'ici là, je trouverais le moyen de m'en sortir ou bien je retournerais à ce pont.

Je n'avais pas d'autre alternative.

Je passai la nuit à arpenter ma cellule et à réfléchir. C'est fou le nombre de choses auxquelles je pensai.

26.

La salle d'audience était bondée d'hommes de loi et de journalistes. Il y avait également des familles, des témoins, le mélange habituel qui compose les journées d'auditions, mais c'était surtout à mes confrères que mon regard s'attacha, quand j'entrai, flanqué de gardes et les menottes aux poignets. Que cherchais-je donc ? Un regard amical ? Un hochement de tête, un signe me rappelant que j'avais existé pour eux ? Mais je voyais leurs yeux se détourner ou se fixer sur moi comme sur un étranger.

Parvenu au banc de la défense, où j'avais pris place des milliers de fois parmi mes pairs, j'aperçus Douglas, qui avait été mon ami, et l'inspecteur Mills. Tous deux me regardaient depuis le banc de l'accusation et, comme les autres, leurs yeux étaient d'une fixité minérale.

Je m'étais préparé dès l'aube à cet instant, et je sus garder la tête haute et m'asseoir d'un air digne à la place réservée à l'accusé. Il régnait dans la salle un silence inhabituel, alors qu'on entendait d'ordinaire les défenseurs communiquer avec leurs clients, et les rappels à l'ordre des huissiers. Il m'était arrivé d'entendre des gens pleurer, d'autres protester jusqu'à ce que les gardes les expulsent.

Le juge était cette femme d'un certain âge qui m'avait exprimé avec beaucoup de chaleur ses condoléances, après la découverte du corps de mon père. Et je lisais encore dans son attitude une bienveillante considération. Quant à Douglas, son expression trahissait une telle hostilité que je n'attendais aucun cadeau de lui.

— Huissier, appela la juge d'une voix douce qui n'en résonna pas moins dans le silence de la salle, veuillez libérer M. Pickens de ses menottes.

Un murmure parcourut la rangée des avocats, tandis que Douglas se penchait en travers de sa table.

— Objection, Votre Honneur, le prévenu est soupçonné de meurtre.

— Entendez-vous par là que M. Pickens, membre du barreau de cette ville, est une menace physique pour ce tribunal ?

Le ton moqueur de sa question était à peine voilé, et je vis rougir le procureur.

— Le prévenu, présentement en garde à vue, répliqua Douglas, est soupçonné d'homicide sur la personne de son propre père.

— Le prévenu, à ma connaissance, fait toujours partie de l'ordre des avocats ! Et il sera traité comme tel jusqu'à ce qu'il ait été reconnu coupable. Me suis-je bien fait comprendre ?

Cet échange m'emplit soudain d'un formidable sentiment de reconnaissance envers cette femme.

— Oui, Votre Honneur, répondit le procureur, dissimulant mal sa contrariété.

— Parfait. Huissier, libérez M. Pickens.

L'instant d'après, j'avais les mains libres, et remerciai la juge d'un signe de tête.

— Veuillez vous rapprocher, monsieur le procureur, et vous aussi monsieur Pickens, demanda la juge.

Nous fîmes ce qu'elle nous demandait et, à peine étions-nous devant elle que Douglas protesta d'une voix sourde.

— Votre Honneur, cet homme est un prévenu ; à ce titre, il n'a plus qualité de défenseur. Votre intervention affaiblit ma position d'accusateur public.

— Dans ce cas, monsieur le procureur, je vais vous préciser quelle est la mienne, de position, répliqua la juge. Contrairement à vous, j'attendrai la preuve de la culpabilité de M. Pickens pour l'inculper. Il a plaidé pendant dix ans dans ce tribunal comme défenseur, et c'est un fait que je dois prendre en considération.

— Je tiens à ce que mon objection soit enregistrée, insista Douglas.

— Elle le sera, mais c'est moi qui préside ici, et M. Pickens ne sera pas traité comme un vulgaire délinquant

— La justice est aveugle, Votre Honneur.

— Certes, mais elle n'est pas stupide. (Elle me regarda.) Et elle est également humaine.

— Merci, Votre Honneur, dis-je, cachant mal mon émotion.

Elle me considéra soudain avec une plus grande attention. « Comment se fait-il que vous ayez un œil tuméfié, monsieur Pickens ? (Je portai machinalement mes doigts à la paupière enflée de mon œil gauche.)

— Rien de grave, Votre Honneur. Une simple dispute avec l'un des détenus, tôt ce matin.

— Huissier ? demanda la juge.

— L'un des détenus l'a agressé verbalement, Votre Honneur, rapporta l'huissier. M. Pickens l'a mal pris.

— Ce n'est pas tout à fait exact, Votre Honneur, protestai-je.

Elle me regarda.

— Quelle est votre version, monsieur Pickens ?

— Ça n'a pas grande importance, Votre Honneur, répondis-je en pensant à ce type qui occupait la cellule en face de la mienne. Je l'avais maintes fois croisé en correctionnelle, sans jamais avoir été son défenseur. Toxicomane, il était souvent tombé pour deal et violences conjugales. Dès l'ouverture des portes des cellules, alors qu'on s'alignait pour le petit déjeuner, il m'était tombé dessus.

La juge, cependant, attendait une réponse. Je haussai les épaules.

— Il en avait après mon jus d'orange, Votre Honneur.

Elle tourna son regard vers le procureur.

— Vous m'avez assuré que cet homme qui, dois-je vous le rappeler, a côtoyé nombre de délinquants dans sa carrière, serait tenu pour ces mêmes raisons à l'écart de la population carcérale.

Je comprenais mieux soudain le sentiment de responsabilité qui l'animait : c'était elle qui avait signé le mandat d'amener.

— C'était bien mon intention, Votre Honneur, mais je ne contrôle pas ce qui se passe au centre de détention.

Comme la juge reportait son regard vers moi, je lus dans ses yeux une profonde tristesse.

— Très bien, dit-elle. Restons-en là.

Nous regagnâmes nos places, et la procédure reprit. La juge donna lecture de l'accusation d'homicide qui était portée contre moi et m'informa de mes droits à un défenseur.

— Désirez-vous une assistance juridique, monsieur Pickens ?

— Non, Votre Honneur.

Ma réponse provoqua un murmure sur les bancs, et je mesurai soudain toute l'attente que suscitait mon affaire, non seulement pour tous les confrères présents mais encore pour la presse et la télévision. Même une défaite ferait une vedette de quiconque assurerait ma défense. Une victoire le désignerait comme le digne successeur d'Ezra Pickens en personne.

— J'ai l'intention d'assurer moi-même ma défense, déclarai-je, bien décidé à ne laisser personne déterrer une vérité qu'il valait mieux taire.

— Dans ce cas, signez la décharge.

L'huissier me tendit le document à signer.

Juridiquement, nous entrions maintenant dans le cœur du sujet. Mon refus d'un défenseur commis d'office m'autorisait, tant que le tribunal n'avait pas établi la preuve suffisante de ma culpabilité, à demander ma remise en liberté sous caution.

— Votre Honneur, dis-je, dans l'attente que l'accusation apporte la preuve de ma culpabilité, je sollicite une remise en liberté sous caution.

Douglas bondit.

— Objection, Votre Honneur !

— Asseyez-vous, monsieur le procureur, dit la juge, manifestement agacée par l'impatience de Douglas. Naturellement que vous objectez. (Reportant son attention vers moi, elle croisa les doigts.) Votre démarche est inhabituelle, maître, comme vous ne pouvez l'ignorer. Nous avons le devoir de suivre la procédure. Il y a des étapes. L'une d'elles concerne l'examen du dossier de la police, ce qui est l'occasion pour le tribunal d'accepter ou de rejeter pour preuves insuffisantes ledit dossier.

Tout cela, je le savais, bien entendu, mais il y avait autre chose. Douglas refuserait à tout juge local de présider à cette audition, de manière à garantir la plus grande impartialité. On ferait venir un magistrat d'un autre comté, cela prendrait du temps et, pour moi, ce serait une plus longue détention provisoire.

Le silence s'était fait dans la salle.

— Êtes-vous pleinement averti des conséquences de votre demande ? demanda la juge. L'audition des charges est la pierre angulaire de toute mise en examen, et je crains de ne pas bien comprendre votre démarche.

— Votre Honneur, puis-je renouveler ma demande ?

Elle soupira, et ce fut d'un ton de regret qu'elle prononça sa décision.

— Très bien, monsieur Pickens, que l'on prenne note que le prévenu renonce à son droit d'examen des charges pesant sur lui et demande au tribunal de statuer sur sa demande d'une remise en liberté sous caution – demande que ledit tribunal est enclin à lui accorder.

— Objection, Votre Honneur ! s'écria Douglas.

La juge s'adossa à son fauteuil.

— Approchez, monsieur le procureur, et vous aussi, monsieur Pickens. (Couvrant le micro de sa main sèche, elle nous regarda d'un air réprobateur.) Quel est votre problème, Douglas ? Vous l'avez fait arrêter et conduire devant ce tribunal. Pensez-vous réellement que M. Pickens soit tenté de prendre la fuite ? Non, n'est-ce pas ? Et c'est aussi mon sentiment. J'ai pris connaissance de votre dossier d'accusation, et je dois avouer qu'il m'a paru bien léger. Quant à moi, ma décision est prise.

Elle me regarda, ses yeux s'attardant sur mes traits tirés et ma paupière tuméfiée.

— Avez-vous l'intention, monsieur Pickens, de réfuter les charges pesant contre vous ?

— En effet, Votre Honneur.

— Et vous entendez le faire devant un tribunal.

— Oui.

— Vous reviendrez donc ici de votre propre chef ?

— J'y compte bien, Votre Honneur.

— Vous entendez, Douglas ? Il y compte bien. Maintenant, poursuivit-elle, je dois vous préciser une ou deux choses, monsieur Pickens. J'ai signé ce mandat d'amener parce que je n'avais pas le choix. Sur le papier, il y avait assez d'indices pour justifier une garde à vue, et tout autre juge aurait fait de même. (Elle se tourna vers le procureur.) Je ne pense pas que M. Pickens, que je connais depuis des années, ait assassiné son propre père, Douglas, et si jamais vous rapportiez mes paroles, je nierais les avoir prononcées. Alors, vous pouvez toujours vous élever ici même contre ma décision de liberté sous caution. Le choix vous appartient. Mais je vous préviens, si cet homme retourne en détention, il devra être séparé des autres détenus. Et c'est un ordre qui fait partie de mes prérogatives. Ne l'oubliez pas.

Je jetai un regard à Douglas, qui avait pâli.

— Cela passera pour du favoritisme, Votre Honneur.

— J'ai soixante-neuf ans, et ne brigue nullement une réélection. Vous pouvez disposer, maintenant. Tous les deux.

Je regagnai le banc de la défense, risquant un regard en direction de Douglas, dont le teint d'ordinaire gris avait pris une teinte brique et qui s'efforçait d'ignorer l'inspecteur Mills.

— Monsieur Pickens ? intervint la juge. (Je me levai.) Avez-vous quelque chose à ajouter pour étayer votre demande ?

— Non, Votre Honneur.

Je repris ma place, infiniment reconnaissant envers cette femme, qui venait de m'épargner l'humiliation de plaider devant ce tribunal ma demande de mise en liberté sous caution.

— Monsieur le procureur ?

Si Douglas voulait batailler, il le pouvait. Il possédait assez d'arguments pour cela, et pour placer placer la juge dans une position inconfortable. J'espérais, bien sûr, qu'il n'en ferait rien. Il se leva lentement.

— Le ministère public demande seulement que le montant de la caution traduise la gravité des faits incriminés, Votre Honneur.

Un murmure parcourut les bancs, avant que le silence retombe, et que la voix de la juge s'élève de nouveau.

— La caution est fixée à deux cent cinquante mille dollars, annonça la juge. Le prévenu est appelé à demeurer en détention jusqu'à ce que ladite caution ait été versée. Le tribunal se retire pour un quart d'heure.

Et, sur un dernier coup de marteau, elle se leva, petite et fragile sous sa robe noire.

— Debout ! ordonna l'huissier, tandis qu'elle disparaissait dans le bureau jouxtant le prétoire et que, dans la salle, s'élevait le brouhaha des grands jours.

Je regardai Douglas, qui n'avait pas bougé, fixant la porte par laquelle la juge était sortie. Sentant soudain mon regard, il fit un signe aux gardes et, l'instant d'après, j'étais de nouveau menotté. Je vis Mills se pencher vers lui et lui parler à l'oreille, mais il l'ignora, continuant de me regarder avec une expression que je ne pouvais déchiffrer. Soudain, il me surprit en s'approchant de moi avec un sourire qui n'avait rien de naturel.

— Il semblerait que tout se passe bien pour toi, Work, me dit-il, pendant que Mills demeurait figée, le regard insondable.

Derrière nous, quelques-uns de mes confrères s'étaient tournés vers nous. J'avais l'impression que nous étions tous deux dans une poche de silence, d'où même les gardes étaient exclus.

— Tu devrais être de nouveau libre dans une heure ou deux.

J'essayai de le dominer du regard, mais dans ma tenue de prévenu et les bracelets aux poignets, j'avais perdu ce pouvoir. Il souriait, manifestement conscient de sa supériorité.

— Pourquoi tiens-tu à me parler? demandai-je.

— Mais parce que je le peux.

— Tu es un vrai tordu, Douglas. Je me demande pourquoi je ne m'en suis pas aperçu plus tôt.

Son sourire s'effaça.

— C'est parce, comme tous les autres baveux de ton espèce, tu préférais fermer les yeux. Tu voulais gagner, être mon copain, pour que je te rende la tâche plus facile. C'est un jeu, et ça l'a toujours été. Tu le sais aussi bien que moi.

Il jeta un regard de côté et, levant légèrement la voix, ajouta :

— Mais le jeu est terminé, et je n'aurai plus à y participer. Alors, profite bien de ta petite victoire, parce que le prochain juge ne sera pas aussi facile, crois-moi.

Je pris soudain conscience qu'il était en train de jouer pour le public, pour la poignée d'avocats qui nous observaient. Je ne l'avais jamais vu se hausser ainsi du col devant les confrères, il me vint à l'esprit une question, et elle m'échappa littéralement des lèvres. Son effet fut immédiat.

— Pourquoi m'as-tu laissé pénétrer sur la scène de crime ?

Douglas tressaillit. Il jeta un regard furtif vers le petit groupe de spectateurs, et puis leva la tête vers moi.

— De quoi parles-tu ?

— Le jour où on a découvert son corps, je t'ai demandé la permission de me rendre sur les lieux tout en sachant que tu refuserais. Aucun procureur n'aurait pu accepter pareille requête. Et pourtant, c'est ce que tu as fait. Tu as presque ordonné à Mills de me montrer le corps. Pourquoi tu as fait ça ?

— Tu en connais la raison.

— Ma sœur ?

— Oui, Jean.

Un silence suivit. Pour lui comme pour moi, Jean avait ce pouvoir, ce qui était probablement la seule chose que nous avions encore en commun.

— Cela ne t'aidera pas autant que tu le penses, dit-il, faisant référence à ma présence sur les lieux. En tout cas, je ferai en sorte que ce ne soit pas le cas.

— Peut-être que ça m'a déjà aidé.

— Que veux-tu dire ?

— Je veux dire qu'un homme en prison a tout le temps de réfléchir, Douglas, et qu'il ne s'en prive pas.

Je le faisais marcher, et il le comprit enfin, mais j'avais marqué un point. Je l'avais fait douter, ne serait-ce qu'un instant. Je vis son visage se fermer, et ce furent nos regards qui parlèrent pour nous, jusqu'à ce qu'il grimace un sourire vicieux et, faisant signe aux gardes, me renvoie en cellule.

Les heures s'étiraient, tandis que j'attendais, peut-être en vain, que quelqu'un arrive avec le montant de la caution. J'avais eu le droit de passer un coup de fil et avais appelé Barbara mais, soit elle n'était pas à la maison soit elle n'avait voulu répondre. Je lui laissai donc un message et attendis, incertain de ce qu'elle ferait.

Cette fois, ils m'avaient placé dans une cellule de désintoxication, à l'écart des autres prévenus, une faveur que je devais sûrement à la juge. Les murs, jadis blancs, étaient couleur crasse, et ils vous donnaient envie de vous fracasser la tête dessus. Jamais le temps ne m'avait paru si long; la pièce semblait rétrécir d'heure en heure, et je me demandais si ma femme n'en était pas arrivée à me haïr au point de me laisser croupir derrière les barreaux.

Finalement, il n'en fut rien. Ils vinrent me chercher, et je revécus le processus en sens inverse : dans la grossière enveloppe qu'on me remit, il y avait ma montre, mon portefeuille, mes cartes de crédit, de la monnaie. Je signai le reçu. Puis ce furent mes vêtements froissés, ma ceinture, mes chaussures et, me rhabillant, j'avais le sentiment de redevenir un être humain. Je franchis la porte séparant le monde des cellules de celui des gens libres. Qui m'attendrait ? Barbara ? Un bailleur de fonds ? En vérité, c'était un détail auquel je n'avais pas pensé, tout à l'excitation de sentir de nouveau sur ma peau des vêtements d'homme libre. J'allais retrouver un ciel bleu, de l'air frais, un repas convenable. En tout cas, je ne m'attendais pas à tomber sur Hank Robins, et encore moins à ce qu'il allait m'apprendre.

— Que fais-tu ici ? lui demandai-je.

Il m'adressa un sourire en coin.

— C'est à toi que je devrais poser la question.

— Ouais, c'est vrai.

Il y avait deux autres personnes dans la pièce. Une femme au visage sans âge, marqué par la fatigue; elle agrippait son sac à main comme un talisman, et je me demandai qui elle pouvait bien attendre. L'autre était un flic en uniforme qui, son service terminé, venait remettre son revolver dans l'un des casiers en acier qui occupaient une partie du mur – opération pendant laquelle il veilla à ne pas nous tourner le dos complètement. Le malaise de Hank était palpable, et je savais que sa présence ici, à mes côtés, lui pesait.

— Sortons, lui dis-je. J'en ai ma claque de cet endroit.

— T'as raison, sortons, je commence à étouffer, ici.

Dehors, l'air était tonique. On s'arrêta un instant, adossés au mur du tribunal et on regarda la circulation dans Main Street. L'après-midi touchait à sa fin, et le soleil déclinait lentement.

Les audiences en correctionnelle n'étaient pas encore terminées, et j'avais aperçu dans le couloir deux ou trois confrères, mais, dehors, je ne vis personne de ma connaissance, et m'en félicitai.

— T'aurais pas une cigarette ? demandai-je à Hank.

— Non, désolé. Mais attends un peu.

Avant même que je lui dise de ne pas se donner cette peine, il retourna dans le couloir et, une minute plus tard, revint avec un paquet froissé de Marlboro et du feu.

— De la part d'un type qui est passé comme toi devant le juge, aujourd'hui. Qu'ils aillent se faire foutre, il m'a dit.

J'allumai une cigarette en me demandant de quel délit le bonhomme s'était rendu coupable.

— Ne le prends pas mal, Hank, mais tu n'es pas la personne que je m'attendais à voir.

Il croisa les bras et se tourna vers moi.

— J'étais à l'audience, ce matin, et j'ai assisté à ton numéro. Je m'attendais à ce que ta femme soit là, et comme ce n'était pas le cas, j'ai pensé qu'il fallait l'informer de ce qui se passait, pour qu'elle réunisse la caution.

— J'ai essayé moi-même de l'appeler, dis-je.

Hank hocha la tête, et il y avait de la compassion dans le bref regard qu'il me jeta.

— Moi aussi, j'ai téléphoné. Pas de réponse. Alors, je suis allé chez toi. J'ai sonné et sonné encore et, comme personne ne venait m'ouvrir, j'ai fait le tour par-derrière, et je l'ai trouvée dans le patio, en train de lire *Cosmo* en sirotant un thé glacé.

Un silence tomba. Je comprenais que ce n'était pas facile pour Frank de me raconter ça.

— Peut-être qu'elle ne savait rien de ce qui s'était passé au tribunal, dis-je mollement.

— Elle était parfaitement au courant, dit Hank, et je peux te dire qu'elle était dans ses petits souliers en me voyant.

— Elle avait appris que je pouvais sortir sous caution, et n'avait pas bougé le petit doigt ?

— C'est pas aussi moche que ça, Work. Elle m'a dit qu'elle avait passé quelques coups de fil, et qu'elle attendait que la somme soit réunie. Apparemment, ç'a été le cas.

— Des coups de fil à qui ?

— Je ne lui ai pas demandé, mais c'est elle qui m'a chargé de venir te voir.

— C'est tout ?

Hank tapota la poche de son veston.

— J'allais oublier. Elle m'a demandé de te remettre ceci.

Il me tendit une feuille de papier pliée. Je reconnus le parfum et son écriture. Le mot était bref.

— Elle veut que je sache qu'elle m'aime toujours, dis-je à Hank, et aussi qu'un clochard a volé mon chien.

— Je sais, répondit Hank. Je l'ai lu.

Je repliai la feuille et la glissai dans ma poche.

— Je suis désolé, Work, me dit Hank. La vie est une merde.

Je hochai la tête.

— Et ta femme est une belle garce, si tu me permets.

— Ouais, tu peux le dire, mais tu ne m'as toujours pas dit pourquoi tu es ici.

— Peut-être bien pour sauver ta peau.

Je le regardai d'un air sceptique.

— Je plaisante pas, reprit-il. D'accord, je t'avoue que j'ai eu des doutes te concernant. Normal, non ? Quinze millions de dollars, c'est plus qu'assez pour qu'on ait des idées de meurtre. Et, c'est vrai, je me suis dit que c'était peut-être toi, le coupable. Mais je t'avais promis d'enquêter sur Alex, et je l'ai fait.

Si j'avais été en train de marcher, j'aurais fait un faux pas. Au volant, j'aurais embouti la voiture devant moi.

— Qu'est-ce qu'Alex vient faire ici ?

— À vrai dire, j'en sais trop rien, mais c'est ce que nous allons vérifier.

— Hank, je ne comprends rien à ce que tu me racontes.

— Viens, on en discutera mieux dans la voiture.

— Pourquoi, on va quelque part ?

— À Raleigh.

— Raleigh ?

— Oui, on a quelques questions à poser là-bas.

— À qui ? demandai-je, traînant les pieds.

— Marche, me dit Hank en jetant derrière lui un coup d'œil qui m'alerta.

Suivant son regard, je distinguai une silhouette derrière les portes en verre du tribunal. Soudain, un nuage filtra la lumière, éclairant le visage de Douglas, qui nous épiait, le front plissé.

— Oublie-le, me dit Hank. Ce n'est pas notre problème, aujourd'hui.

Hank désigna la rue qui longeait le cimetière afro-américain.

— Je suis garé un peu plus loin.

Je commençais à me sentir mieux, plus combatif. Nous arrivâmes devant sa Buick vert foncé. Il déverrouilla les portes, et je me glissai à l'intérieur.

— Alex, hein ? dis-je.

— Ce n'est pas sa véritable identité, me dit-il. C'est pour ça que, contrairement à Jean, dont j'ai pu consulter la fiche, je n'ai trouvé aucun dossier au nom d'Alex Shiften. Et je me suis demandé ce que ça pouvait bien cacher, jusqu'à ce que j'y retourne avec la photo que tu m'as remise.

— J'ai eu peur qu'elle ne soit plus dans la boîte, après le passage des flics.

— Je suis arrivé avant eux, et j'ai filé pour arriver à Charlotte à temps. J'ai montré la photo au personnel, et j'ai fini par trouver un infirmier, qui se rappelait très bien de cette fille, qui s'appelle en vérité Virginia Temple. Elle était en traitement à Charter Hills depuis trois mois, quand ta sœur est arrivée. Apparemment, elles se sont tout de suite bien entendues. Deux mois plus tard, elles étaient inséparables.

— Virginia, hein ?

Ce prénom ne collait pas à Alex, il évoquait une douceur qui me semblait bien étrangère à la jeune femme.

— Il y a pire, reprit Hank. Cette Virginia venait de Dorothea Dix.

— L'hôpital psychiatrique de Raleigh ?

— Oui, c'est là qu'on traite les fous criminels. Mais ceux qui présentent une amélioration sont transférés dans des institutions comme Charter Hills, qui est une étape vers une vie normale.

— Ce serait donc le cas d'Alex ?

Hank hocha la tête.

— Putain.

— Exactement, dit Hank en actionnant le démarreur. C'est ce que je me suis dit moi-même.

Il me regarda avant de démarrer.

— Maintenant, Work, c'est à toi de décider. Je peux te raccompagner chez toi, comme l'exige la loi, et aller vérifier moi-même cette histoire avec Alex. C'est pas un problème.

Je ne voulais pas que la juge regrette sa clémence, mais l'affaire était bien trop importante pour la jouer strictement selon les règles – des règles qui, je venais d'en faire la douloureuse expérience, n'étaient pas toujours justes.

J'avais passé ma vie à respecter la loi, et ma vie venait de prendre un triste et bien injuste tournant.

— Qu'ils aillent se faire foutre. On y va.

— T'es mon pote.

— Mais on a un ou deux petits arrêts à faire avant que quitter la ville.

— C'est toi le patron, dit Hank en démarrant. Moi, je suis le chauffeur.

27.

Les bureaux de Clarence Hambly n'étaient pas loin. Comme bien des notaires de la ville, il travaillait à proximité du tribunal. Hank trouva une place sur le parking, devant la vieille bâtisse datant d'avant la guerre de Sécession, que flanquait une annexe à l'arrière.

— Alors, que fait-on ? demanda Hank.

— J'ai juste quelques questions à poser, je n'en aurai pas pour longtemps.

Il y avait du monde dans le hall d'entrée – des clercs que Hambly employait pour quelques dollars de l'heure ou une commission sur les affaires traitées. Le maître des lieux disposait d'un cabinet auquel on accédait par un escalier privé, accessible aux seuls gros clients et que défendait sa secrétaire personnelle. Certain de ne jamais passer sans être annoncé, je me dirigeai vers l'accueil.

— J'aimerais voir Clarence, dis-je, me penchant pardessus le comptoir d'acajou.

La réceptionniste leva la tête et, me reconnaissant, eut du mal à réprimer un mouvement de recul.

— Impossible, dit-elle.

— J'aimerais le voir tout de suite et, si vous ne l'appelez pas, je vais me mettre à hurler.

Elle me regarda d'un air hésitant. Elle avait appris depuis longtemps à négocier avec des clients mécontents, mais cette fois elle jugea préférable de céder. Elle appela la secrétaire particulière de Hambly, l'informa de ma présence puis, raccrochant, me fit signe que je pouvais monter.

Hambly m'accueillit sur le seuil de son bureau et s'écarta pour me laisser passer. Il occupait une vaste pièce donnant sur Main Street. Il ne m'invita pas à m'asseoir.

— Il est d'usage, ici, que l'on prenne rendez-vous, me dit-il d'un ton glacial.

— Ce ne sera pas long, dis-je, refermant la porte derrière moi. Je voudrais savoir comment une copie du testament de mon père a pu atterrir dans ma propre maison.

— Une copie, dites-vous ? Je l'ignorais.

— Qui pouvait en avoir une ?

— Cette conversation est déplacée, monsieur Pickens.

— Ma question est pourtant simple.

— Très bien. J'ai remis à votre père deux originaux, et en ai gardé un ici. S'il en a fait des copies, cela le regarde. Et je ne sais vraiment comment l'une d'elles a pu atterrir chez vous.

— Avez-vous vu celle que la police a saisie ?

— Oui, mais je ne peux pas vous certifier qu'il s'agit de celle découverte à votre domicile. Ils m'ont demandé de l'identifier, et c'est ce que j'ai fait.

— Pourquoi ne m'avez-vous pas dit qu'Ezra avait l'intention de m'exclure de son testament.

— Qui vous a soufflé une telle idée ?

— L'inspecteur Mills.

Hambly réprima un sourire.

— Si Mills vous a dit ça, elle l'a fait pour des raisons qui ne regardent qu'elle. Mais c'est exact, votre père avait envisagé quelques modifications mineures, bien qu'il n'ait jamais été question de vous déshériter, je puis vous l'assurer. J'en déduis que Mills a simplement cherché à vous piéger.

— Quelles modifications ?

— Rien de signifiant, donc, rien qui n'ait concerné le bénéficiaire de sa fortune.

— Est-ce que votre copie de l'original a été dûment enregistrée ?

— Oui, en même temps que l'homologation du testament. L'administration concernée pourra vous le confirmer, si vous lui en faites la demande.

— Mais, de votre côté, vous avez fait des copies ?

— Bien sûr que oui. Je dirige une étude notariale, et, à ce titre, je représente l'État.

— À qui encore avez-vous remis des copies ? Mills ? Douglas ? Qui ?

— N'élevez pas la voix avec moi, je ne le tolérerai pas.

— Très bien, alors dites-moi, si j'étais reconnu coupable du meurtre d'Ezra, pourrais-je hériter d'après la loi de la Caroline du Nord ?

— Vous savez aussi bien que moi que l'État ne permettra jamais à un assassin de tirer un quelconque profit matériel de son crime.

— Dans ce cas, à qui reviendrait le contrôle de la fortune de mon père ?

— À quoi faites-vous allusion ?

— À « qui », disons plutôt.

— La fortune de votre père reviendrait à la fondation.

— Fondation que vous dirigez.

— Je n'apprécie ces insinuations.

— Vous auriez le contrôle de la totalité, soit quarante millions de dollars. Vrai ou faux ?

Hambly me regarda, le visage figé dans une rage sourde.

— Je trouve vos allusions parfaitement insultantes, Work. Sortez de mon bureau.

— Vous étiez à la maison à l'occasion de l'enterrement. C'était même la première fois que vous veniez chez moi. Pourquoi cette visite ?

— Parce que Barbara m'avait invité, et parce que c'est la coutume de présenter ses condoléances, comme je n'ai pas besoin de vous le rappeler. Maintenant, je vous prie de sortir, dit-il en me prenant par le bras.

J'attendis de franchir la porte pour me dégager sèchement de lui sous les yeux ahuris de la secrétaire.

— Quelqu'un a introduit cette copie chez moi dans l'intention évidente de me nuire, Clarence. Ce document n'est pas tombé du ciel.

Hambly se redressa de toute sa taille. Son visage avait rougi.

— Jusque-là, Work, je nourrissais une certaine compassion pour vous. À présent, il me tarde de vous voir assis sur le banc des accusés. (Il pointa une main tremblante vers l'escalier.) Je vous prie de sortir.

— Merci, Clarence, de m'avoir reçu.

Sur ce, je m'en fus sans me retourner. Derrière moi, la porte de son bureau claqua.

Je retrouvai Hank dans la voiture.

— Alors ? demanda-t-il.

— Alors rien.

— Bon, où va-t-on, maintenant ?

— Route 61, direction de Mocksville. Je te dirai où tourner.

Nous quittâmes la ville, et je sentis mon angoisse grandir à mesure que nous approchions de la ferme Stolen.

— Attends-moi, ici, dis-je à Hank, quand il arrêta la voiture dans la cour.

— Bon Dieu, Work, je vais encore poireauter ?

— C'est la dernière fois, je te le promets.

Les arbres ombrageaient la maison. Je n'apercevais nulle part la voiture de Vanessa, mais l'homme que j'avais frappé la dernière fois était là. Il m'observait depuis l'entrée assombrie de la grange. Je me gardai de lever les yeux vers la fenêtre de la chambre où Vanessa et moi avions vécu des bonheurs que nous croyions éternels. Je préférai concentrer mon attention sur l'homme, qui venait de travailler sur le tracteur et avait les mains noircies de graisse. Une clé à molette à la main, il s'appuya contre le gros pneu cranté et me regarda approcher. Il me paraissait plus grand que j'en avais le souvenir et lourdement bâti.

— N'allez pas plus loin, m'sieur, me dit-il, quand je ne fus plus qu'à quelques mètres de lui.

Je levai les mains en signe de paix.

— Je ne suis pas venu chercher la bagarre, lui dis-je. Je veux juste parler à Vanessa.

Il posa la clé sur le capot du tracteur et s'avança vers moi en s'essuyant les mains sur les jambes de son jean. Il semblait inquiet, soudain.

— Mais je pensais qu'elle était avec vous, dit-il.

— Comment ça ? Que voulez-vous dire ?

Il s'arrêta devant moi. Il me dominait d'une bonne tête. Il me regarda dans les yeux, cherchant à déceler mes intentions et puis eut un signe de la main en direction de la maison qui, comme je suivais son regard, m'apparut soudain bien silencieuse et sombre.

— Elle est pas rentrée, la nuit dernière, dit-il.

— Comment ça ?

— C'est comme je vous dis, et je l'ai pas vue de la journée.

Une boule d'angoisse familière se forma dans ma gorge.

— Dites-moi ce qui s'est passé, lui demandai-je. En commençant par le commencement.

Il hocha la tête. Il avait envie de tout me dire, mais hésitait. Puis je compris la raison de son trouble : il avait peur, et moi aussi, soudain.

28.

— Alors, de quoi s'agit-il ?

On était sur l'autoroute, à dix minutes au nord de la ville. C'était la cinquième fois que Hank revenait à la charge, pour se heurter au mur de mon silence. Je n'avais toujours pas envie de lui répondre, pas envie de dire les mots, mais cette fois, je cédai. Peut-être la parole atténuerait-elle mon désespoir.

— Quelqu'un qui compte beaucoup pour moi a disparu.

— Quelqu'un qui compte beaucoup ? Ah, je vois. Une femme ?

— Plus que ça.

— Il y a d'autres poissons dans la mer, Work. Fais-moi confiance.

Je descendis ma vitre ; j'avais besoin d'air. Le vent fouetta mon visage, me coupant un instant la respiration.

— Tu te trompes, Hank, dis-je enfin.

— Alors, peut-être qu'on pêche pas dans les mêmes eaux. Mais dis-moi, c'était qui, ce type ?

Comme je ne répondais pas, il reposa sa question.

— Qui c'était ?

Je me calai plus confortablement dans mon siège.

— Hank, contente-toi de conduire, tu veux bien ? J'ai besoin de réfléchir.

— Pas de problème, mec. De toute façon, la route sera longue.

Sur ce point, il avait raison, et ce ne fut qu'à la nuit tombée que nous nous garâmes sur le parking encombré de l'hôpital Dorothea Dix. Hank coupa le moteur. Je regardai les bâtiments en pensant que, de toutes les poches de misère en ce monde, celle-ci devait détenir les plus noirs secrets.

— C'est vraiment sinistre, dis-je.

— Ce n'est pas aussi moche que ça le paraît.

— Tu es déjà venu ici ?

— Une ou deux fois, répondit-il, sans en dire plus.

— Et ?

— Je ne suis jamais entré dans les pavillons sécurisés, mais le reste ressemble à n'importe quel hôpital.

— Ouais, à part les barbelés au-dessus des murs.

— À part les barbelés.

— Alors, quel est le programme ?

— Combien d'argent as-tu sur toi ?

— Trois cent soixante-dix dollars.

Je m'en souvenais pour les avoir comptés au greffe, quand on m'avait remis mes affaires personnelles.

— Donne-les-moi.

Je le regardai prendre les trois billets de cent et les glisser dans la poche de son jean. Il me rendit le reste. « Prêt ? me demanda-t-il.

— Comme jamais, répondis-je avec conviction.

Il me donna une bourrade dans l'épaule.

— Te fais pas de bile, me dit-il. Ça va être du gâteau.

Quand on sortit de la voiture, il enfila un blouson et vérifia quelque chose dans sa poche. Je ne pus voir ce que c'était, mais l'entendis grogner d'un air satisfait. Je levai les yeux vers la façade noire de l'hôpital qu'encadrait un ciel rouge.

On se dirigeait vers l'entrée quand Hank s'arrêta.

— Attends ici, me dit-il.

Je le vis courir à la voiture et prendre quelque chose à l'intérieur. Quand il revint, il me montra la photo d'Alex.

— On pourrait en avoir besoin, me fit-il.

Je jetai un regard au portrait, me demandant ce qui était arrivé à cette fille pour avoir été internée avec les fous criminels et comment ma sœur Jean avait pu en être affectée à son tour. J'avais besoin d'une réponse et, regardant Hank, j'avais bon espoir qu'il me l'apporte.

Nous entrâmes dans la salle d'accueil. Des couloirs partaient dans toutes les directions ; une odeur d'antiseptique flottait dans l'air. Il y avait un distributeur de journaux, et Hank glissa une pièce dans la machine pour prendre le *Charlotte Observer*. Il me le tendit.

— Tu en auras besoin.

— Pourquoi ? demandai-je, perplexe.

— Tu comprendras dans un instant.

Je haussai les épaules et glissai le quotidien sous mon bras.

Hank étudia un instant le panneau indicateur des différentes salles et services et m'invita à le suivre. Il semblait savoir parfaitement dans quelle direction aller, marchant d'un bon pas sans regarder personne et sans que personne ne le regarde. Je suivais. Nous arrivâmes dans une petite salle d'attente. Le téléviseur accroché au mur portait un post-it signalant qu'il était en panne. Une rangée de chaises en plastique flanquait l'un des murs. On entendait les voix du personnel passant dans le couloir. En face de nous, il y avait une porte marquée *Accès interdit*.

— Voilà, c'est ici, dit Hank en sortant de sa poche un badge au nom de l'hôpital, qu'il s'empressa d'accrocher au revers de son blouson.

— Où t'as eu ça ?

Il me sourit d'un air malicieux.

— Ben, je t'ai dit que j'étais déjà venu ici. Je suis membre du club, si on peut dire.

— D'accord. Et moi, je fais quoi ?

— Tu attends ici. C'est pour ça que je t'ai acheté le journal. Il se peut que ça prenne du temps.

— Je préférerais t'accompagner.

— Je comprends, mais les gens te parlent plus facilement si tu es seul. Tu arrives accompagné, et ce n'est plus une conversation, c'est un interrogatoire.

Il savait quelle importance capitale tout cela avait pour moi.

— Détends-toi, Work. Lis le journal. S'il y a une réponse à trouver ici, je la trouverai, d'accord ? C'est mon métier, après tout. Fais-moi confiance.

— Je n'aime pas ça.

— Alors, n'y pense pas. (Il fit un pas vers la porte puis, se ravisant, se retourna vers moi.) Passe-moi la page des sports, me dit-il, désignant le journal. C'est pour briser la glace. Essentiel dans ce métier.

Quand il eut disparu par la porte *Accès interdit*, j'ouvris le journal et feignis de m'y intéresser, m'efforçant d'afficher un air tranquille. De temps à autre, un membre du personnel, le badge accroché au revers de la blouse, poussait la porte par laquelle Hank avait disparu. Le temps passait, et je redoutais qu'il ne se soit fait prendre en flagrant délit d'intrusion. Et puis, au moment où je commençais à désespérer, la porte s'ouvrit, et il apparut. Il ne souriait pas mais son visage exprimait une évidente satisfaction. Me prenant par le bras sans un mot, il m'entraîna dans le couloir.

— Ça n'a pas été trop pénible ? me demanda-t-il d'un ton dégagé.

— Tu as découvert quelque chose ? lui demandai-je, baissant malgré la voix.

— Oui, on peut dire ça, répondit-il, jubilant presque.

Réprimant mon impatience, je le suivis en silence jusqu'à ce qu'on sorte de l'hôpital et qu'on regagne la voiture. Hank déverrouilla les portières et se mit au volant. Il n'avait toujours pas dit un mot. Il sortit du parking et, me jetant un regard, me demanda de boucler ma ceinture de sécurité.

— Si tu as l'intention de te foutre de ma gueule, lui dis-je, le moment est mal venu.

— Excuse-moi, Work, mais j'ai besoin de remettre mes idées en ordre. J'ai beaucoup de choses à te raconter, et je ne voudrais pas t'effrayer.

— C'est pourtant ce que tu es en train de faire.

Mais il refusa de parler jusqu'à ce qu'on prenne l'autoroute 40, où il se mit à rouler en dépassant de dix milles la vitesse limite.

— Tu as entendu parler d'East Bend ? demanda-t-il enfin.

— Ça me dit quelque chose.

— C'est un chouette endroit. On y élève des chevaux. C'est sur la rivière Yadkin, pas très loin de Winston-Salem.

Les phares des véhicules roulant en sens inverse de l'autre côté de la bande arborée divisant l'autoroute éclairaient par à-coups le visage de Hank. Il tourna la tête vers moi.

— Tu devrais y aller, un jour. Il y a des vignes sur le coteau descendant vers la rivière...

— Et en quoi cet endroit charmant pourrait-il m'intéresser ?

— Alex est originaire du coin. Elle y a passé ses quatorze premières années.

— Et ?

— Écoute, Work, je dispose de peu de détails. Ce que j'ai récolté, je le tiens d'un aide infirmier, et les informations qu'on achète ne sont pas toujours sûres. Bien entendu, je n'ai rien pu vérifier.

— D'accord, je ne t'en fais reproche. Maintenant, si tu me disais ce que tu as appris ?

— Elle a tué son père. Elle l'a attaché sur son lit et a foutu le feu.

— Quoi ?

— Elle avait quatorze ans. Sa mère aussi était dans le lit, mais elle a survécu. C'était après son père que la gamine en avait. Et elle l'a brûlé vif.

Hank s'interrompit, guettant en vain une réaction de ma part.

— Elle a attendu qu'il arrête de hurler pour appeler la police, puis elle est sortie pour regarder la maison brûler. Quand les pompiers sont arrivés, elle leur a dit que sa mère était encore en vie. Ils l'ont trouvée dehors sous la fenêtre de la chambre, le corps brûlé à soixante-dix pour cent et aussi profondément tailladé par sa chute à travers la vitre. Elle a raconté aux policiers ce qu'elle avait fait, et on rapporte qu'elle n'aurait pas versé une larme. Mon informateur ne sait pas si elle est passée devant un juge pour mineurs, mais l'État l'a fait enfermer à Dorothea Dix, où elle a passé quatre ans. Quand elle a eu dix-huit ans, ils l'ont transférée à Charter Hills, où elle a fait connaissance de ta sœur.

— Il y a donc seulement trois ans de ça ?

— Oui, elle est jeune.

— Elle n'en a pourtant pas l'air.

— C'est une gosse qui en a bavé et, forcément, ça l'a vieillie.

— Tu as de la sympathie pour elle ?

— Pas du tout, se défendit Hank. Je n'ai pas pu savoir ce qui s'est passé, avant qu'elle tue son père, mais elle devait avoir ses raisons, et ce n'est pas bien difficile de les deviner. (Il haussa les épaules.) J'ai un faible pour les gosses qui en ont bavé.

Il n'avait pas à m'en dire plus, je me doutais bien que sa propre jeunesse n'avait pas été de la tarte.

Nous roulâmes un instant en silence.

— Alors, c'est tout ce qu'on sait ? demandai-je enfin.

— J'ai bien essayé de monnayer une photocopie de son dossier, mais mon type ne voulait pas se mouiller. Il m'a dit que c'était une chose de bavarder, mais que c'en était une autre de pirater un document. Il m'a toutefois confirmé que l'histoire d'Alex était connue de tout le personnel.

Nous restâmes silencieux jusqu'à la sortie en direction de la route 140, qui nous ramènerait à Jean et sa compagne au terrible passé.

Hank sortit de sa poche deux des trois billets de cent que je lui avais donnés, et me les tendit.

— Cent dollars ont suffi.

— Alors toute l'histoire est là.

— Ouais, en gros.

— Que veux-tu dire, par « en gros » ?

Hank haussa les épaules.

— Le type avait peur d'elle.

— D'Alex ?

— Ouais, Alex, alias Virginia. Il m'a dit que tout le monde à l'hôpital se méfiait d'elle.

— Sauf Jean.

— Ouais, sauf ta sœur, confirma-t-il. Elle l'aimait.

— Y a-t-il autre chose que tu ne m'as pas dit ?

— Non, à part une remarque que j'ai entendue quand je suis allé à Charter Hills.

— Quoi ?

Il haussa les épaules.

— Un autre infirmier, que j'ai rencontré cette fois-là, m'a dit que Jean aimait Alex comme un croyant aime son Dieu. Ce sont ses propres paroles.

Je les revoyais ensemble, toutes les deux. Une croyante, et son Dieu. Disciple et gourou.

— Comment pourrait-elle l'aimer à ce point ?

— Ça, qui pourrait le savoir ? me répondit Hank, d'un ton qui me parut vaguement mélancolique.

— Crois-tu qu'Alex aurait pu tuer mon père ?

— Si c'est pas toi qui l'a fait ?

— Très drôle, Hank. Vraiment très drôle.

— Est-ce que tu saurais où se trouvait Jean, la nuit où ton père a été tué ?

— Non.

— Avait-elle une raison de vouloir sa mort ?

Je pensai à Ezra, à son mépris pour Alex. Je revis la violente querelle qui les avait opposés, elle et lui, cette nuit de toutes les catastrophes – une querelle dont Alex et son désir de séparer les inséparables étaient la cause.

— Oui, elle en avait une.

— Et, il y a sept ans de ça, elle a brûlé vif son père.

Je hochai pensivement la tête.

— Oui, concédai-je, c'est bien possible.

— Je ne te le fais pas dire.

29.

Il était minuit passé quand nous arrivâmes à Salisbury. Il y avait très peu de circulation, et seules quelques fenêtres étaient éclairées. Nous chuchotions, tels deux fantômes. Je sentais que, comme moi, Hank était troublé par ce que nous venions d'apprendre sur Alex. Quand il eut arrêté la voiture dans l'allée, je me tournai vers lui.

— Hank, je ne sais comment te remercier pour ce que tu as fait pour moi.

— Rassure-toi, je t'enverrai la note.

— Alors fais-le vite.

— Tu ne retourneras pas en prison, Work. On sait tous les deux qu'on tient une bonne piste. Informe Mills de ce qu'on a découvert. Elle te foutra la paix, quand elle aura fait sa propre enquête.

— Peut-être. On verra bien, dis-je en pensant à la conversation que je devrais avoir avec Jean. Écoute, pour ta note de frais…

— Qui sera grosse…

— Bien plus grosse que tu ne le penses, dis-je.

Il me regarda.

— Que veux-tu dire ?

— J'ai besoin de toi pour retrouver une personne qui m'est très chère.

— La femme de ton cœur ?

— Oui. Elle s'appelle Vanessa Stolen. Tu sais où elle habite. Il faut absolument que je lui parle... j'ai besoin d'elle.

J'étais incapable de chasser un terrible pressentiment.

— *Je l'ai jamais vue quitter la ferme comme ça*, m'avait dit son aide. *Pas sans donner à manger à ses bêtes. Non, c'est pas dans ses habitudes, ça.*

— *Partir sans vous avertir ?* avais-je insisté.

— *Vous savez, m'sieur, je lui donne seulement un coup de main de temps en temps. Quand elle s'absente et qu'elle a besoin de moi, elle me passe un coup de fil. J'ai ma propre ferme, vous savez. Je fais que la dépanner de temps à autre.*

Quel imbécile j'avais été de croire qu'ils étaient amants.

— Retrouve-la, Hank.

— Que peux-tu me dire d'elle ? Ses amis, ses habitudes, les lieux qu'elle fréquente ?

— Tout ce que je sais, c'est qu'elle n'a pas de famille, qu'elle quitte rarement sa ferme. Quant à ses amis – si elle en a – j'ignore qui ils sont.

— Quand l'as-tu vue pour la dernière fois ?

— Quelques minutes avant de me faire serrer.

— Excuse-moi de te demander ça, mais aurait-elle une raison de... disons, se faire oublier un moment ?

Il marqua une pause et reprit :

— Tu es un homme marié, Work. La police te soupçonne de meurtre. Peut-être que ça fait beaucoup pour elle et qu'elle n'a pas envie de payer un tel prix ?

— Non, tu te trompes, il ne s'agit pas de ça.

— Faut que je me fasse une idée, Work. (Il jeta un coup d'œil à sa montre.) Il est tard, je vais rentrer chez moi. Dès demain matin, je me mets en quête de ton amie, d'accord. Et je la retrouverai, crois-moi.

Je me tournai vers lui.

— Tu es un type bien, Hank. Je te dois beaucoup.

Ce n'est qu'après qu'il eut démarré que je m'aperçus que la voiture de Barbara n'était pas dans le garage. Elle m'avait laissé un mot sur le comptoir de la cuisine. Elle passait la nuit chez son amie Glena.

J'étais trop remué pour avoir sommeil. Soudain la possibilité qu'Alex fût l'assassin d'Ezra prenait une nouvelle consistance. Elle avait déjà tué, et son propre père encore. Alors, pourquoi pas le mien ? Mais le puzzle n'était pas reconstitué. Ce ne serait qu'une fois la pièce manquante retrouvée et après que Hank aurait des nouvelles de Vanessa que j'irais voir Mills. Pas avant.

J'allumai mon ordinateur et consultai l'annuaire d'East Bend, en Caroline du Nord. Il y avait un couple du nom de Temple, et une certaine Rhonda Temple, dont je notai l'adresse. Puis je réalisai que je n'avais plus de voiture. Mills détenait toujours mon pick-up. Il n'y avait pas d'obstacle à ce que je le récupère, mais jamais je ne pourrais attendre pendant six heures dans cette maison vide que le jour se lève. Finalement, j'appelai le Dr Stokes. Il m'attendait à la porte de derrière, quand j'arrivai. Il était en pyjama, les cheveux en bataille.

— Désolé de vous tirer du lit, monsieur Stokes, mais c'est important.

Il balaya l'air de sa main.

— Work, tu ne me déranges pas. Et puis ça fait longtemps qu'on ne m'a pas appelé pour une urgence en pleine nuit, et ça me manque.

Il sortit de la maison et m'entraîna jusqu'au garage, devant lequel il y avait deux véhicules – une Lincoln bleu foncé et un minibus aux flancs garnis de boiseries.

— L'un ou l'autre, ça m'est égal, lui dis-je.

— Alors, tu ferais mieux de prendre la mienne, dit-il en me tendant un jeu de clés.

Je me tournai vers la Lincoln. Elle était grande et bien lustrée. Une voiture rapide.

— J'en prendrai soin, promis-je.

— Ah, celle-ci, Work, c'est celle de Marion, dit-il avec un petit rire. La mienne, c'est le minibus.

Le véhicule devait bien avoir dix ans.

— Ah, d'accord, dis-je. Je vous le rapporte dans la matinée.

— Prends ton temps. Je n'ai rien de prévu pour demain.

*

J'arrivai à East Bend à deux heures et demie du matin. C'était un trou perdu, en bordure de la route 67, à soixante kilomètres de Winston-Salem. Il n'y avait là qu'un restaurant, une minuscule agence immobilière et deux épiceries. L'une d'elles était ouverte, et je me fis servir un café sans goût par un type jeune aux cheveux longs, coiffé d'une casquette camouflée. Comme je lui demandais s'il vendait des cartes routières d'East Bend, il éclata de rire.

— Elle est bien bonne, celle-là, dit-il. Faudra que je m'en souvienne.

— Chemin de Trinity, vous savez où c'est ?

— Vous le trouverez jamais.

— C'est pour ça que je vous demande où il est.

— C'est un chemin de terre mais carrossable, enfin tout juste.

— Je cherche une femme qui s'appelle Rhonda Temple.

Il me regarda dans les yeux, comme s'il essayait de deviner mes intentions.

— Je ne lui veux pas de mal, vous savez, lui dis-je, si c'est ça qui vous inquiète.

Il rit de nouveau, dévoilant des dents en mauvais état.

— Vous pouvez la tuer, si ça vous chante. Cette femme est la pire salope que j'aie rencontrée de ma vie. Pourquoi vous cherchez à la voir ?

— C'est bien elle qui a échappé à un incendie, il y a sept ou huit ans de ça ?

— C'est elle.

— C'est à ce sujet-là que je veux lui parler.

— Ici, tout le monde connaît l'histoire. C'est sa dingue de fille qui a foutu le feu. Elle a attaché son père sur son lit pendant qu'il dormait et l'a cramé.

— Alex, hein ?

— Alex ? Non, elle se prénomme pas Alex.

— Je voulais dire Virginia.

— Ouais, Virginia.

— Vous la connaissez ?

— Pas vraiment, non. Elle devait avoir deux ans de plus que moi à l'époque, mais elle était déjà complètement barjo.

— Alors, comment je fais pour aller chez cette femme ?

— Vous allez prendre à droite en sortant d'ici et, juste avant le passage à niveau, vous verrez une pancarte bleue qui indique le chemin de terre. Sa maison est tout au bout. Vous voulez y aller maintenant ?

— Peut-être, répondis-je. Je n'ai pas encore décidé.

— Ben, si j'étais vous, j'irais pas. Prendre ces chemins la nuit dans ce coin-là, c'est risquer un coup de fusil.

Je le remerciai, et j'allais sortir, quand il me rappela.

— Hé, m'sieur.

— Ouais.

— Ne vous laissez pas impressionner, quand vous la verrez, dit-il. Elle est laide comme un cul de singe.

*

J'avais beau être impatient de rencontrer Rhonda Temple, mère de Virginia, alias Alex, je savais que le jeune homme ne bluffait pas. Cette entrevue avec cette femme ne serait pas facile. Sirotant mon café derrière le volant, je pensai au Dr Stokes et à sa conviction que chacun méritait le salut. Je finis par m'endormir.

Il était sept heures du matin quand je m'engageai sur le chemin, qui n'était qu'une tranchée poussiéreuse courant entre deux murs de buissons. Je passai devant de petites caravanes abandonnées à la rouille et aux ronces – une espèce de chemin de croix de misère humaine.

La route se terminait cinq cents mètres plus loin devant une caravane attelée à une vieille Dodge, au toit orné d'une parabole. Du linge séchait sur une corde, et il y avait de la lumière à l'un des hublots de la remorque.

Je frappai à la porte.

La femme qui apparut sur le seuil était bien celle que je cherchais. Son visage n'était qu'un masque torturé par d'innommables cicatrices. Les cheveux gris en bataille, d'épaisses lunettes à monture rouge aux yeux, une cigarette allumée pendait à ses lèvres parcheminées.

— Vous êtes qui, vous? demanda-t-elle d'une voix sifflante. Qu'est-ce que vous venez foutre chez moi aux aurores?

— Madame, je m'appelle Work Pickens. Je viens de Salisbury. Je suis désolé de vous déranger à cette heure matinale mais – et c'est très important pour moi – je voudrais que vous me parliez de votre fille.

— Et pourquoi je devrais faire ça?

— Franchement, je n'ai pas de réponse à ça. Vous ne me connaissez pas et vous ne me devez rien. Mais je vous le demande quand même.

— Vous parler de ma fille, hein? Vous êtes quoi? Un flic, un journaliste? demanda-t-elle en me toisant de la tête aux pieds.

— Non, je ne suis ni l'un ni l'autre.

— Vous êtes quoi, alors?

J'ignorai sa question.

— Virginia Temple, c'est bien votre fille, n'est-ce pas?

Elle tira longuement sur sa cigarette en me fixant de ses yeux de reptile.

— Elle est sortie de mon ventre, si vous voulez le savoir. Mais elle est sûrement pas ma fille.

— Je ne comprends pas.

— Cette gosse avait à peine dix ans que c'était déjà une pourriture. Elle n'était plus mon bébé. Mais, quand elle a mis le feu et tué mon Alex, alors elle est devenue une étrangère pour moi.

Je ne pouvais m'empêcher de regarder les cicatrices, et imaginais l'horreur d'être la proie des flammes.

— Je suis désolé pour votre mari.

— Vous êtes con ou quoi ? s'écria-t-elle. Je me fous pas mal de ce qui lui est arrivé, à ce salaud. Il a eu ce qu'il méritait, et je suis soulagée qu'il soit crevé. Non, je parlais de ma petite Alex.

Elle écrasa une larme au coin de ses yeux.

— Alex ? Je ne comprends pas.

— Alex a été ma seule joie dans la vie.

— Madame, je ne...

— Vous pigez donc rien ? Alex était mon autre fille, mon bébé. Elle avait sept ans quand c'est arrivé. Ce monstre de Virginia l'a tuée, elle aussi. Ne me dites pas que vous l'ignoriez.

30.

Et puis Rhonda Temple se tut. Elle n'avait plus envie de parler de Virginia et de ce que celle-ci avait fait. Toutefois, elle me raconta comment Alex, la plus jeune de ses deux filles, était morte. J'eus tout le temps de penser à cette histoire en regagnant Salisbury, et, pour moi, le moment était venu de revoir Jean et de lui poser la question. Je devais savoir.

Je garai la voiture du Dr Stokes sur le parking de l'hôpital et, me faufilant par l'entrée des urgences, pénétrai dans le hall brillamment éclairé. Il n'y avait personne au bureau d'accueil. À peine aperçus-je le mouvement d'une blouse blanche derrière une paroi vitrée. Avec l'impression d'être un fantôme, je gagnai les ascenseurs et montai au troisième étage. Le poste des infirmières de garde était désert. J'étais arrivé devant la chambre de ma sœur quand une infirmière traversa le couloir sans me voir. Je me hâtai d'entrer et de refermer la porte derrière moi. Il faisait sombre dans la chambre, après la vive lumière du couloir. Les appareils de réanimation projetaient une lumière d'aquarium. Je m'attendais à y trouver Alex et, franchement, je ne savais comment je réagirais. Mais, heureusement, ce n'était pas le cas. J'avais besoin de toute l'attention de Jean, pas d'une nouvelle confrontation.

Me penchant, je pris la main de Jean. Elle était sèche au toucher mais je sentais la pulsation de son sang. Ses paupières étaient agitées, et je me demandai si elle n'était pas en train de rêver, pensant malgré moi que ce ne pouvait être qu'un cauchemar. N'osant la réveiller, je m'assis sur la chaise à côté du lit, tenant toujours sa main fiévreuse. Au bout d'un moment, la fatigue l'emportant, je m'endormis.

À un moment, je dus rêver, moi aussi. Je sentis une main sur ma tête et perçus une voix.

— Comment as-tu pu faire ça, Work ? Comment est-ce possible ?

Sa main glissa, ses mots se perdirent mais, dans la clairvoyance des rêves, je compris qu'elle pleurait.

Me réveillant en sursaut, je rencontrai le regard de Jean.

— Depuis quand es-tu là ? demanda-t-elle d'une voix aussi sèche que sa main. Je me frottai les yeux.

— Tu veux un peu d'eau ? lui demandai-je.

— Oui, s'il te plaît.

Elle vida le gobelet que je lui tendis. Je me rappelais la mer de sang dans laquelle elle baignait au bas de l'escalier. On pouvait comprendre qu'elle fût déshydratée. Observant son visage, je remarquai le relâchement de sa bouche, qui devait être dû aux sédatifs. Se voyant observée, elle détourna la tête.

Je n'avais pas envie de lui poser ces questions qui m'avaient amené auprès d'elle. Je la savais bien trop fragile pour ça.

— Comment te sens-tu, Jean ? Tu tiens le coup ?

Elle me regarda et, pendant un instant, je crus qu'elle ne me répondrait pas.

— Ils m'ont dit que tu m'avais sauvé la vie, dit-elle soudain sans la moindre trace d'émotion.

— Peut-être bien, répondis-je, redoutant qu'elle me reproche mon intervention.

— Même Alex le dit. Elle m'a raconté que c'était toi qui m'avais retrouvée dans la maison et que tu m'avais fait un garrot à chaque poignet. Sans ça, je serais morte.

J'abaissai les yeux sur mes mains, me rappelant mes gestes cette nuit-là.

— Tu m'as appelé au téléphone, lui dis-je, alors je suis venu.

— C'est la troisième fois, reprit-elle. Tu dois me détester.

— Pourquoi je t'en voudrais ? dis-je, en la forçant doucement à se tourner vers moi. Tu es ma petite sœur, Jean. Et je t'aime.

Elle hocha la tête, et des larmes jaillirent de ses yeux, inondant son visage, qu'elle tentait d'essuyer de ses poignets bandés. Je voyais bien qu'elle voulait parler mais que les mots se refusaient à elle. C'était ainsi que nous avions été élevés.

J'avais envie de lui demander si elle voulait quelque chose? De l'eau? Un autre oreiller? Mais je n'en fis rien, car la seule question qui m'importait était autrement plus grave et dangereuse. Elle ne pouvait attendre non plus. J'avais besoin de savoir. Je ne pourrais aller voir Mills qu'après que Jean m'aurait de sa bouche même donné la réponse.

— C'est toi, Jean, qui as tué Ezra ?

Elle me regarda, bouché bée.

— Quoi? Mais... mais je pensais que c'était toi, répliqua-t-elle de cette voix d'enfant vulnérable qui s'était persuadée que c'était moi, le coupable.

— C'est Alex qui t'a raconté ça, Jean? C'est pour cela que tu penses maintenant que c'est moi qui ai pu le faire ?

Elle secoua la tête, remontant machinalement le drap jusqu'à sa gorge, le regard voilé par la plus grande confusion.

— C'est toi, Work. Ça ne peut être que toi. Parce que... (Sa voix s'estompa. Elle essaya de nouveau.) Parce que...

Je formulai pour elle sa pensée.

— Parce que si ce n'est pas toi et si ce n'est pas moi, alors c'est Alex qui l'a fait. C'est bien ça que tu allais dire ?

Cette fois, elle se recroquevilla en chien de fusil, comme si elle avait peur que je ne la frappe, et si je n'avais appris d'où venait Alex et ce qu'elle avait fait, j'aurais peut-être douté.

— Il y a des choses au sujet d'Alex, Jean, que tu ne sais peut-être pas.

— Je sais tout d'elle, Work. Tu n'as rien à m'apprendre de neuf, crois-moi.

— Quoi, tu savais… ?

— Oui. Son vrai nom est Virginia Temple. Elle en a changé, après sa sortie de l'hôpital.

— Sais-tu qu'elle a tué son père ?

— Bien sûr.

Je n'arrivais pas à le croire.

— Et sais-tu comment elle l'a tué ?

Jean hocha la tête.

— Bon Dieu, Jean, elle l'a ligoté sur son lit et l'a brûlé vif ! m'écriai-je avec colère, et Jean se recroquevilla un peu plus sur elle-même, les genoux contre sa poitrine, entortillant le conduit de la perfusion.

Je me levai pour le remettre dans la bonne position, et je la sentis tressaillir à mon contact.

— Pardonne-moi, Jean, pardonne-moi.

Reprenant ma place sur la chaise, je l'observai en silence pendant un moment puis, cédant à une impatience grandissante, je me relevai et m'approchai de la fenêtre dont je tirai le rideau pour regarder dans le parking encore désert. Soudain, dans mon dos, je perçus la voix de Jean, une voix si faible que je dus tendre l'oreille pour entendre ce qu'elle disait.

— Elle avait une piscine, quand elle était petite.

Je regagnai la chaise.

— Une piscine ? répétai-je, pour lui signifier que j'étais là, que je l'écoutais.

Elle avait les yeux grands ouverts mais ne me regardait pas. J'attendis qu'elle reprenne.

— C'était une de ces piscines gonflables, dont on se moquait toi et moi, quand on était gosses. Une piscine de pauvre. Mais elle s'en fichait que la chose soit installée à côté d'une caravane délabrée et qu'on la voie depuis le chemin. Elle n'était encore qu'une petite fille, et ce boudin de plastique, c'était ce qu'elle avait de mieux dans sa vie.

» Quand elle a eu sept ans, continua-t-elle, son père a instauré un nouveau règlement, oui, c'est comme ça qu'il disait en se marrant... « un nouveau règlement ». Alex s'en fichait mais, si elle voulait profiter de la piscine, elle devait porter des talons hauts et être maquillée. C'était ça, le *nouveau règlement*. (Elle marqua une pause, et je l'entendis reprendre son souffle.) Voilà comment tout a commencé.

J'avais plus ou moins deviné la suite, et j'en avais déjà le ventre noué. Hank avait eu raison. C'était une sale et bien sordide histoire.

— La décision du père ne concernait pas la mère, seulement la fillette. Alex m'a dit qu'après ça sa mère ne s'était plus approchée de la piscine. Cette année-là, son père était au chômage, alors Alex et lui traînèrent à la piscine pendant l'été. Il se contentait alors de mater la gamine. Les choses sérieuses commencèrent quand la saison froide arriva.

Je ne voulais pas entendre la suite, mais Jean avait quelque chose à me dire, et je ne pouvais m'esquiver.

— Il ne faisait pas que la peloter, Work. Non, il la baisait, il la sodomisait et, quand elle lui résistait, il la cognait. Après cet été-là, il lui a interdit de mettre un pyjama pour dormir, elle devait se coucher nue. Encore une nouvelle règle. Ça n'a pas commencé petit à petit, non, ça a explosé dans sa vie. Le lendemain de ses sept ans, il l'a violée et a continué de le faire. Et ça s'est aggravé, quand il a commencé à se lasser d'elle et qu'il a dû trouver de nouvelles façons de prendre son pied. Il y a des choses qu'il lui a faites dont elle ne peut toujours pas parler, et pourtant c'est la femme la plus forte que j'aie jamais connue.

» Ça a duré des années. Il ne travaillait pas, buvait et jouait. Pour payer ses dettes de jeu, il la louait à des types, cent dollars par ci, deux cents par là. La première fois, elle avait onze ans. Le type était contremaître dans une plantation d'hévéas, près de Salem. Un obèse. Le type pesait cent cinquante kilos, Alex, trente.

— Et sa mère... ? demandai-je.

— Elle ne voulait rien voir rien entendre. La première fois qu'Alex lui en parlé, elle l'a traitée de menteuse et lui a collé une baffe. Mais elle savait très bien ce qui se passait.

Jean se tut.

— Elle aurait pu aller voir la police, dis-je.

— C'était une gamine ! Elle n'avait jamais rien connu d'autre. Quand elle a eu treize ans, la situation s'est un peu améliorée pour elle. Il la baisait moins mais la battait plus. Elle devenait trop vieille pour lui. Elle avait ses règles, et l'intéressait moins.

— Elle avait quatorze ans quand elle l'a tué, dis-je. Elle était presque une jeune fille.

Un son bizarre s'échappa de la gorge de Jean, moitié rire moitié cri étranglé. Et, se tournant enfin vers moi, elle se souleva sur un coude.

— Tu ne comprends pas, Work.

— S'il n'abusait plus d'elle...

— Elle avait une petite sœur ! s'écria-t-elle soudain. C'est la raison pour laquelle Alex a fait ce qu'elle a fait. Une petite sœur de sept ans, prénommé Alexandria.

Je compris soudain, je compris tout.

— Le jour où Alex a cramé son père, sa sœur venait d'avoir sept ans. La veille, ils avaient fêté son anniversaire, et devine ce que son père lui avait offert comme cadeau ?

Je connaissais la réponse.

— Des souliers à hauts talons, Work, et un tube de rouge à lèvres. Et elle était toute contente. Elle ne savait pas ce qui l'attendait, elle voulait seulement être habillée comme sa grande sœur. C'est pour cette raison qu'Alex a tué ce salaud.

Je ne voulais pas faire le moindre mal à ma sœur, mais je savais cependant que je la blesserais. Hank m'avait dit que Jean aimait Alex comme un disciple aime son gourou. Et, gourou, Alex ne l'était pas. C'était une tueuse, et Jean devait en prendre conscience. Pour son bien.

— Qu'est-il arrivé à Alexandria ? lui demandai-je. Alex t'en a parlé ?

— Non, elle n'en parle pas. Je suppose qu'elles se sont perdues de vue, après qu'Alex a été internée. À cet âge-là, sa sœur ne risquait pas de comprendre ce qui s'était passé.

Ce que j'avais à dire, je devais le dire vite. Jean avait droit à la vérité.

— Sa sœur est morte, Jean. Elle a voulu retourner dans la maison et elle a péri dans les flammes... comme son père.

Jean me regarda, mais nulle parole ne sortit de sa bouche ouverte.

— Accident ou pas, Jean, poursuivis-je, elle a tué sa sœur et, pour je ne sais quelle raison, s'est approprié son prénom. Alexandria... Alex, ce n'est pas une coïncidence. Elle a tué sa sœur, son père, et je suis également persuadé qu'elle a tué Ezra.

Jean tremblait soudain.

— Si elle avait fait tout ce que tu dis, elle me l'aurait dit, crois-moi. Mais pourquoi tu me racontes tout ça ? Tu cherches quoi ?

— Je regrette, Jean, je sais que ça te fait du mal mais il fallait que je te parle. Tu as droit à la vérité.

— Je ne te crois pas.

— Je te jure que c'est vrai.

— Sors d'ici, Work, et laisse-moi tranquille.

— Jean...

— Tu as toujours été du côté de papa, comme tu as toujours détesté Alex.

— Elle a tué Ezra, et voudrait bien que je me prenne perpète à sa place.

Jean se dressa soudain debout sur le lit, fantôme pâle oscillant sur le matelas, et pointa sur moi un doigt tremblant de réprobation. Je compris que j'avais été trop loin, et que je l'avais perdue.

— Sors d'ici ! hurla-t-elle, le visage plein de larmes. Sors d'ici, espèce de sale menteur !

31.

Je jugeai bon de sortir de la chambre. Jean était bouleversée. Je l'avais poussée en terrain dangereux, alors qu'elle n'avait qu'Alex et moi sur qui s'appuyer. Or, pour l'instant, seule Alex comptait pour elle, et j'avais essayé de l'en éloigner.

Mais je connaissais enfin la vérité. Jean n'avait pas tué notre père. Elle n'était pas une meurtrière et, épargnée de ce poids sur sa conscience, elle pourrait échapper à cette spirale qui l'avait poussée une fois de plus au suicide. Toutefois, quelqu'un devrait payer pour le meurtre d'Ezra, ce serait Alex ou moi. Quelle que soit l'issue, ce serait un nouveau coup dur pour Jean qu'elle devrait surmonter.

De mon point de vue, la situation avait totalement changé. J'aurais consenti à tomber pour Jean, mais certainement pas pour Alex.

Dans le couloir, je m'adossai au mur et fermai les yeux. Il me sembla entendre pleurer Jean, mais ce n'était peut-être qu'une hallucination née d'une conscience coupable.

Quand je rouvris les yeux, une infirmière se tenait devant moi.

— Vous vous sentez bien ? demanda-t-elle.

— Oui, répondis-je, surpris.

— Vous êtes blanc comme un linge.

— C'est juste un coup de fatigue.

— Sans doute, mais vous ne pouvez rester ici, les visites ne commencent que dans une heure seulement.

— D'accord.

Comme je m'éloignais, je jetai un coup d'œil derrière moi et la vis qui m'observait d'un air perplexe. Elle devait se demander où elle avait déjà vu ce visage.

Je me dirigeai vers les ascenseurs en pensant à Alex. Je n'étais pas un psy, mais je doutais de la santé mentale de cette fille. Pourquoi avait-elle pris le prénom de sa sœur ? Parce que celle-ci était morte non souillée par le père et purifiée par son innocence et le feu dans lequel elle avait péri ? Ou bien était-ce par culpabilité ? Je ne le saurais jamais, mais une chose était claire : Alex Shiften était d'une loyauté féroce, et je la savais capable d'éliminer quiconque menacerait sa relation avec Jean. Elle avait tué son père pour protéger sa sœur, et elle avait éliminé Ezra, parce que celui-ci s'opposait à son union avec sa fille. Et depuis que c'était à mon tour d'incarner un danger, elle me collait sur le dos l'assassinat de mon père. Elle avait retourné Jean contre moi, et réussi à obtenir une copie du testament, pour l'introduire chez moi.

Je me figeai soudain, frappé par une terrible pensée. Alex avait sapé mon alibi. Elle avait appris par Jean que je n'étais pas chez moi quand mon père avait été assassiné. Savait-elle où j'étais cette nuit-là. Connaissait-elle ma liaison avec Vanessa ? Bon Dieu, savait-elle que Vanessa pouvait me disculper en témoignant que j'avais passé la nuit avec elle ? Or, Vanessa avait disparu.

Elle n'est pas rentrée la nuit dernière.

J'étais soudain incapable de poursuivre ma pensée. Il le fallait, cependant. C'était une question que je ne pouvais esquiver. Si Alex savait que Vanessa était en mesure de faire capoter sa machination, irait-elle jusqu'à la tuer ?

La réponse ne pouvait être que oui.

La porte de l'ascenseur s'ouvrit. Je me faufilai à travers un groupe de médecins et d'infirmiers qui attendaient l'appareil, et gagnai en toute hâte la sortie. Ce ne fut qu'une fois dehors que je pris conscience que je n'avais pas le moindre plan. Il était dix heures trente. J'appelai à la ferme Stolen. Le cœur battant, j'écoutai le timbre sonner et sonner. Décroche, décroche, murmurais-je. Mais personne ne répondit. Une terrible certitude m'envahit. Alex l'avait tuée. Vanessa était morte.

Je suffoquais de chagrin quand une petite pensée égoïste perça soudain. Je n'avais plus d'alibi. Je risquais fort de finir mes jours en prison. M'empressant de chasser cette pensée, j'appelai Hank sur son portable.

— C'est marrant, me répondit-il. J'allais juste te téléphoner.

— Dieu merci, tu es là, m'exclamai-je.

— Écoute, dit-il, on a un sacré problème sur le dos. (Je perçus un brouhaha de voix, et une minute passa avant qu'il ne revienne en ligne.) Voilà, je suis dehors, dit-il. On peut parler.

— Hank, je crains qu'il ne soit arrivé quelque chose à Vanessa.

— Work, je te le dis le plus gentiment du monde, mais on n'a plus le temps de s'occuper de ton amie. Figure-toi qu'en ce moment même je suis au poste de police.

— De Salisbury ?

— Ouais, j'y suis passé pour vérifier les accidents de la circulation, au cas où ton amie Vanessa aurait pu être victime d'une collision. Mais c'est un vrai nid de frelons, là-dedans. Où es-tu en ce moment ?

— À l'hôpital, devant l'entrée des urgences.

— Bouge pas de là-bas et, surtout, ne te fais pas voir. J'arrive tout de suite.

— Attends, Hank. Que se passe-t-il ?

— Ils ont retrouvé le revolver, Work. Celui que tu as balancé dans la rivière.

— Quoi ?

— Attends-moi, d'accord ?

Il raccrocha, et je restai à contempler le téléphone dans ma main dans un état proche de la stupeur.

Alex avait-elle une responsabilité dans la découverte de l'arme ?

Hank arriva. Je montai dans la voiture, et il repartit sans un mot, enfilant une série de rues avant de s'arrêter le long du trottoir dans un quartier tranquille.

Hank, calé contre son siège, regarda un instant devant lui avant de tourner la tête vers moi.

— J'attends que tu t'expliques, me dit-il.

— Comment ça ?

Son visage s'était durci et, ce fut d'une voix glacée qu'il reprit la parole.

— Quelle rivière ? Quel revolver ? Voilà les questions que tu aurais dû me poser tout à l'heure, au bout du fil. Et ça m'inquiète que tu ne l'aies pas fait.

Je ne savais que dire. Il avait raison. Tout homme innocent aurait en effet posé ces questions.

— Je ne l'ai pas tué, Hank.

— Parle-moi de ce revolver.

— Il n'y a rien à en dire, mentis-je malgré moi.

— Work, tu n'as pas grand monde de ton côté et, à ce rythme, tu risques bien de te retrouver tout seul. Je n'aide pas les gens qui me mentent, c'est aussi simple que ça. Alors, à partir de maintenant, tu vas réfléchir avant de me dire quoi que ce soit.

Je ne l'avais encore jamais vu aussi tendu, et je le sentais capable de me frapper. Ce qu'il ressentait, ce n'était pas tant de la colère qu'un sentiment de trahison, et je ne pouvais lui en vouloir.

Si Jean n'avait pas pressé la détente, je n'avais aucune raison de mentir au sujet de l'arme. Il était préférable de la remettre à la police, si cela pouvait aider à confondre Alex. Mais voilà, j'en avais effacé les empreintes, avant de la balancer à la flotte, ce qui en soi était un délit. Cependant, rien ne comptait plus pour moi, maintenant, que retrouver Vanessa. Si Hank pouvait m'y aider, j'étais prêt à lui dire tout ce que je savais. Mais j'avais d'abord une question à lui poser.

— Comment ont-ils retrouvé le flingue ?

Hank serra le volant entre ses mains, et je craignis qu'il ne redémarre, après m'avoir éjecté de la voiture.

— Je t'en donne ma parole, Hank. Réponds à cette question, et je dirai tout ce que je sais.

Il hocha imperceptiblement la tête.

— Un coup de fil anonyme. Passé d'une cabine. La personne aurait vu un homme jeter une arme de poing dans la rivière. Un plongeur du bureau du shérif est allé voir ce matin et a retrouvé le revolver dans la zone indiquée, en dessous du pont. La description de la personne te correspond par l'âge, la taille, la couleur des cheveux et le véhicule garé dans le coin. Les flics recherchent cet informateur pour une séance d'identification. S'ils le retrouvent, tu seras le premier à le savoir. Et si jamais il te reconnaît, tu es foutu.

— C'est un homme qui a appelé ?

— Tu n'as pas entendu ou tu n'écoutes pas ? Ils vont tout faire pour établir un lien entre ce flingue et toi.

— Ce n'est pas une femme ?

— Putain, Work, je suis pas flic et c'est pas moi qui ai répondu à cet appel mais, ouais, c'était un type, d'après ce que j'ai cru comprendre. Et maintenant, je te demande pour la dernière fois de me parler de cette arme

Je le regardai. Il avait envie que je sois innocent, non pas parce qu'il m'aimait bien – bien que ce fût certainement le cas – mais parce qu'il ne voulait pas se tromper, pas dans une affaire d'assassinat. Hank Robins n'aiderait jamais un criminel et, comme tout le monde, il détestait qu'on le manipule.

— Tu veux savoir pourquoi j'ai balancé ce flingue à la flotte, alors que je ne m'en suis pas servi contre mon père.

Ce n'était pas une question, juste l'énoncé d'un fait.

— Enfin, nous y arrivons, dit-il.

Je me mis en devoir de tout lui raconter, et il m'écouta sans m'interrompre jusqu'à ce que je me taise.

— Alors, si j'ai bien compris, c'est pour ta sœur que tu as fait ça.

Je hochai la tête.

— Tu peux me redire pourquoi tu as pensé qu'elle ait pu tuer son propre père ?

Je n'étais pas entré dans certains détails, me refusant ainsi à lui parler de cette nuit où ma mère était morte, et je ne savais pas s'il accepterait ma théorie sans comprendre ce qui aurait pu conduire ma sœur à tuer Ezra, mais je devais prendre ce risque.

— Ça fait longtemps que Jean ne va très bien dans sa tête. Elle était souvent en conflit avec notre père.

— Ouais, je vois, dit Hank. Des problèmes familiaux, en somme.

Je sentais son attention fléchir. De toute évidence, ce que je racontais ne le convainquait pas.

— Oui, c'est une affaire de famille, repris-je. Et il y a certaines choses que je ne peux pas dévoiler. C'est tout ce que je peux te dire.

— Tu ne m'as dit grand-chose, en définitive.

— Je sais, mais je n'ai pas tué Ezra. C'était un sale type, plein de morgue et de suffisance, je le reconnais, mais il était mon père. J'ai eu plus d'une fois envie de lui cogner dessus mais jamais je n'aurais attenté à ses jours. Tu dois me croire.

— Et les quinze millions de dollars ? demanda Hank en me jetant un regard sévère.

— Je n'ai jamais cherché à me faire du fric.

Hank me regarda, le sourcil haussé.

— Se faire du fric, comme tu dis, ce n'est pas la même chose que d'en avoir. Ton père est né pauvre, d'après ce que j'ai compris.

— Je ne veux pas de cet argent, Hank. Personne ne me croit quand je dis ça, mais c'est la vérité. Ezra me laisse sa maison et l'immeuble où nous avions nos bureaux. Il y en a pour près d'un million et demi. J'en filerai la moitié à Jean, et je serai moi-même plus riche que je ne l'ai jamais été.

— Six cent mille dollars, ce n'est pas quinze millions.

— Pour moi, c'est assez.

— Alors, tu dois être le seul type au monde à penser une chose pareille.

— Peut-être.

Hank s'adossa à son siège.

— Moi, je prendrais les quinze, dit-il, et je sus à cet instant précis que je pourrais compter sur son aide.

Il démarra le moteur et reprit la route. Nous roulâmes en silence pendant quelques minutes.

— Alors, qu'attends-tu de moi ? demanda-t-il enfin. On a le choix. On peut fouiller un peu plus du côté d'Alex ou bien aller voir Mills et la charger de s'en occuper elle-même. Comme je comprends que tu n'aies pas envie de rencontrer Mills, je peux m'en charger à ta place. D'ailleurs, réflexion faite, ce ne serait pas une mauvaise idée. Pour le flingue, il faudra trouver une explication qui se tienne. Pour ça, il vaut peut-être mieux attendre que Mills ait du solide sur Alex. Bien sûr, s'ils remontent le coup de fil, tu ne seras pas à la fête. Et Mills ne sera pas facile à convaincre. Elle a fait de ton arrestation une affaire per sonnelle.

Je l'écoutais d'une oreille distraite depuis quelques secondes.

— Alex viendra me chercher, dis-je soudain.

— Comment ça ?

— J'ai fait part de mes soupçons à Jean, et Alex ne va pas en rester là. Elle cherchera à m'éliminer.

Hank secouait la tête.

— Si c'est elle qui a tué ton père, c'est la dernière chose qu'elle fera. Elle ne bougera pas le petit doigt, attendant que le monde te tombe dessus.

— Peut-être, dis-je sans conviction.

— Alors, tu veux que je parle à Mills ?

— Je veux que tu retrouves Vanessa, répondis-je. C'est ça, la priorité.

— Bon sang, ce n'est pas le moment de courir après une personne disparue. Je me fiche pas mal de tes sentiments pour elle. Dès que Mills aura mis la main sur ce témoin, tu seras arrêté, et il y a toutes les chances que le bonhomme te reconnaisse. Cette fois, tu ne pourras pas bénéficier d'une remise en liberté sous caution, pas après avoir tenté de faire disparaître l'arme du crime. Aucun juge ne te laissera en liberté. Tu pourriras en prison, Work. Alors, tu ferais bien de revoir tes priorités.

— Je veux que tu la retrouves, Hank.

— Putain, Work, pour quelle raison ?

C'était un aveu qui me coûtait, mais Hank avait droit à la vérité.

— Elle n'est pas seulement la femme que j'aime, Hank, elle est aussi mon alibi.

— Quoi ? s'écria Hank avec stupeur.

— J'étais avec elle quand Ezra a été tué. J'étais à la ferme.

— Bon Dieu, Work, pourquoi ne pas me l'avoir dit plus tôt ?

— Pour l'amour de Jean, Hank. Mais il y a autre chose et, cette fois, j'espère bien me gourer.

— C'est quoi ?

— Je soupçonne Alex de savoir que Vanessa est mon alibi, et il est possible qu'elle cherche à l'éliminer... si elle ne l'a pas déjà fait.

Hank me regarda, et son expression avait pris une soudaine gravité.

— Je la retrouverai, Work, dit-il avec détermination. Je la retrouverai, morte ou vive.

— Je préférerais vive, Hank.

Il me jeta un regard avant de reporter son attention à la route.

— Tu as laissé ta voiture sur le parking de l'hôpital ?

— Ouais.

— Alors, on y va.

Un moment plus tard, il m'arrêta sur mes indications à côté du minibus du Dr Stokes.

— Je veux que tu rentres chez toi, me dit-il.

— Pourquoi ? Rien ni personne ne m'attend là-bas.

— Tu te trompes, il y a ton nécessaire de toilette, des vêtements de rechange. Je veux que tu fourres tout ça dans un sac et que tu prennes une chambre dans un motel discret. Prends une douche, dors un bon coup. Une fois que j'aurai retrouvé Vanessa, on ira voir Mills, mais ça, on ne le fera qu'avec la déclaration de ta belle sous serment.

Je descendis de la voiture.

— Que vas-tu faire ? lui demandai-je, me penchant à la portière.

— Mon boulot, Work. Retrouver ta Vanessa. Quand tu seras à ton motel, passe-moi un coup de fil pour me dire où tu es.

— Je me vois mal rester planqué comme ça sans rien faire, tu sais. J'en ai assez de me cacher.

— Work, ça ne durera jamais qu'une journée, une journée et demie.

— Je n'aime pas ça. (Je me redressais pour refermer la portière quand Hank me rappela.) Ne traîne pas longtemps chez toi, me dit-il. Tu entres et tu ressors, d'accord ? Mills est peut-être déjà en train de te chercher.

— D'accord.

Un instant, je le regardai s'éloigner puis grimpai dans le minibus et rentrai chez moi. La haute façade d'un blanc lumineux jadis commençait à grisailler mais, comme le disait souvent Barbara, la bâtisse avait belle allure. Elle avait raison, mais c'était une maison sans âme, où aux rires avait succédé un silence contraint, et je m'étonnais de ne pas en avoir pris conscience plus tôt. Était-ce l'alcool qui nous la rendait supportable ? Ou bien quelque chose d'autre, l'acceptation d'un échec existentiel ? Les deux, probablement. On disait que si on plongeait une grenouille vivante dans de l'eau bouillante, la bestiole s'en échappait d'un bond mais, que si on la mettait dans de l'eau froide et qu'on chauffait à feu doux, elle se laissait lentement cuire. C'était peut-être ce qui m'était arrivé... une lente cuisson.

Je pensai soudain à ce que m'avait recommandé Hank. Il avait raison mais je me voyais mal me réfugier dans un motel et y attendre la fin de la guerre. Si Mills devait me tomber dessus, eh bien, à Dieu va. Cela valait aussi pour Alex.

Ce qui est fait est fait, pensai-je, ouvrant la porte d'entrée.

Je trouvai Barbara dans la cuisine. Elle tressaillit à ma vue mais, se reprenant aussitôt, esquissa un sourire et se porta vers moi pour me serrer dans ses bras. Je restai raide et immobile sous son étreinte.

— Oh, Work, mon chéri, je suis tellement désolée de ne pas être venue te voir à la prison. Mais c'était au-dessus de mes forces. (S'écartant légèrement de moi, elle me prit le visage entre ses mains, et ses mots doux coulaient sur moi comme de la poisse.) Les gens m'auraient dévisagée comme si j'étais une bête curieuse, tu sais. Bien sûr, ça n'aurait rien été, comparé à ce que toi, tu subissais, mais je ne supportais pas l'idée de te voir derrière des barreaux. Ça n'aurait pas été bon pour nous, tu le sais. Malsain, quoi. Alors, quand ton ami Hank Robins est passé, je lui ai demandé d'aller te chercher. Je pensais que ce serait une bonne chose. Et puis, tu n'es pas rentré à la maison, tu n'as même téléphoné, et je ne savais plus quoi penser. J'avais tant à te dire, et le plus dur, c'était de ne pouvoir le faire.

Elle se tut et, dans le silence revenu, notre malaise n'en fut que plus palpable. Écartant ses mains de mon visage, elle les croisa sur sa poitrine, et me regarda d'un air contrit.

— Que voulais-tu me dire ? lui demandai-je soudain.

Elle tressaillit, comme si elle ne s'attendait plus à ce que je lui adresse la parole, et puis eut un petit rire.

— Mais, mon chéri, dit-elle, détournant le regard, je voulais seulement que tu saches que je t'aime, que je crois en toi, bref te dire ce que qu'on dit à l'homme de sa vie dans un moment pareil.

— C'est très aimable à toi, lui dis-je, faisant un effort de civilité.

Elle rougit, esquissa un sourire et battit des cils avec coquetterie, comme si elle ne doutait pas de sa capacité à me séduire encore. Quand elle releva les yeux vers moi, toutefois, son regard était de nouveau aussi ferme que la main qu'elle posait sur mon épaule.

— Je sais combien c'est difficile, mais nous nous en sortirons, pas vrai ? Tu es innocent, je le sais, et tu ne retourneras pas en prison. Toutes ces difficultés auront une fin, et nous redeviendrons un couple parfait. Et c'est ce que diront les gens en nous voyant : quel beau couple ! Accrochons-nous, et nous nous en sortirons ensemble.

— Ensemble, hein ?

— Oui. Nous traversons une crise, une crise passagère. Rien qui ne puisse être résolu.

Je la regardais, et c'est la grenouille dans l'eau bouillante que je voyais. Son sang commençait d'entrer en ébullition. Je voulais lui crier de sauter, mais je me taisais.

— Je vais me doucher, dis-je.

— Bonne idée, dit Barbara. Prends une bonne douche bien chaude et, après, nous boirons un verre, comme au bon vieux temps.

Je la regardai mais ses yeux étaient impénétrables, et ses lèvres dessinaient toujours ce même sourire contrefait.

— Je t'aime, chéri, dit-elle, alors que je sortais de la cuisine. Bienvenue à la maison.

Dans la chambre, le lit était fait, et il y avait des fleurs dans un vase. La lumière entrait par les stores. Dans le miroir au-dessus de la commode, j'avais l'air fatigué et vieilli, mais il y avait de la résolution dans mon regard, tandis que je vidais mes poches et me débarrassais de mes vêtements sales.

Sous la douche, je fis couler l'eau la plus chaude que je pusse supporter. Le visage levé vers le jet jaillissant de la pomme, je n'entendis pas la porte de la cabine s'ouvrir mais perçus le bref courant d'air, puis sentis les mains de Barbara effleurer mon dos comme des feuilles d'automne. Je tressaillis.

— Chut, ne bouge pas, susurra-t-elle.

Passant les bras autour de ma taille, elle s'enduisit les mains de savon et commença de me frotter doucement la poitrine et le ventre. Elle devait bien sentir ma résistance, qu'exprimait mon silence et mon immobilité, mais elle continua de se presser contre mon dos, glissant une jambe entre les miennes, ses mains descendant vers un lieu où elles recevaient jadis bon accueil.

— Barbara.

Ma voix résonna dans la cabine comme celle d'un intrus. Ses doigts s'activèrent davantage, comme si la persévérance seule pourrait vaincre ma résistance.

— Laisse-moi faire, murmura-t-elle dans mon dos.

Je ne voulais pas la blesser, je désirais seulement qu'elle s'écarte.

— Barbara, répétai-je avec plus de force, cette fois, en lui immobilisant les mains.

— J'en ai envie, Work, me dit-elle en me forçant à lui faire face.

Elle avait les cheveux mouillés sur le devant et encore secs derrière, et elle levait vers moi un visage d'un tel sérieux que je faillis en rire et, cependant, il y avait du désespoir dans ses yeux, comme si elle n'avait plus rien d'autre que cela à m'offrir, et qu'elle le savait. Pendant un instant, je ne sus que lui dire, et ne retrouvai la parole qu'après qu'elle se fut agenouillée devant moi pour me prendre dans sa bouche.

— Pour l'amour du ciel, Barbara !

Cette fois, ma voix trahissait tout mon dégoût, et je sortis de la cabine dans un sillage de vapeur. Un silence tomba, tandis que je commençai à m'essuyer. L'eau ne coulait plus. Et puis Barbara sortit de la douche, ne prenant même pas la peine de s'envelopper dans une serviette. Une flaque se formait autour de ses pieds. Je continuai de l'ignorer jusqu'à ce que, la tension devenant insupportable, je me tourne vers elle, le cœur lourd.

— C'est toute ma vie qui est en train de s'écrouler, me dit-elle, et ce que je lus dans ses yeux n'était pas de la tristesse mais de la colère.

32.

Il ne me restait guère de costumes dans mon armoire, et ce n'était pas pour me déplaire. Finis les complets sur mesure ; je n'en porterais plus jamais. J'enfilai un jean, une vieille chemise à boutons pression et une paire de tennis avachies. Une antique casquette de base-ball paracheva ma mise.

Dans la cuisine, je tombai sur Barbara, occupée à faire du café, le peignoir bien serré autour de sa taille.

— Que puis-je faire pour que tout redevienne comme avant entre nous ? Dis-le moi, Work.

Une semaine plus tôt, j'aurais cédé. Je lui aurais dit que je l'aimais toujours et que tout irait bien. Je n'y aurais cru qu'à moitié, l'autre moitié étouffant un cri d'agonie.

— Je ne t'aime pas, Barbara, et, à vrai dire, je ne t'ai jamais aimée. (Je la vis ouvrir la bouche et m'empressai de poursuivre avant qu'elle ne profère un mot.) Et tu ne m'aimes pas non plus. Peut-être le penses-tu, mais ce n'est pas vrai. Alors arrêtons de faire semblant. C'est fini entre nous.

— C'est ça, hein ? dit-elle avec colère. Tu décrètes que c'est fini, et il n'y a plus rien à dire.

— Cela fait des années qu'on ne s'entend plus.

— Je ne t'accorderai jamais le divorce. On en a trop bavé ensemble. Tu me dois beaucoup.

— Je te dois beaucoup ?

— Absolument.

— Je n'ai pas besoin de ton consentement, Barbara. Je n'ai même pas besoin d'un motif. Il suffit d'une année de séparation.

— Tu as besoin de moi. Sans mon aide, tu ne réussiras jamais dans cette ville.

Je secouai la tête.

— Tu serais étonnée si tu savais combien j'ai besoin de peu de chose pour être heureux dans la vie.

Mais elle ne m'écoutait pas.

— Nous avons chacun nos problèmes, Work, mais nous formons une équipe et à deux nous pouvons tout affronter, reprit-elle, tendant une main vers moi.

— Ne me touche pas.

Elle laissa sa main retomber et, comme elle me regardait, je sentis que cette fois elle battait en retraite.

— D'accord, Work. Fais ce que tu veux, je ne m'y opposerai pas. Je ferai même preuve de retenue. C'est bien ce que tu veux, une séparation sans cris ni pleurs ? Une rupture à l'amiable, pour qu'on puisse chacun de son côté se lancer dans une nouvelle vie. C'est bien ça ?

— Ma nouvelle vie, Barbara, risque fort d'être la prison, et ce sera peut-être le plus beau cadeau que je t'aurai jamais fait.

— Allons, tu n'iras pas en prison.

— Je ferai de mon mieux, financièrement parlant, dis-je. Tu n'auras pas à te plaindre de ce côté-là.

Elle partit soudain à rire, et je décelai dans son regard cette lueur amère que je connaissais si bien.

— Tu n'as jamais été capable de gagner correctement ta vie, Work. Jamais, pas même quand Ezra était encore de ce monde, et personne n'a su comme lui amasser autant d'argent.

Ces paroles résonnèrent singulièrement en moi.

— Qu'est-ce que tu viens de dire ?

— Tu m'as très bien entendue.

Elle se détourna pour allumer une cigarette. J'ignorais depuis quand elle s'était remise au tabac. La dernière fois que je l'avais vue la clope aux lèvres, c'était au collège. Or, sa façon de fumer trahissait une longue habitude.

— Tu n'arrivais même pas à boucler tes fins de mois, quand Ezra était encore là pour t'aider. En vérité, je ne connais pas un seul avocat dans cette ville qui se fasse moins d'argent que toi. (Elle souffla la fumée au plafond.) Alors, garde-les pour toi, tes promesses creuses. Je sais ce qu'elles valent depuis trop longtemps.

Mais ce n'était pas cela qui avait retenu toute mon attention. J'avais encore en mémoire ce que m'avait dit Hank : *Faire de l'argent, ce n'est pas la même chose que d'en avoir.*

— D'après toi, Ezra aimait-il se faire du fric ou aimait-il en avoir ?

— De quoi parles-tu, Work ? Et quelle importance peut avoir une question pareille ? Ezra est mort, et notre mariage aussi.

Je n'en avais pas moins le sentiment d'être sur une piste. Il me manquait des éléments mais il y avait là quelque chose

— Je parle de l'argent, Barbara, dis-je. Quel est le plus important, en gagner ou en avoir ?

Elle haussa les épaules d'un air indifférent

— En avoir, répondit-elle. Ça lui était égal de travailler pour ça. L'argent n'était pour lui qu'un instrument.

Elle disait vrai. Il comptait sur l'argent pour parvenir à ses fins, et soudain je devinai comment accéder à son coffre ; pas la combinaison exacte, mais où je pourrais la trouver. Ouvrir ce coffre m'apparaissait comme la chose la plus importante de ma vie. Il fallait que je le fasse, et je pensais en avoir le moyen.

— Je dois te laisser, Barbara, dis-je en lui touchant le bras. Je suis désolé.

Elle hocha la tête et tira de nouveau sur sa cigarette.

— Nous reparlerons de tout ça plus tard, ajoutai-je en ramassant mes clés.

J'ouvrais la porte intérieure d'accès au garage quand sa voix m'arrêta.

— Juste une question, Work.

— Oui ?

— Et ton alibi ? me demanda-t-elle. Tu ne crains pas de le perdre ?

Nous nous regardâmes un instant dans les yeux, et je compris qu'elle connaissait depuis longtemps la vérité. Et, comme je répondais à sa question, je me sentis soudain délivré d'un grand poids.

— Tu n'as jamais été mon alibi, Barbara, tu le sais aussi bien que moi.

Elle hocha la tête et, cette fois, les larmes vinrent.

— Il fut un temps où j'aurais tué pour toi, dit-elle, relevant la tête.

Elle pleurait, les épaules secouées de tremblements, comme si elle ployait sous une invisible charge.

— Ça va aller ? lui demandai-je.

— Si on veut survivre, il faut faire ce qui doit être fait, n'est-ce pas ?

— Oui, il faut affronter la réalité. C'est à ce prix que nous nous en sortirons. Et peut-être nous quitterons-nous bons amis.

Elle eut un petit rire et du plat de la main effaça ses larmes.

— Oui, ce serait vraiment bien, dit-elle, sans que je ne décèle de la moquerie dans sa voix.

— Je vais faire un saut jusqu'au bureau. Je n'en aurai pas pour longtemps. Nous pourrons reparler de tout ça à mon retour.

— Qu'est-ce tu vas faire au bureau ? demanda-t-elle.

— Rien de bien important. Juste ce truc auquel j'ai pensé.

Elle balaya l'espace autour de nous, un geste qui englobait aussi bien la maison que nos vies mêmes.

— Plus important que... tout ça ? demanda-t-elle.

— Non, répondis-je. Bien sûr que non.

— Alors n'y va pas.

— Il le faut, Barbara, c'est la vie, et parfois rien ne va comme on le voudrait.

— Si on le voulait assez fort, ça marcherait, comme tu dis.

— Pas toujours, hélas.

Sur ce je partis, refermant la porte sur notre existence. Je démarrai la voiture. Des enfants jouaient dans le parc, petites taches colorées en mouvement. J'allais prendre l'allée quand j'aperçus Barbara sur le seuil du garage. Elle me regarda un instant sans bouger puis me fit signe d'attendre et courut pieds nus jusqu'à la voiture.

— Ne t'en va pas, dit-elle. Je ne veux pas que ça se termine comme ça.

— Il faut que j'y aille.

— Bon Dieu, c'est tellement important que ça ?

— Ça n'a rien à voir avec nous.

Drapant ses bras autour d'elle comme si un froid la saisissait soudain, elle se pencha vers la fenêtre de la voiture.

— Tout cela finira mal, je le sais. (Se redressant, elle porta son regard vers le parc.) Cela fait dix ans qu'on est ensemble, et soudain il n'y a plus rien.

— Tous les jours, des couples se séparent, Barbara. Nous ne sommes pas différents des autres.

— Et voilà pourquoi ça n'a jamais marché entre nous, dit-elle d'un ton lourd de reproche. Tu n'as jamais désiré être différent des autres, et j'ai eu beau faire, tu n'as jamais voulu te distinguer de la masse. Tu t'es toujours satisfait de la médiocrité. Tu mangeais les miettes à la table d'Ezra et prenais ça pour un festin.

— Ezra était enchaîné à cette table. Il n'était pas plus heureux que moi.

— Oh, que si, il l'était. Il prenait tout ce qu'il désirait et il en jouissait. C'est ce qui faisait de lui un homme, un vrai.

— Tu cherches à me faire mal ? La situation n'est pas déjà assez cruelle à ton goût ?

Elle frappa du plat de la main le toit de la voiture.

— Parce que ce que je vis en ce moment, c'est agréable peut-être ?

Je reportai mon regard vers l'aire de jeux. J'avais soudain envie de partir, de quitter cette maison, mais j'avais encore une ou deux choses à dire.

— Sais-tu quel est notre problème, Barbara ? Tu n'as jamais cherché à me connaître. Tu as vu en moi ce que tu voulais y voir. Un jeune avocat issu d'une riche famille, avec un père influent dans tout le comté, et tu en as conclu que tu me connaissais, que tu savais qui j'étais, ce que je désirais dans la vie. Tu as épousé un étranger et tu t'en es fait un portrait selon tes goûts. Pendant dix ans, tu t'es efforcée de me modeler à ton idée, et je t'ai laissée faire, sans pour autant devenir celui que tu espérais. Tu en as conçu de la frustration et de l'amertume. De mon côté, je déprimais et me trahissais moi-même, ce qui me rend aussi coupable que toi. Nous nous sommes mariés pour de mauvaises raisons et avons fait la même erreur. Si j'en avais eu le courage, je me serais séparé de toi il y a des années.

Elle grimaça de colère et dépit.

— Ta fausse vertu me dégoûte, dit-elle. Tu ne vaux pas mieux que moi.

— Je n'y prétends pas.

— Tu peux t'en aller, maintenant. C'est fini entre nous.

— Je suis désolé, Barbara.

— Épargne-moi tes regrets, dit-elle en repartant vers la maison.

Je la regardai s'éloigner. J'éprouvais une étrange sensation de flottement. Je ne souffrais pas, mais n'en ressentais pas pour autant du soulagement. Reprenant soudain conscience que j'avais quelque chose à faire, je démarrai, direction mon bureau.

Un psychiatre aurait peut-être trouvé une explication à ce désir compulsif d'ouvrir le coffre d'Ezra. Découvrir son dernier secret, c'était, d'une certaine manière, prendre sa place, endosser son pouvoir. C'était aussi me battre pour le connaître de l'intérieur et, finalement, le vaincre. Mais, en vérité, ce n'était pas aussi complexe que cela. J'avais travaillé pendant dix ans dans ces bureaux, treize si on y ajoutait les stages d'été pendant toute la durée de mes études de droit. Pendant tout ce temps, mon père n'avait jamais mentionné ce coffre. Nous étions du même sang, nous étions associés. Il n'y aurait jamais dû avoir de secret entre nous. À ma curiosité se mêlait une certaine émotion. Ouvrir ce coffre me dévoilerait qui avait été réellement mon père. Nous cachons le plus souvent notre nature profonde, celle qui ressort quand nous sommes seuls à l'abri des regards, celle que le monde alentour ne connaît pas.

Bref, je voulais découvrir l'homme derrière le rideau cramoisi.

J'avais réalisé un peu tardivement qu'Ezra aimait l'argent, une passion issue de son enfance de pauvre. L'argent signifiait avoir à manger, avoir un toit, survivre. Son premier gain d'un million de dollars, qui avait fait sa renommée et posé la première pierre d'une fortune qui ne cesserait plus de grandir, n'avait pas été l'événement le plus important de sa vie, en réalité. Je m'étais trompé à ce sujet, parce que le montant de dommages et intérêts accordés par un tribunal peut faire l'objet d'un appel et, même si ce n'est pas le cas, personne ne vous signe un chèque, sitôt prononcée la décision du juge. Faire de l'argent *versus* avoir de l'argent. Dans cette équation, seul le calendrier compte : le jour où le chèque vous est remis en main propre.

Je ne savais pas quelle était la date de cette remise, mais cela devait être noté quelque part dans les registres.

Je savais par contre que le premier montant s'élevait au tiers de la somme globale, soit trois cent trente-trois mille dollars, trente-trois cents.

Je me garai à l'arrière du bâtiment et levai les yeux vers l'étroite façade avec le sentiment naissant d'être étranger à l'univers qu'elle avait jusqu'ici représenté pour moi. La voix de Barbara résonnait encore en moi... *dix ans de perdus, envolés...*

Je descendis de voiture. Il n'y avait pas un chat alentour. Le bruit d'une sirène de police au loin me fit penser à Mills. Elle tenait l'arme du crime, et elle retrouverait le correspondant anonyme. Je serais arrêté, jugé et condamné. Seul Hank pourrait encore me sauver, à condition que Vanessa fût encore de ce monde.

Il y avait une vague odeur de moisi dans le bureau, comme si personne n'était venu ici depuis des mois. Une fine couche de poussière tapissait les lamelles des stores. Le silence était pesant, et je ressentais une impression croissante d'être là où je n'aurais pas dû. C'était le message subliminal que semblait me transmettre la bâtisse elle-même.

Je fermai à clé la porte derrière moi et, traversant l'étroit couloir, entrai dans le bureau d'accueil.

Les flics avaient embarqué mes ordinateurs, et je descendis dans la cave où étaient entreposés dans le plus grand désordre dossiers et paperasseries diverses, d'antiques machines à écrire et de vieux sacs de golf. Les cartons contenant les dossiers étaient entassés au hasard de la place disponible mais ils étaient regroupés par dates.

Je repérai ce que je pensais être la bonne année et entrepris d'en sortir les dossiers, surpris de trouver des chemises fourrées en vrac en compagnie d'agendas, de bloc-notes et de petit matériel de bureau. On aurait dit qu'Ezra avait à chaque fin d'année vidé son bureau de tous ses papiers, stylos et crayons compris, pour entamer l'an nouveau avec du neuf. Finalement, je retrouvais bien mon père dans ces façons. Ce qui s'était passé la veille ne l'intéressait plus, seul demain comptait pour lui.

Je trouvai ce que je cherchais dans le fond du septième carton, enterré sous trente centimètres d'affaires de divorces. C'était un beau registre relié de cuir noir comme les aimait mon père. La reliure craqua un peu quand je l'ouvris ; je passai la main sur le papier vergé dont la couleur vert pâle avait bruni sur la tranche et vis les chiffres reportés d'une écriture ferme. De petites sommes, en rien comparables à celles qu'il inscrirait par la suite à son tableau de chasse. Je découvris le dépôt à la trente-troisième page. Relisant le montant, j'imaginais avec quel plaisir il avait dû noter les chiffres. Je me souvenais de cette soirée, quand il nous avait emmenés au restaurant pour fêter ça.

— Plus rien ne pourra m'arrêter, maintenant, avait-il dit.

Et il avait eu raison, jusqu'à ce qu'Alex lui colle deux balles dans la tête.

Je quittai le sous-sol et éteignis la lumière. L'odeur de moisi imprégnant mes vêtements, je me dirigeai vers le bureau d'Ezra et m'arrêtai au pied de l'escalier. Je me souvenais parfaitement du fracas du lourd fauteuil me tombant dessus. Cette fois, cependant, tout n'était que silence, et je grimpai les marches. En débouchant dans la pièce, il me sembla que le grand tapis gondolait à son extrémité au pied du canapé, et je me demandai si la fatigue et la tension ne me jouaient pas des tours. M'approchant, je me penchai pour le rabattre et découvris des éraflures sur les lattes du plancher, juste autour des clous qui les maintenaient rivées à la lambourde en dessous. Je passai ma main dessus, me demandant si quelqu'un n'était pas venu ici.

Je chassai cette pensée. Je n'avais guère de temps devant moi, et les chiffres d'une combinaison bourdonnaient dans ma tête. Empoignant le marteau, je me mis au travail sur les clous mais, en dépit de tous mes efforts, il me fut impossible de glisser la partie en ciseau sous les têtes trop enfoncées dans le bois.

Je redescendis dans le sous-sol, où j'avais repéré une pelle à neige, une échelle et un démonte-pneus. Emportant celui-ci, je m'empressai de remonter à l'étage. L'extrémité du démonte-pneus était suffisamment plate pour que je puisse l'enfoncer à coups de marteau dans le bois, juste sous la tête des clous. Mes efforts payèrent et je finis par arracher les lattes recouvrant le coffre. Celui-ci était maintenant sous mes yeux et, un instant, je m'angoissai à l'idée de ne pouvoir l'ouvrir. Mais j'étais en même temps persuadé d'avoir deviné la combinaison. J'étais prêt à ouvrir la boîte de Pandore, à découvrir les secrets du vieil homme. Je me remis à genoux, prononçai une brève prière et tapai la date de la première grosse entrée d'argent de sa vie.

La porte en acier s'ouvrit en silence sur ses gonds, et la première chose que je vis, ce furent d'épaisses liasses de billets de cent dollars. Je les sortis. Il devait y avoir là plus de deux cent mille dollars. Je n'avais jamais vu de ma vie une telle somme en liquide. Mais ce n'était pas de l'argent que j'étais venu chercher. Je replongeai la main dans le coffre.

Il y avait des photos de famille. Pas de sa femme ni de ses enfants, non, mais de ces petits Blancs chez qui il était né. Une avec son père, une autre avec sa mère, une troisième en compagnie d'une bande de gosses sales et dépenaillés, qui devaient être ses frères et sœurs. Je n'avais jamais vu ces photos, et je doutais que Jean en ait eu connaissance. Ces images révélaient des gens usés, dont le découragement se reflétait jusque dans les regards de leur progéniture. C'est dans la photo de groupe que je découvris en quoi Ezra était différent. Il y avait une étrange force dans ses yeux fixant l'objectif. On le sentait capable, en dépit de cette misère ambiante, de soulever le monde. Et ses frères et ses sœurs devaient l'avoir senti, car ils étaient regroupés autour de lui, comme pour chercher sa protection.

Mais ils étaient des étrangers pour moi. Je n'avais jamais fait la connaissance d'un seul d'entre eux. Pas une seule fois.

Je rangeai les photos à côté de l'argent et revins au coffre. J'en sortis un beau coffret habillé de velours, qui recélait quelques-uns des bijoux de ma mère de coûteuses pièces dont Ezra parait ma mère quand il voulait impressionner des invités. Ma mère détestait les porter, et elle me dit une fois qu'elle avait l'impression de passer pour la maîtresse du diable. Certes, ils étaient beaux mais n'étaient rien d'autre aux yeux de mon père que des instruments. Je mis le coffret de côté, projetant de le donner à Jean. Elle pourrait peut-être les vendre.

Les cassettes vidéo, au nombre de trois, étaient au fond et ne portaient aucune étiquette. Je les soulevai comme je l'aurais fait d'un serpent venimeux, me demandant si je ne commettais pas là une erreur, car il y avait peut-être là les facettes d'un père qu'un fils devait se garder de connaître.

Pourquoi les avait-il gardées dans ce coffre ?

Il y avait un lecteur vidéo et une télévision dans un coin de la pièce. Prenant une bande au hasard, je l'insérai dans le lecteur, allumai le poste et enfonçai la touche PLAY.

Un canapé, une lumière douce, un chuchotement de voix... Je jetai un coup d'œil au canapé en cuir noir derrière moi. C'était le même qu'à l'écran.

Voix de femme qui m'était vaguement familière : *Je ne sais pas.*

Voix de mon père : *Allez, fais-moi plaisir.*

Bruit de baiser, suivi d'un éclat de rire féminin.

De longues jambes bronzées au galbe parfait. La femme, nue, s'allonge sur la couche, son rire découvre des dents éclatantes, ses beaux seins lourds tressautent. Puis Ezra entre dans le cadre, s'approche de la femme, murmurant quelque chose, à laquelle elle répond d'un *Viens, viens*. Les bras repliés derrière sa tête, elle écarte les jambes, l'une légèrement repliée sur le côté du canapé, l'autre se lovant autour de la taille de l'homme, le guidant vers elle.

Il est maintenant sur elle, la couvrant de son corps massif, mais elle a la force de se cambrer sous lui. « Oui, comme ça, dit-elle d'une voix rauque. Baise-moi comme ça. » Et il s'enfonce en elle, tandis qu'elle dégage ses bras pour le saisir par la taille et enfoncer ses ongles dans les reins de son amant.

J'avais la nausée mais je ne pouvais détacher mon regard de l'image. Je connaissais ces jambes et cette bouche et cette voix.

Je les connaissais et, le souffle coupé, je continuai de regarder mon père baiser ma femme sur ce canapé.

33.

Ces images étaient comme des coups de masse. Mon père se repaissait de Barbara, dont le regard étincelait d'un plaisir animal. Le monde semblait s'être dissous autour de moi, et mes jambes fléchissant soudain, je me retrouvai à genoux devant l'écran, plié en deux par la nausée. Des images qu'aucun homme ne devrait voir gonflaient et éclataient sous mes yeux comme des fruits pourris. Ma femme sur le dos, les jambes écartées ou bien à quatre pattes, la croupe offerte, et mon père, le corps poilu comme une bête, la bourrant comme si elle n'était qu'une pute, et non l'épouse de son propre fils.

Depuis combien de temps faisaient-ils ça ? me demandai-je soudain. Et comment avais-je bien pu ne rien voir ?

Et puis, la bande finie, l'écran redevint noir. Je restai sans bouger, comme assommé par ce que je venais de voir. Soudain, la voix de Barbara dans mon dos me fit l'effet d'une décharge électrique.

— Tu auras donc réussi à l'ouvrir ?

Je me retournai. Elle se tenait à côté du bureau d'Ezra. Je ne l'avais pas entendue monter l'escalier et ne savais pas depuis combien de temps elle était là. Je me relevai et la regardai. Elle semblait calme mais son regard était étrangement vide d'expression.

— Tu ne peux pas savoir, me dit-elle, combien de fois j'ai essayé d'ouvrir ce foutu coffre !

Elle s'assit de biais sur le bord de la lourde table. Son visage était pâle, et sa voix absente.

— Je faisais ça la nuit, le plus souvent, pendant que tu dormais. C'est l'un des avantages d'avoir un mari alcoolique, tu as toujours eu le sommeil lourd. Bien entendu, je connaissais ces cassettes. Je n'aurais pas dû le laisser faire, mais il y tenait. Il était trop tard quand j'ai su qu'il les gardait dans ce coffre.

Son regard était étrangement voilé, comme si elle était sous l'effet d'un stupéfiant, et peut-être était-elle droguée. Après tout, que savais-je d'elle ? Rien, en vérité.

— Trop tard pour quoi ? demandai-je, mais elle l'ignora.

Et, comme je le regardais, assise de côté au bord du bureau, une main tirant doucement le lobe de son oreille, l'autre tenue dans son dos, je mesurais combien je l'avais sous-estimée.

— C'était donc toi qui as balancé le fauteuil dans l'escalier, dis-je.

— Exact, et j'en suis désolée, mais ce serait arrivé tôt ou tard, car je venais souvent ici.

Elle haussa les épaules et, comme elle ramenait enfin son autre main devant elle, je me figeai à la vue du petit revolver automatique en acier brossé.

— Pourquoi cette arme, Barbara ? demandai-je du ton le plus détaché possible. Elle haussa les épaules et regarda le revolver dans sa main avec curiosité, le tournant et le retournant, fascinée par les reflets de l'acier.

— Ça fait déjà un bout de temps que je l'ai, dit-elle. Cette ville devient dangereuse, la nuit, surtout pour une femme.

Je me savais en grand danger, et m'en fichais pour finir.

— Pourquoi as-tu tué Ezra, Barbara ?

Soudain elle fut debout, l'arme pointée sur moi. L'expression presque rêveuse de son regard s'effaça, cédant la place à une détermination qui m'arracha un tressaillement. Je m'attendais à ce qu'elle fasse feu.

— Je l'ai fait pour toi ! hurla-t-elle. Pour toi ! Comment oses-tu me poser une pareille question, espèce de salopard.

Je levai les mains en signe d'apaisement.

— Je suis désolé de t'avoir déçue, mais essaie de te calmer, tu veux bien ?

— C'est toi qui va te calmer, dit-elle d'une voix sifflante en se rapprochant encore, le revolver toujours pointé. Ce bâtard d'Ezra voulait modifier le testament. Pendant six mois, j'avais écarté les cuisses pour lui, jusqu'à ce qu'il accepte enfin de te faire son héritier. (Son rire grinça comme une craie sur un tableau noir.) Je m'étais tout bonnement prostituée, et je l'avais fait pour nous deux. Et voilà qu'il voulait revenir sur sa décision. Je ne pouvais pas le laisser faire ça. Alors, ne viens pas me dire que je n'ai jamais rien fait pour toi.

— Et c'est pour ça que tu couchais avec lui ? Pour l'argent ?

— Ce n'est pas quinze mais trois millions qu'il allait te léguer. Trois petits millions, alors qu'il était milliardaire. Ces trois, je les ai multipliés par cinq et, oui, je l'ai fait pour toi.

— Non, Barbara, ce n'est sûrement pas pour moi.

Elle serra plus fort le revolver dans sa main.

— Tu ne me connais pas, Work. Tu ne sais pas ce que j'ai enduré en connaissant l'existence de ces bandes, et ce qui se passerait si quelqu'un mettait la main dessus.

— Tu ne pourrais pas poser ce revolver, Barbara ? Tu n'as pas besoin de le pointer sur moi.

Elle ne répondit pas, mais abaissa l'arme, jusqu'à ce que celle-ci pointe vers le sol. J'osai enfin respirer mais quand elle reporta son regard sur moi, je décelai une bien dangereuse lueur dans ses yeux.

— Et puis tu as recommencé à voir cette pute, dit-elle d'une voix sourde.

— Vanessa n'a rien à voir avec nous, dis-je.

Le petit automatique se releva.

— Cette salope en voulait après mon argent !

J'eus un horrible pressentiment.

— Que lui as-tu fait ?

— Tu allais me quitter, tu l'as dit toi-même.

— Mais ça n'avait rien à voir avec elle, Barbara. Il s'agissait de nous, et de personne d'autre.

— Elle s'était mise entre nous deux.

— Où est-elle, Barbara ?

— Elle est partie, et c'est tout ce qui compte.

Quelque chose se brisa soudain en moi. Vanessa était mon unique raison de m'accrocher encore à cette vie. Alors, je dis à Barbara ce que je pensais.

— J'ai couché avec toi assez souvent pour savoir quand tu faisais semblant de jouir.

Je fis un pas vers elle. Ma vie pouvait s'achever là. Il ne me restait rien. La femme que j'avais devant moi m'avait tout pris, et la colère grandissait en moi. J'eus un geste de la main vers l'écran de télé, tandis que défilaient dans ma mémoire les images visionnées quelques instants plus tôt.

— Tu aimais ça, te faire baiser par lui, hein ? Il savait si bien y faire ou bien était-ce la seule idée de me faire ça à moi qui te faisait prendre ton pied ?

Elle partit à rire, et pointa de nouveau son arme sur moi.

— Oh, voilà que tu joues les durs, maintenant, que tu n'as plus peur de rien, mais je vais te répondre. Oui, j'adorais baiser avec ton père. Il savait ce qu'il voulait et comment l'obtenir. Il respirait la puissance par tous les pores de sa peau. J'ai jamais ressenti autant de plaisir qu'avec lui. (Elle eut une grimace méprisante.) L'orgasme avec toi n'était qu'une plaisanterie.

Décelant soudain autre chose sur son visage, j'eus une autre révélation.

— La vérité, c'est qu'il t'a larguée, dis-je. Il a bien aimé te baiser, parce que coucher avec la femme de son propre fils ça l'excitait et lui donnait un sentiment de toute-puissance, et puis il s'est lassé. Il t'a jetée. C'est pour ça que tu l'as tué. Pour ça, et rien d'autre.

J'étais convaincu d'avoir raison. Je le lisais dans ses yeux et au pincement de ses lèvres. Pendant un moment, j'en éprouvai une joie féroce. Qui s'acheva bruyamment quand elle pressa la détente.

34.

Dans mon rêve, il y avait un sentiment de plénitude, de vertes prairies, le rire d'une petite fille, et la joue de Vanessa pressée contre la mienne, mais les rêves sont trompeurs et éphémères. J'entrevis une dernière fois des yeux couleur de bleuet, perçus une voix si faible qu'elle devait venir d'une lointaine rive océane, et puis la douleur frappa avec une telle férocité que je compris que j'étais en enfer. Des doigts écartaient mes paupières, le monde n'était plus qu'une lumière rouge. Des mains me dénudaient, et je sentais contre ma peau la brûlure glacée du métal. Je me débattais en vain contre les mains qui me plaquaient. Des visages blêmes flottaient au-dessus de moi, prononçaient des paroles que je ne comprenais pas. La douleur était constante, pulsant comme un cœur à travers tout mon corps, et puis de nouveau je sentis des mains s'emparer de moi, étouffant mon cri.

Puis il se fit un mouvement, et un ciel de métal blanc bascula sous mes yeux, comme si je me trouvais en mer par gros temps. Je distinguai un visage que j'avais appris à détester, mais Mills ne pouvait plus me nuire, désormais. Je vis ses lèvres remuer mais ne compris pas ce qu'elle me demandait, et comme elle s'écartait de moi, je la rappelai. Des mains tachées de sang tentèrent en vain de la repousser, alors qu'elle se penchait de nouveau au-dessus de moi et que je dus lui crier ma réponse parce que j'étais en train de chuter au fond d'un puits sans fin. Son visage disparut de nouveau dans le ciel blanc, et je chutai dans ce puits en me demandant comment l'enfer pouvait bien avoir la couleur du lait.

Mais, même dans cette obscurité, le passage du temps était sensible. La douleur allait et venait, suivant le cycle des marées, et il me semblait parfois distinguer des voix. J'eus ainsi l'impression d'entendre Hank Robins discuter âprement avec l'inspecteur Mills qui avait toujours des questions à poser, et tout cela n'avait guère de sens pour moi. Puis je vis le visage inquiet du Dr Stokes se pencher au-dessus de moi, avant de s'entretenir avec un homme vêtu de blanc. Jean aussi fit une apparition, et son visage baigné de larmes me serra le cœur. Elle me dit qu'elle savait tout, que Hank lui avait expliqué comment j'avais été prêt à aller en prison et me sacrifier pour elle. Elle me dit qu'elle m'aimait mais qu'elle n'aurait jamais comme moi la force de payer à ma place. Elle me dit encore que cela faisait de moi quelqu'un de bien meilleur qu'elle, autant de paroles qui, pour moi, n'avaient décidément pas de sens. Je me trouvais en enfer, un enfer qui n'appartenait qu'à moi. Je tentai bien de lui expliquer tout cela, mais j'étais incapable d'articuler un son. Je ne pouvais qu'attendre en silence qu'on me sorte de ce puits.

À un moment, je crus voir Vanessa, ce qui ne pouvait être que la plus cruelle des plaisanteries, et je ne fis aucun effort pour me manifester. Fermant les yeux, je pleurai sa disparition, et quand je les rouvris, elle avait disparu. Je restai seul dans une obscurité glaciale jusqu'à ce que la chaleur revienne, me rappelant que j'étais en enfer, et que l'enfer était douleur.

Quand enfin je repris conscience, je clignai des yeux et perçus un mouvement, et puis un visage apparut. Le visage de Jean.

— Détends-toi, me dit-elle. Tout va bien. Tu vas t'en sortir.

Un étranger se matérialisa à côté d'elle, l'homme à la blouse blanche. Il avait la peau foncée et une barbe soyeuse.

— Je suis le docteur Youssef, me dit-il. Comment vous sentez-vous ?

— J'ai soif, dis-je d'une voix métallique. Et je n'ai plus de force.

Je n'arrivais même pas à lever la tête de mon oreiller.

Le médecin se tourna vers Jean.

— Vous pouvez lui donner un petit glaçon, mais un seul, précisa-t-il. Dans une dizaine de minutes, vous pourrez lui en donner un autre.

J'entendis un cliquetis de cuiller et, se penchant vers moi, Jean glissa un morceau de glace dans ma bouche.

— Merci, murmurai-je. Elle me sourit d'un air triste.

— Ça fait combien de temps ? demandai-je.

— Quatre jours, répondit le Dr Youssef. Vous avez de la chance d'être en vie.

Quatre jours.

Il me tapota le bras.

— Vous allez vous en tirer. Ce sera douloureux mais vous y arriverez. Vous pourrez bientôt vous alimenter et reprendre des forces. On pourra alors entreprendre une rééducation et puis vous pourrez rentrer chez vous.

— Où est-ce que je suis ?

— L'hôpital baptiste de Winston-Salem.

— Et... Barbara ?

— Votre sœur peut vous dire tout ce que vous voulez savoir, mais ne vous fatiguez pas. Je reviendrai vous voir dans une heure. (Il se tourna vers Jean.) Ménagez-le. Il est encore très faible.

Jean s'approcha du lit. Elle avait le visage enflé, et de grands cernes violets sous les yeux.

— Tu as l'air fatigué, lui dis-je.

— Toi aussi, répondit-elle avec un petit sourire.

— Ça a été une année difficile, dis-je.

Elle eut un rire et se détourna un instant. Quand elle me regarda de nouveau, je vis qu'elle pleurait.

— Je regrette tellement, Work.

Sa voix se brisa et, l'instant d'après, elle sanglotait.

— Pourquoi pleures-tu ?

— Pour tout, répondit-elle. Et surtout pour t'avoir haï.

Elle baissa la tête, et, dans un terrible effort, je tendis le bras pour lui prendre la main et la serrer comme je pou-vais dans la mienne.

— Moi aussi, je regrette.

Je voulais lui en dire plus, mais j'avais la gorge trop serrée pour articuler un seul mot. Pendant un long moment, nous restâmes ainsi, partageant un douloureux silence. Nous ne pouvions revenir dans le passé, ce cimetière abandonné, mais, la regardant, je sentais notre enfance nous réunir de nouveau. Et elle aussi nourrissait le même sentiment.

— Tu as vu toutes les fleurs que tu as reçues ? me demanda-t-elle avec un sourire timide.

Ce devait être la première fois que je jetais un regard autour de moi. Il y avait des bouquets partout, tous accompagnés de souhaits de prompt rétablissement.

— Il y a une carte qui vient du bar, à côté du tribunal, me dit Jean, et tous les avocats du comté l'ont signée.

Elle me tendit un bristol gros comme une feuille de cahier, mais je ne voulais pas le voir. Les regards glacés que j'avais croisés lors de ma comparution étaient restés gravés dans ma mémoire.

— Et Barbara ?

Jean reposa la carte sur la tablette, et regarda lentement autour d'elle, avant de me répondre :

— Tu es sûr de vouloir en parler ?

— Il le faut.

— Elle a été arrêtée.

Je fus envahi d'un sentiment de soulagement auquel se mêlait un certain désespoir, car quelque part en moi j'avais espéré que sa trahison n'avait été qu'un produit de mon imagination.

— Comment ça s'est passé ? demandai-je.

— C'est Mills qui t'a trouvé. Tu avais reçu deux balles, une dans la poitrine et l'autre dans la tête.

Je portai la main à ma tête et sentis sous mes doigts l'épais bandage qui l'enserrait.

— La première balle a traversé un poumon, la deuxième, heureusement, t'a seulement entaillé le crâne. Au début, Mills t'a cru mort. D'ailleurs, tu étais pratiquement mourant. Elle a appelé les secours, et tu as d'abord été transporté à l'hôpital de Rowan, avant d'être amené ici.

— Et Barbara, alors ?

— Tu as repris connaissance dans l'ambulance, suffisamment en tout cas pour dire à Mills que ta femme t'avait tiré dessus. Deux heures plus tard, elle arrêtait Barbara.

Jean se tut soudain et détourna le regard.

— Qu'y a-t-il ? demandai-je, sachant qu'il y avait autre chose.

— Ta femme était en train de déjeuner tranquillement à son country club, comme si de rien n'était. (Elle me prit soudain la main.) Je suis désolée, Work.

— Allez, tu peux tout me dire, maintenant, lui dis-je, m'imaginant parfaitement Barbara en train de siroter son vin blanc au club en compagnie de ses amies, un sourire faux comme sa vie plaqué sur son visage. Un simple déjeuner entre amies.

— Mills a retrouvé l'arme dans votre maison, cachée dans le sous-sol à côté d'un gros paquet d'argent et des bijoux de maman.

— Je m'étonne que Mills ne me soupçonne pas de les avoir planqués là moi-même, dis-je, amer malgré moi.

— Oh, Work, elle s'en veut terriblement, tu sais. Elle est venue plusieurs fois prendre de tes nouvelles, et elle n'a pas peur de reconnaître tout haut qu'elle s'est trompée. Elle voulait te dire combien elle regrettait.

— Mills a dit ça ?

— Oui, et elle a laissé quelque chose pour toi. (Jean se leva pour aller prendre un paquet de journaux posé sur une chaise.) Tu as fait la une de tous les quotidiens de Salisbury et de Charlotte. Il y a une belle photo de toi dans toutes les premières pages, ainsi que les excuses publiques de l'inspecteur Mills.

Elle prit un journal dans le tas. À la une, on voyait Barbara, les menottes aux poignets, sortir sous bonne escorte d'une voiture de police. Elle baissait la tête, s'efforçant de soustraire son visage à la mitraille des photographes.

— Ça va, Jean.

— D'accord.

Elle posa par terre le paquet de journaux, tandis que je fermai les yeux, la photo de Barbara ravivant une fois de plus la douleur et le sentiment d'avoir été tant trahi. Pendant un long moment, je fus incapable de prononcer un mot. Finalement, je regardai Jean, dont le regard me parut lointain.

— Tu sais ? lui demandai-je.

— Pour Barbara et papa ?

Je hochai la tête.

— Oui, je sais, et j'espère que tu ne t'en tiens pas pour responsable.

Je ne répondis pas. De toute façon, rien ne pourrait jamais effacer ce que j'avais vu. Il me faudrait vivre avec, et ce serait notre héritage, à Jean et moi, tout comme j'avais hérité de mon père sa couleur de cheveux.

— C'était un homme horrible, Jean.

— Ouais, mais il est crevé, non ? Alors, pensons plutôt à nous.

Elle avait raison, même si je savais que son souvenir nous hanterait de temps à autre, elle et moi.

— Tu veux un peu de glace ? demanda Jean.

— Oui, volontiers.

Elle se pencha vers moi pour me donner une cuiller chargée d'un glaçon, et je vis les balafres encore fraîches à ses poignets. La peau s'était épaissie à l'endroit précis où elle avait tailladé les veines. Pour mieux protéger celles-ci ? me demandai-je. Je pouvais seulement espérer que Jean ne récidiverait pas.

— Je vais bien, maintenant, me dit-elle, comme si elle avait lu dans mes pensées.

— Vraiment ?

Elle me sourit.

— Puisque tu es toujours en train de me sauver la vie, dit-elle, j'en déduis que je vaux peut-être quelque chose.

— Ne plaisante pas avec ça, Jean.

Elle s'adossa à sa chaise en soupirant et, un instant, je craignis d'avoir été trop rude. Mais, quand elle parla, ce fut sans ressentiment, et je compris qu'elle prenait simplement son temps et voulait que je la comprenne.

— J'ai le sentiment d'être sortie d'un long et noir tunnel, dit-elle. Je peux maintenant me redresser sans avoir mal. (Elle croisa les mains sur son ventre et les rouvrit, telle une rose à dix pétales.) C'est difficile à expliquer, dit-elle encore.

Il me semblait cependant la comprendre. Ezra n'était plus, et elle pouvait tourner la page. Quant à moi, je n'avais pas à veiller sur elle. Elle était désormais capable de le faire elle-même et, à en juger par son sourire, je ne doutais pas qu'elle en fût capable.

— Et Alex ? demandai-je.

— Nous allons quitter Salisbury. Pour nous trouver un coin à nous.

— Tu n'as pas répondu à ma question.

Elle me jeta un regard aigu.

— Comme tout le monde, nous avons nos problèmes, mais nous les affrontons.

— Je ne voudrais pas te perdre, lui dis-je.

— Moi, j'ai le sentiment qu'au contraire on vient juste de se retrouver, Work. Et Alex le comprend très bien. On en a parlé et, bien qu'Alex aura toujours des difficultés avec les hommes, elle m'a promis qu'elle ferait une exception pour toi.

— Elle me pardonne d'avoir fouillé dans son passé ?

— Elle sait pour quelles raisons tu l'as fait, et elle respecte ces raisons, mais ne lui en parle plus jamais.

— J'en conclus que tout va bien, alors ?

— Oui, et où qu'on s'installe, tu seras toujours le bienvenu à la maison.

— Merci, Jean.

— Tiens, reprends un peu de glace.

Elle me donna un glaçon. Soudain épuisé, je fermai les yeux et le sommeil n'était pas loin de m'emporter quand je perçus la voix de Jean.

— Il y a une carte que tu aimerais peut-être lire. À la vérité, c'est plutôt une lettre, me dit-elle en me tendant une enveloppe. C'est de Vanessa.

— Quoi !

— Elle est passée te voir ici, mais elle ne pouvait pas rester. Elle a laissé cette lettre.

— Mais je croyais que… je ne pus terminer la phrase.

— C'est Hank qui l'a retrouvée à l'hôpital de Davidson. Elle était sortie faire des courses à Lexington, et elle traversait la rue quand elle s'est fait renverser par une voiture.

— Qui était au volant ?

— On ne sait pas. Elle se souvient seulement que c'était une Mercedes noire, surgie d'on se sait où.

— Elle est blessée ?

— Deux ou trois côtes cassées et des contusions, mais elle s'en tirera. Elle a passé une nuit à l'hôpital, et elle est bourrée d'antalgiques.

— Et moi qui la croyais morte.

— Eh bien, ce n'est pas le cas, et elle était aux quatre cents coups quand elle t'a vu dans cet état.

Soudain, je voyais le monde à travers un brouillard de larmes. Cette lettre dans ma main représentait mon espoir dans un avenir que je croyais avoir à jamais perdu. J'étais impatient de lire ce qu'elle m'écrivait, mais je n'arrivais même pas à ouvrir l'enveloppe. Jean me la prit des mains, sortit la lettre et me la tendit.

— Je vais faire un tour dans le couloir, me dit-elle. Appelle si tu as besoin de moi.

J'entendis la porte se refermer. Je clignai des yeux pour éclaircir ma vision et lus.

La vie est un chemin tortueux, Jackson, et je ne sais pas si je pourrai endurer de nouveaux tourments. Mais jamais je ne regretterai le jour où nous nous sommes rencontrés. Quand tu seras prêt à me parler, je serai là pour t'écouter. Peut-être cette dernière épreuve nous apportera-t-elle du bien. Je le souhaite, bien que je sache trop bien combien la vie peut être cruelle. Quoi qu'il arrive, souviens-toi que chaque jour je remercie le Ciel que tu sois en vie.

Je la relus trois fois et m'endormis en la serrant sur ma poitrine.

Quand je rouvris les yeux, je me sentais beaucoup mieux. La nuit tombait. Quelqu'un avait allumé la lampe sur la table de nuit. Soudain, je vis Mills assise sur la chaise, et me redressai contre mes oreillers, avant qu'elle lève les yeux du bouquin qu'elle était en train de lire.

— Bonsoir, me dit-elle en se levant. J'espère que je ne vous dérange pas, mais Jean, qui ne vous a pas quitté de la journée, était fatiguée. Je me suis permis de la relever. (Elle hésita.) Je me suis dit que vous auriez sûrement des questions à me poser.

— D'abord, je voudrais vous remercier de m'avoir sauvé la vie.

— Et moi, dit-elle, une légère rougeur colorant son visage, je vous dois des excuses.

— Oublions ça, dis-je, me surprenant moi-même. C'est du passé, et j'aimerais ne pas trop y penser. (Je lui désignai la chaise.) Mais, je vous en prie, asseyez-vous.

— Merci.

Elle reprit la chaise et posa son livre sur la table de chevet. C'était un bouquin policier et, je ne sais pourquoi, je trouvai la chose amusante de la part d'un inspecteur de la Criminelle.

— Je ne sais vraiment pas ce que j'ai envie d'entendre, lui dis-je. À vrai dire, je n'ai pas eu seulement le temps d'y penser.

— J'ai une ou deux questions à vous poser, dit Mills, et puis je vous raconterai ce qui s'est passé.

— D'accord.

— Où avez-vous découvert le revolver de votre père ?

Je lui parlai de mes recherches nocturnes dans le conduit sous le parking du centre commercial.

— J'ai pourtant envoyé une équipe là-dedans, dit-elle, manifestement contrariée. Ils auraient dû le trouver.

Je lui expliquai comment je l'avais découvert, coincé dans un des regards, mais me gardai bien de lui dire comment l'idée m'était venue de chercher à cet endroit-là. Évidemment, elle voulait le savoir, mais je n'allais pas balancer Max.

— Disons que j'ai bénéficié d'un tuyau, si je puis dire, mais je ne peux vraiment pas vous en dire plus.

Elle n'insista pas, me laissant tacitement entendre qu'elle me devait bien ça, après tout le tort qu'elle m'avait causé. Mais je sentais toutefois combien toute concession était pour elle synonyme d'échec.

— Alors vous avez fait tout cela pour protéger votre sœur ? Parce que vous craigniez qu'elle fût impliquée ?

— Oui.

— Mais pourquoi Jean aurait-elle tué son propre père ?

Je dus réfléchir à cette question. Jusqu'où pouvais-je aller ? Que voulait-elle réellement savoir ? Et, surtout, pouvais-je encore jouer les gardiens de la mémoire d'Ezra ? J'avais réussi à dépasser ce qui s'était passé et comment ma mère avait quitté précocement ce monde. Mais la vérité était-elle toujours bonne à dire ? Si je parlais, Jean dormirait-elle mieux ? L'âme de ma mère connaîtrait-elle plus grande paix ?

— Je suis allé chez Jean, après le départ de mon père, et elle n'était pas là.

— Elle était bouleversée, dit Mills. Elle a pris sa voiture et roulé au hasard, avant d'aller chez vous, où elle est arrivée au moment où vous partiez.

Je hochai la tête. C'était l'explication la plus simple, mais elle ne m'était jamais venue à l'esprit.

— Jean était très perturbée, inspecteur. Elle était instable, colérique. Je ne pouvais pas écarter un coup de folie de sa part.

Je n'avais pas l'intention de céder sur Ezra et sa véritable nature. Toutes les vérités n'étaient pas bonnes à entendre.

Mills était manifestement contrariée.

— Vous ne me dites pas tout, Work.

Je haussai les épaules.

— Je vous en dis plus que vous ne le pensez, et je ne tais rien qui pourrait affecter votre enquête.

— Est-ce pour votre sœur que vous vouliez voir la scène de crime ? demanda-t-elle enfin, et je lus dans son regard qu'elle connaissait la réponse.

Je m'étais rendu sur le lieu du meurtre dans un seul but et, en dépit de ce que j'avais raconté à Douglas, ce n'était pas la crainte que Jean eût commis l'irréparable. À présent, ne redoutant plus rien, je m'autorisai l'ombre d'un sourire.

— Non.

Mills ne broncha pas. Elle savait ce que j'avais voulu faire et pourquoi je l'avais fait. Cette entreprise délibérée de ma part lui avait causé bien des difficultés et aurait pu lui coûter plus cher encore – son enquête, sa réputation, voire son travail. Et je voyais bien maintenant qu'elle avait parfaitement compris. Je m'étais rendu sur cette scène de crime pour une seule raison : entraver mon éventuelle mise en examen pour homicide. J'avais été prêt à tomber pour Jean mais, au cas où j'aurais été inculpé et traduit en justice, ma présence sur le lieu du crime, quand on avait découvert le corps de mon père dix-huit mois après sa disparition, m'aurait permis de semer le doute dans le jury, voire obtenir l'acquittement. Certes, la manœuvre n'était pas garantie, mais je tenais là un atout non négligeable.

— Je devais le faire, dis-je à Mills. Ezra avait disparu et, comme il ne réapparaissait pas, j'ai pensé qu'il devait être mort et que Jean y était pour quelque chose. Je ne pouvais supporter l'idée qu'elle aille en prison. (Je me tus un instant, pensant à cette longue absence de mon père et aux noires pensées qui m'avaient alors hanté.) J'ai eu dix-huit mois pour réfléchir à tout ça.

— Vous aviez donc tout prévu, depuis le jour même où Douglas vous a appelé à son bureau. Le jour où nous avons découvert le corps. C'est pour cela que vous avez poussé Douglas à vous autoriser cette visite.

— Tout prévu, c'est beaucoup dire. J'ai seulement pensé que ce serait un moindre mal.

— Savez-vous ce que je pense ? dit Mills. Je pense que vous êtes meilleur avocat que votre père voulait bien le reconnaître.

— Je ne prétends pas être avocat.

— Et vous êtes un bon frère, aussi. J'espère que Jean sait ce que vous comptiez faire pour elle.

Gêné, je détournai les yeux.

— Parlons plutôt de votre intervention, qui me vaut d'être encore en vie, lui dis-je.

— D'accord. (Elle se pencha en avant, les coudes sur ses genoux.) Je suis venue à votre bureau pour vous arrêter.

— À cause du revolver, n'est-ce pas ? Vous m'aviez identifié ?

La surprise lui arracha un tressaillement, et je lus de la colère dans son regard.

— C'est Hank Robins qui vous a dit ça ? Je savais que ce petit salaud était en train de fouiner, mais je pensais que notre information était bien gardée.

— Il ne faut pas lui en vouloir, inspecteur. Il était bien le seul à ne pas me croire coupable.

Mills parut touchée par le ton de ma voix.

— Vous avez raison, dit-elle, mais les hasards d'une enquête, c'est tout de même quelque chose.

— Que voulez-vous dire ?

— Si on ne vous avait pas identifié, je ne serais pas venue vous arrêter, et vous auriez saigné à mort dans votre bureau.

— Oui, il s'en est fallu de peu.

— C'est souvent le cas.

— Qui m'a identifié ?

— Un pêcheur. Il se trouvait à une centaine de mètres du pont, en amont, assis sur un vieux bidon et attendant que ça morde. Il rechignait, au début, à dévoiler son identité, parce qu'il avait passé la nuit à picoler et ne tenait pas à ce que sa femme le sache.

— C'est ce qu'on appelle un témoin peu fiable, fis-je remarquer tout en me demandant si cet homme avait aussi vu mon désespoir quand j'avais pressé le canon sous mon menton. Je scrutai le visage de Mills pour deviner si son témoin lui avait rapporté cet épisode.

— Oui, peu fiable, dit-elle et, comme elle détournait le regard, je compris qu'elle savait.

— Et Barbara ?

Il m'était difficile de poser d'un ton détaché cette dernière question. Pour le pire et le meilleur, j'avais passé dix ans à ses côtés, et je ne pouvais prétendre que cela ne me désespérait pas.

— Nous l'avons arrêtée au country club, où elle était en train de déjeuner au bord de la piscine en compagnie d'amies.

— Glena Werster ?

— Oui, elle était là.

— Glena Werster possède une Mercedes noire.

— Et alors ?

— Vanessa Stolen a été renversée par un chauffard au volant d'une Mercedes de couleur noire.

Soudain Mills redevint flic.

— Et vous pensez que Mme Werster pourrait être ce chauffard ?

— Je la vois mal courir des risques pour aider l'une de ses amies. Son amitié avec Barbara était de nature parasitaire. Barbara profitait du prestige de Glena, et Glena se servait de Barbara comme faire-valoir. En revanche, je suis certain que Barbara rêvait d'éliminer Vanessa, mais elle était trop futée pour le faire avec sa propre voiture.

— Pensez-vous que Mme Werster connaissait les intentions de votre femme ?

— Ça vaudrait le coup de lui poser la question.

— Et j'ai bien l'intention de le faire, dit Mills.

Je ne pus m'empêcher de sourire en imaginant Glena sous le feu des questions de Mills.

— Ah ! j'aimerais bien voir ça, dis-je.

— Le sort de cette femme vous est indifférent ?

— Oh, totalement.

— Dans ce cas, je n'aurai pas à mettre de gants.

— Vous me donnerez des nouvelles ?

— Promis.

— Alors, revenons à Barbara.

— Au début, reprit Mills, elle a pris ça de haut et réagi avec colère, mais le temps qu'on lui passe les menottes elle était en larmes. (Elle m'adressa son sourire carnassier.) C'est un moment que j'apprécie toujours.

— Je sais.

— Voulez-vous que je vous réitère mes excuses ?

— Non, merci. Continuez.

— J'ai passé pas mal de temps avec votre femme.

— À l'interroger ?

— Pas seulement. Nous avons parlé aussi.

— Et ?

— Elle refusait d'avouer. Elle prétendait que j'avais commis une grave erreur et me menaçait de poursuites. Une comédie de l'innocence, que j'ai déjà vue cent fois. Mais quand elle a appris que vous aviez survécu, il y a quelque chose qui s'est brisé en elle.

— Elle a avoué ?

— Non, ce n'est pas ça. En vérité, elle est devenue incohérente.

J'essayai de comprendre.

— Une tactique de sa part ?

Mills eut un haussement d'épaules.

— Nous verrons bien si c'est le cas, mais j'en doute.

— Pourquoi ?

— Elle bafouille, lâche des choses qu'une personne possédant toute sa raison tairait devant un policier. Avec ce qu'elle nous a dit, nous savons tout au sujet du testament et de sa liaison avec votre père, et nous avons retrouvé les cassettes, ainsi que l'argent et les bijoux.

Ça ne me plaisait pas mais il fallait que je pose la question.

— Leur liaison n'est donc plus un mystère pour personne ?

— Je le crains, me répondit-elle.

Il s'ensuivit un long silence, que Mills finit par briser.

— Franchement, je m'étonne qu'elle n'ait pas détruit ces bandes. Elles étaient tellement compromettantes.

— Elle l'aimait, dis-je, me rappelant le feu de son regard sur la vidéo. De façon complètement perverse, mais le fait est qu'elle l'avait dans la peau.

— Oui, chacun son truc, approuva Mills.

Je repensai soudain à cette nuit où tout avait commencé, la nuit de la mort de ma mère.

— Alors, c'est donc Barbara qui a appelé Ezra, cette nuit-là, après que nous sommes rentrés de l'hôpital ?

— Non, c'est Alex.

La réponse me laissa bouche bée.

— Quand elle a appris la violente dispute entre Jean et votre père, elle a appelé ce dernier pour lui offrir de quitter la ville contre cinquante mille dollars, lui promettant de disparaître, sans rien dire à Jean. Elle lui a donné rendez-vous sur le parking de l'ancien centre commercial. De là, elle prendrait la route, et quitterait Salisbury à jamais. Je pense que votre père est passé à son bureau pour y prendre l'argent et aussi son revolver. Puis il est allé au rendez-vous. Alex a pris l'argent et elle est partie. C'est la dernière fois que quelqu'un a vu votre père vivant, excepté Barbara, bien sûr.

— J'ai du mal à croire qu'Alex ferait une chose pareille, dis-je. Rafler le fric et abandonner Jean. Ça n'a pas de sens.

— Si elle a pris l'argent, ce n'était pas pour en profiter mais pour montrer à Jean quel genre d'homme était son père. Ce qu'elle voulait, c'était éloigner Jean d'Ezra, et je parie que l'argument aurait porté, bien que cela n'eût plus de sens.

— Évidemment, Ezra mort, tout danger avait disparu. Alex et ma sœur étaient libres, dis-je, songeant amèrement qu'il n'en avait pas été de même pour moi. Alors, c'est après le départ d'Alex qu'il a appelé Barbara ou bien est-ce elle ?

— Ce que je pense reste encore théorique, mais cela me paraît cohérent. Je me suis basée sur ce que m'a dit Barbara pendant l'interrogatoire, et voilà comment je vois les choses. La nuit où votre mère est morte, votre père vous a ramenés chez lui, Jean et vous. Ezra a alors reçu un coup de fil, que nous savons être celui d'Alex, et il est parti au rendez-vous qu'elle lui avait fixé, s'arrêtant en route à son bureau. Jean est partie à son tour tout de suite après lui, ce qui vous a fait supposer qu'elle était peut-être la coupable. Si Ezra était allé au centre commercial, Jean aurait pu fort bien le suivre. Vous vous êtes rendu chez elle, pour constater que sa voiture n'était pas là, un fait de nature à confirmer vos soupçons, pour autant qu'elle eût un motif. (Mills me regarda dans les yeux.) Ce qui me gêne, c'est que vous ne m'avez toujours pas dit quel motif réel aurait pu avoir votre sœur.

Je soutins son regard en me gardant de lui répondre, et je la vis hocher la tête d'un air résigné.

— Ezra passe donc prendre les cinquante mille dollars à son bureau, reprit-elle, se munit de son arme, à moins qu'il l'ait prise chez lui ou qu'elle fût dans sa voiture, c'est un détail que nous ne saurons jamais. Il retrouve Alex à l'endroit convenu, la paye, et elle s'en va, satisfaite que son stratagème ait fonctionné. Ezra est maintenant sur le parking du centre. C'est aussi à ce moment-là que vous partez de chez vous pour aller chez Vanessa. Il est alors une heure du matin, peut-être un peu plus. Je ne pense pas qu'Ezra ait appelé chez vous, persuadé qu'à cette heure vous seriez à la maison. Cela veut dire que c'est Barbara qui l'a fait, peu de temps après votre départ, j'imagine. Peut-être voulait-elle lui parler de la mort de sa femme ou bien du testament. Peut-être désirait-elle s'envoyer en l'air, que sais-je ? Mais supposons qu'Ezra reçoit le coup de fil alors qu'il est encore au centre commercial...

— Elle l'aimait, dis-je.

— Vous me l'avez déjà dit.

— Peut-être pensait-elle qu'il la prendrait avec lui si je l'abandonnais. La mort de ma mère lui ouvrait cette possibilité. Peut-être voulait-elle lui parler de ça.

Mills me regardait attentivement.

— Si cette conversation vous gêne, et à juste raison, nous pourrions...

— Non, non, ça va bien, dis-je, faisant le gros dos malgré moi. Je vous écoute.

— Très bien. Quelle que soit la raison, ils se retrouvent là-bas. Ezra vient de se débarrasser d'Alex. Sa femme est morte. Il ne lui reste plus, pour parfaire ce grand ménage, qu'à se séparer de Barbara. Et, quand elle arrive, il lui annonce la nouvelle : c'est fini entre eux. Dans la foulée, il lui apprend aussi son intention de revenir au testament initial. Je ne sais trop comment, mais votre femme s'empare du revolver, lui ordonne d'entrer dans cette arrière-boutique où on a trouvé le corps, et le flingue en pleine tête, par deux fois pour être sûr. Elle referme la porte, s'en va, balance l'arme dans la bouche d'égout, et rentre chez elle bien avant vous. À ce moment-là, Jean est chez elle avec Alex, sachant que vous êtes parti en voiture Dieu sait où. Il n'y a personne pour voir Barbara prendre sa voiture et puis revenir peu de temps plus tard. Aussi, quand Ezra est porté disparu, puis qu'on retrouve son cadavre, votre sœur a des raisons de vous soupçonner. Mais quand vous lui dites avoir passé la nuit en question en compagnie de votre femme, elle ne va plus douter que ce soit vous, le meurtrier.

— Oui, dis-je, il me paraît plausible que les choses se soient passées ainsi.

— Évidemment, seule Barbara pourrait nous le confirmer, mais elle ne le fera pas. Je ne sais même pas si elle le pourra. Avec le temps, peut-être...

— Mais où est passée la voiture de mon père ?

— Il est probable qu'on l'aura volée. Barbara tenait à ce que le cadavre soit découvert le plus tôt possible, de manière à faire homologuer sans tarder le testament. Elle a pensé que la voiture finirait par attirer l'attention d'un voleur, si elle la laissait là. Il est probable qu'elle ait laissé les clés dessus. À propos de clés, elle avait un double de celles de vos bureaux, de manière à pouvoir y venir la nuit pour récupérer les cassettes. (Mills eut un bref sourire.) Elle devait être dans tous ses états pendant ces dix-huit derniers mois, à la pensée de ces quinze millions d'héritage attendant que quelqu'un découvre le corps.

— Il y a une chose que je ne comprends pas.

— Oui, laquelle ? demanda Mills.

— Si seul l'argent intéressait Barbara, pourquoi a-t-elle voulu me tuer ? Elle ne pouvait hériter, si je disparaissais. Alors, pourquoi n'a-t-elle pas emporté l'argent et les bijoux qu'il y avait dans le coffre et pris la fuite, au lieu de rester ici, alors qu'elle n'avait plus rien à gagner ?

Pour la première fois, Mills eut l'air sincèrement peinée, et elle contempla ses mains pendant un long moment.

— Inspecteur ?

Je ne l'avais jamais vue aussi hésitante. Finalement elle leva les yeux vers moi.

— Vous ne mentiez pas, n'est-ce pas, quand vous m'avez déclaré ne jamais avoir eu connaissance du testament de votre père ?

— Je l'ai vu pour la première fois quand vous m'en avez montré une copie.

Elle hocha la tête et reporta son regard sur ses mains.

— Qu'y a-t-il ? demandai-je.

— Barbara a réellement convaincu Ezra de vous laisser bien plus que les trois millions prévus à l'origine. À ce sujet, elle vous a dit la vérité. Ce qu'elle a gardé sous silence, par contre, c'est une certaine clause du testament, une clause dont elle est certainement l'inspiratrice. D'après Clarence Hambly, votre père a fait insérer cette disposition six mois avant sa mort, probablement après qu'il a commencé à coucher avec Barbara. Et puis il est revenu sur sa décision. Hambly m'a confié que votre père avait l'intention d'annuler cette clause. Peut-être avait-il compris que cela tenait du pousse-au-crime.

— Je ne comprends pas.

— Votre père avait fini par mesurer combien votre femme pouvait être dangereuse. Je ne suis pas certaine de ce que j'avance, Work, mais cela me paraît vraisemblable. Il avait compris qu'il vous mettait en danger, et c'est pour cette raison qu'il a demandé à Hambly de préparer un nouveau testament. Un rendez-vous fut pris pour la signature. Barbara l'a tué avant qu'il ne puisse officialiser la modification.

— Et que disait cette clause ?

Mills soupira et, me regardant avec compassion, parla d'un ton neutre qui masquait mal sa gêne.

— Au cas où vous viendriez à mourir, les quinze millions reviendraient à tout enfant que vous pourriez avoir,

Barbara devenant l'exécutrice testamentaire, avec entière liberté d'utiliser l'argent.

— Je ne vois pas comment... commençai-je à dire, avant de comprendre soudain. Barbara est enceinte, n'est-ce pas ?

Mills détourna la tête.

— Elle l'était, Work. Elle a fait une fausse couche, hier.

35.

Douglas passa me voir, restant planté sur le seuil de la chambre jusqu'à ce que je remarque sa présence. Le sourire qu'il m'adressa tenait de la grimace. Il avait de grandes poches sous les yeux, et le menton fripé. Il avait décidément l'air bien minable. Il s'efforça de me présenter ses excuses, alléguant qu'il n'avait fait que son travail et n'avait jamais eu de grief personnel à mon égard, mais il continuait de fuir mon regard et, au contraire de Mills, il ne croyait pas un mot de ce qu'il disait. Il avait planté ses dents dans ma chair et en avait aimé le goût. Je l'avais bien vu au tribunal, souriant quand les gardes m'avaient de nouveau passé les menottes. Ses prétendus regrets n'étaient que l'expression de son embarras – un embarras dû essentiellement à la proximité des prochaines élections. Les gens du comté de Rowan n'aimaient pas les incapables, et la presse l'avait littéralement crucifié. Il osa tout de même me dire qu'il n'avait pas l'intention de me poursuivre pour tentative de destruction d'indices, et puis, se gardant toujours de me regarder, ajouta qu'il avait malheureusement le devoir d'informer l'ordre des avocats de ma conduite. Mais cette perspective ne m'inquiétait absolument pas, et il parut surpris quand je lui dis que c'était là le cadet de mes soucis. Puis, comme il esquissait de nouveau son sourire de faux jeton, je lui montrai la porte et le priai de foutre le camp de ma vue.

Il y eut d'autres visiteurs – des confrères et même quelques vieux copains de fac, tous venus par curiosité plus que par réelle sympathie. Ils disaient tous à peu près la même chose, et leurs paroles sonnaient le plus souvent faux. Je savais qui n'avait pas douté de moi, et ce n'étaient pas les belles formules qui me feraient oublier ceux qui m'avaient tourné le dos. Mais je me comportai selon les règles et, les remerciant de leur visite, leur souhaitai tout le bien possible. Le Dr Stokes vint aussi, et plusieurs fois, et avec lui entrait un souffle généreux. Nous parlions de petites choses. Il me parlait de ma mère, me racontant des anecdotes et des choses que j'avais faites quand j'étais gosse. Il me faisait du bien, et je me sentais plus fort après chacune de ses visites. À son dernier passage, je lui tendis la main en lui disant qu'il avait désormais en moi un ami pour la vie. Il me sourit et me répondit qu'il n'en avait jamais douté, puis me serra la main avec une douce solennité, et j'eus l'impression quand il sortit de la chambre qu'une lumière l'accompagnait.

Jean et Alex vinrent la veille de ma sortie. Elles avaient empaqueté tous leurs biens et se tenaient prêtes au départ.

— Où ? demandai-je.

— Dans le nord, le Vermont, peut-être.

Je regardai Alex, qui me rendit mon regard avec cette inflexibilité que rien ne pourrait jamais entamer. Cette fois, cependant, il n'y avait pas d'animosité, et je sus que Jean ne m'avait pas menti. Quand le temps serait venu, je serais le bienvenu chez elles.

— Prends bien soin de ma petite sœur, lui dis-je.

Je pris la main qu'elle me tendait.

— Tu peux compter sur moi pour ça, dit-elle.

Je tournai mon regard vers Jean.

— Tu m'enverras votre adresse. Je vais avoir de l'argent pour toi, une fois que j'aurai vendu la maison et les bureaux.

— Tu sais, on ne veut rien d'Ezra.

— Ce ne sera pas son argent, mais le mien.

— Tu es sûr ?

— Je tiens beaucoup à ce que tu en profites. Ça vous facilitera grandement la vie.

— C'est une bien grosse somme.

Je haussai les épaules.

— Je te dois bien plus que ça, Jean, et c'est le moins que je puisse faire.

Jean me regarda alors d'une manière si pénétrante que je ne pus dissimuler le sentiment de vide et de culpabilité qui m'étreignait chaque fois que je croisais son regard. Puis, comme je détournais les yeux, je l'entendis qui s'adressait à Alex avec une voix dont la fermeté me surprit.

— Alex, tu veux bien nous laisser une minute ?

— Bien sûr, répondit Alex. Prends soin de toi, Work, et à un de ces quatre.

Quand nous fûmes seuls, Alex tira une chaise et s'assit à côté de moi.

— Tu ne me dois rien, dit-elle.

— Au contraire.

— Et pourquoi ça ?

Je m'étonnais qu'elle puisse seulement poser pareille question.

— Mais pour tout, Jean. Pour n'avoir pas su te protéger, pas su être un bon frère. (Mes paroles semblaient combler cet étroit espace entre nous. Je sentais mes mains trembler sous le drap.) Pour n'avoir pas cru en toi, ajoutai-je, déterminé à ce qu'elle comprenne. Pour avoir laissé Ezra te traiter comme il l'a fait.

Elle se mit à rire soudain, et cela me fit mal, car ce que je venais de dire m'avait beaucoup coûté.

— Tu parles sérieusement, Work ?

— Bien sûr.

Son visage redevint grave, et elle me regarda, les yeux mouillés.

— Laisse-moi te poser une question.

— Je t'écoute, lui dis-je.

— Et je veux que tu réfléchisses avant de répondre.

— D'accord.

— Pour quelle raison, d'après toi, il t'a poussé à entrer dans la carrière et travailler avec lui ?

— Je ne sais pas, dis-je, après un moment de réflexion. À vrai dire, je ne me suis jamais posé la question.

— D'accord, dit-elle. Dis-moi maintenant quand ta relation avec lui a brusquement changé. Je parle d'il y a longtemps.

— Quand on était encore gamins, tu veux dire ?

— Oui, quand on était gamins.

— On était proches, à ce moment-là.

— Et quand cela a-t-il changé ?

— Écoute, Jean, à quoi bon parler de ça ?

— Réponds-moi.

— Je ne sais pas, d'accord ? Je ne sais pas.

— Bon sang, Work, qu'est-ce que tu peux être bouché, des fois ! Ça n'a plus été pareil du jour au lendemain exactement le jour où on a récolté de l'argent pour Jimmy. Avant ça, tu étais le fils de ton père, l'héritier, mais voilà, tu es entré dans ce tunnel sous le parking et, après ça, tout a changé entre Ezra et toi. Longtemps je n'ai pas su pourquoi mais j'ai réfléchi, et je pense connaître la raison, maintenant.

Je ne voulais plus rien entendre. La vérité était bien trop moche, et cette vérité disait que mon père avait décelé un changement en moi ce jour-là ; il avait senti que j'avais honte de moi, même s'il en ignorait la raison. Cette vérité disait encore qu'il ne pourrait plus avoir de respect pour moi, qu'il avait reniflé ma honte comme un chou pourri et qu'il s'était détourné de ce fils. Même en cet instant je pensais qu'il était mort en me méprisant.

Je regardai ma sœur, m'attendant à lire sur son visage comme un reflet de mes propres pensées.

— Tu sais donc ? lui demandai-je.

— Ce jour-là, Work, me dit-elle, tu as commencé dans la peau du jeune fils d'Ezra, un reflet de lui-même, peut-être, mais sans plus. Un gamin qu'il pouvait regarder avec une certaine fierté en disant : voilà mon fiston. Mais quand tu es sorti de cet égout, tu étais brusquement devenu un homme, un héros, quelqu'un que tout le monde regardait avec respect et reconnaissance, et c'est une chose qu'Ezra ne pouvait supporter. Tu lui raflais la vedette, et ça, il n'allait pas te le pardonner. Alors, il a tout fait pour t'écraser, te rabaisser, de crainte que tu ne le surpasses une fois de plus. Voilà pourquoi tout a changé entre vous deux.

— Je ne sais pas, Jean.

— Allons, Work, il n'y aurait pas eu beaucoup d'adultes pour s'aventurer seuls dans le noir à la poursuite de ce monstre. Et sûrement pas notre propre père. J'ai bien vu son expression, quand ils t'ont sorti de là et que la foule des parents et des enfants t'ont acclamé en héros.

— Ils m'ont acclamé, c'est vrai ?

— Bien sûr que oui.

— Je ne m'en souviens pas.

Et c'était la vérité ; je ne me rappelais que le regard méprisant de mon père ivre, qui disait à ma mère que je n'étais qu'un petit con, et sûrement pas un « putain de héros ».

— Sans toi, reprit Jean, Vanessa Stolen serait morte violée et battue à mort à l'âge de quinze ans. Combien de garçons de douze ans ont sauvé une vie ? Combien d'hommes dans la force de l'âge ? Ce que tu as fait est rare et demande du courage. Et notre père a tout fait pour que tu n'en aies pas conscience, et il l'a fait en toute connaissance de cause.

Ces paroles me confondaient. Je n'étais pas un héros. Ezra avait vu juste, mais ce que Jean me dit ensuite chassa le brouillard qui avait toujours déformé la réalité de cet épisode.

— Et quand il t'a poussé à faire ton droit et devenir son collaborateur, c'était pour mieux te garder à sa botte.

— Quoi ?

— Tu n'es pas fait pour ce métier, Work. Tu es brillant, pas de doute là-dessus, mais tu es un rêveur. Tu as un grand cœur, et personne ne le savait mieux qu'Ezra. Il savait que tu ne prendrais jamais les gens à la gorge, comme il aimait tant le faire, et que tu n'avais pas son goût du pouvoir et de l'argent. À ses yeux, ça signifiait que tu ne pourrais jamais égaler sa réussite. Tu n'étais pour lui qu'un faire-valoir. De cette façon, tu n'aurais jamais sa force ni son assurance. (Elle marqua une pause et se pencha vers moi.) Tu ne serais jamais une menace pour lui.

— Tu penses sincèrement ce que tu dis ? lui demandai-je.

— Bien entendu.

— Cela ne me disculpe pas pour autant, vis-à-vis de toi, en tout cas.

— Décidément, tu ne veux pas comprendre. Il t'a traité bien plus mal que moi. En ce qui me concerne, ça n'était que de la misogynie. En tant que femme, je n'avais que peu de valeur. Vis-à-vis de toi, par contre, c'était une affaire personnelle. Il a véritablement fait campagne contre toi. Il est parti en guerre, et c'était là une chose dans laquelle notre père excellait. Un salaud, mais une sacrée force. (Elle éclata d'un petit rire amer.) Tu aurais voulu me protéger de lui, Work ? Bon Dieu, tu n'avais pas la moindre chance.

— Peut-être, concédai-je. Faudra que je réfléchisse à tout ça.

— Fais-le, et vite, dit-elle. Il est mort, ne le laisse pas t'enfoncer une fois de plus.

J'étais soudain trop fatigué pour parler encore d'Ezra. Il me faudrait sans doute des années avant d'effacer tout le mal qu'il m'avait fait mais, au moins, le carnage me paraissait-il moins absolu. Jean avait probablement raison. Il était temps que je m'accorde un peu d'indulgence.

Je n'avais que onze ans quand c'était arrivé, et en vérité je n'étais encore qu'un enfant.

— Tu vas me manquer, Jean.

Elle se leva et posa la main sur mon épaule.

— Tu étais prêt à finir tes jours en prison pour moi, Work, et ça fait de toi le meilleur homme que j'aie jamais connu. Tu te souviendras de ça, chaque fois que le découragement te guettera.

— Je t'aime, Jean.

— Moi aussi, je t'aime. Et la famille, c'est fait pour ça. Pour qu'on s'aime.

Elle se retourna avant de sortir de la chambre.

— Je te téléphonerai, sitôt qu'on sera arrivé à destination.

Juste avant qu'elle ne referme la porte derrière elle, je vis Alex s'approcher d'elle et la prendre par la taille. J'eus le temps de voir que Jean pleurait soudain, mais que ces pleurs étaient bonnes et libératrices, et mes doutes s'envolèrent ; une fois que ces deux-là auraient trouvé où se poser, elles m'appelleraient, et cette idée me réconfortait.

Le lendemain, j'étais en train d'empaqueter mes affaires quand Max apparut sur le seuil, fidèle à lui-même.

— Tu veux que je te rende ton chien ? demanda-t-il sans préambule.

— Oui, répondis-je.

— Merde ! s'exclama-t-il, et il fit demi-tour. Puis je l'entendis qui me criait en s'éloignant dans le couloir : Passe chez moi quand tu voudras le récupérer. Peut-être que je te laisserai repartir avec, et peut-être pas, mais nous boirons une bière quand même.

J'éclatai de rire pour la première fois depuis longtemps.

Une heure plus tard, j'entrais dans une maison dont mes pas ébranlèrent le silence. Ces murs ne me manqueraient pas, j'en étais certain, mais je bus tout de même une bière, assis sur les marches du porche, comme j'aimais à le faire. Je regardai le soleil se coucher sur le parc de l'autre côté de la rue. Il incendiait la cime des arbres, quand j'eus envie d'une autre bière. Mais je ne me levai pas tout de suite, préférant contempler les derniers feux du couchant. Je n'avais pas bougé de ma place quand la nuit tomba, et j'écoutai les bruits familiers de la ville, me demandant s'ils me manqueraient.

Le lendemain, ce serait l'enterrement d'Ezra et, une fois qu'il serait dans le trou, le moment serait venu, me disais-je, de retrouver Vanessa. Je lui dirais ce que j'avais à lui dire, lui promettrait ce qu'elle voudrait. Je voulais qu'elle me revienne, mais seulement après que la vérité eut été dite. Je la supplierais s'il le fallait. Je voyais désormais les choses avec une nouvelle lucidité. Je me sentais prêt à tailler mon propre chemin, mais je voulais qu'elle m'accompagne ; je voulais cette vie que j'aurais dû avoir depuis longtemps.

Le lendemain, je pris un soin particulier à ma toilette et enfilai mon jean préféré et des bottes. L'enterrement était à dix heures, mais je n'avais nullement l'intention d'y assister. Jean pensait de même. Quand je lui avais demandé si elle viendrait, elle m'avait répondu que non. « Pour moi, Work, il est mort cette nuit-là, avec maman. Ils ne pourront jamais l'enterrer plus profond. »

Je passai tout de même devant l'église et vit le noir fourgon mortuaire qui l'emmènerait au cimetière. J'étais encore là, à la fin du service funèbre. Peut-être n'étais-je pas comme Jean. Peut-être avais-je besoin de voir ça. Quelle que fût la raison, je suivis la cohorte de voitures. Mais, quand elles franchirent les portes du cimetière, je continuai sur le chemin de commodité qui en fait le tour, jusqu'à ce que je trouve un endroit d'où je pouvais observer la cérémonie. Il y avait là un grand arbre et, adossé au tronc, je regardai la petite foule descendre de ses limousines et se rassembler autour de la fosse, qui me paraissait bien petite depuis mon poste de guet. Le pasteur leva les bras, réclamant le silence, mais ses paroles se perdirent dans le vent qui venait de se lever, ce qui était tout aussi bien, car qu'aurait-il pu dire qui me parût juste ?

Je restai là jusqu'à la dernière pelletée de terre et, quand ils furent tous repartis, je descendis jusqu'à la fosse. Il n'y avait pas encore de pierre tombale, mais je connaissais l'épitaphe qui y serait gravée car j'en étais l'auteur.

Ezra Pickens, disait-elle. *Sa vérité voyage avec lui.*

Je restai là un long moment, parce dans ce même caveau reposait ma mère. Me remercierait-elle d'avoir mis mon père à ses côtés ou bien aurait-elle préféré être seule ? Après tout, j'avais fait pour le mieux, pensant à ce qu'elle aurait voulu elle-même. Elle avait vécu à côté de lui sans se plaindre, et peut-être en serait-il de même pour l'éternité. Mais dans mon cœur, il y avait de la colère, et je m'interrogerais encore longtemps sur la sagesse de mon choix. Ce que j'avais dit à Barbara était juste. La vie est une saloperie, au même titre que la mort.

Je ne prêtai guère attention au bruit d'une voiture qui approchait, et j'étais là, à contempler le nom de ma mère gravé dans le granit, quand je perçus la voix de Vanessa derrière moi et sentis ses doigts effleurer mon épaule. Je me retournai. Elle me prit la main. Je prononçai son nom, et elle me serra dans ses bras, des bras déliés et fins et cependant forts. Je décelai dans ses cheveux l'odeur de la rivière qui baignait ses terres. Je me penchai vers elle, et sentis sa main sur ma nuque. Puis je m'écartai pour la regarder dans les yeux, m'assurant qu'il y avait toujours de l'espoir. Et l'espoir était bien là, dans toute sa clarté. Je sus alors, avant même que les mots suivent, que tout irait bien pour nous.

Cependant, il me fallait parler, mais je ne tenais pas à le faire à l'ombre de la tombe d'Ezra. Alors je pris sa main forte de fermière et l'emmenai en haut de la colline, sous le couvert des arbres. Je lui dis que je l'aimais, et elle détourna la tête. Quand elle me regarda de nouveau, elle voulut parler, mais je l'arrêtai en posant mon doigt sur sa bouche. Je pensai à notre première rencontre, le jour où nous avions sauté pour Jimmy. Le jour où tout avait changé et où nos existences mêmes avaient manqué s'achever. S'il s'offrait à nous une nouvelle chance d'être ensemble, la confession que je lui devais en était la condition. Je me mis à lui parler, et jamais paroles plus sincères ne furent prononcées.

Épilogue

Les mois ont passé, et je ne souffre plus, hormis quelques élancements de temps à autre. J'ai bien encore quelques troubles du sommeil, mais je m'en soucie peu, et je n'ai pas les idées noires. Je garde la lettre de Vanessa dans le tiroir de la table de nuit, et la relis de temps à autre, la nuit le plus souvent. Elle me rappelle combien je l'ai échappé belle, et que la vie ne nous est pas garantie. Cela me garde humble et préserve ce que j'appelle une « précieuse lucidité ».

Il est cinq heures du matin au réveil et, bien que je me lève aux aurores désormais, rien ne presse, et puis mon rêve est encore vivace. Je balance mes jambes et sens la fraîcheur du carrelage sous mes pieds. La lune baigne le couloir de sa lueur. Je vais jusqu'à la fenêtre pour contempler les champs immobiles et la rivière, un peu plus loin sur la droite – ruban d'argent se perdant au loin en serpentant – et je pense au passage du temps et de toutes ces choses emportées au fil du courant de la vie.

Les tribunaux décidèrent que l'argent et les bijoux trouvés dans le coffre de mon père faisaient partie de son patrimoine et, à ce titre, revenaient à la fondation. Mais sa maison et les bureaux se sont vendus plus vite que prévu, et à un meilleur prix que je ne l'avais estimé. Finalement, c'est une somme de huit cent mille dollars que j'ai pu envoyer à Jean, ce qui lui a permis d'acquérir une maison en rondins sur les rives boisées du lac Champlain. Je n'y suis pas encore allé. Il était encore trop tôt, m'a dit Jean, car toutes deux n'étaient pas encore revenues de tant de bonheur. Mais il est question de nous revoir à la Noël.

On verra bien.

Quant à ma part d'héritage, j'en ai fait le meilleur usage possible. Nous avons restauré les bâtiments de la ferme, acheté un bon tracteur, et acquis cent hectares de bonne terre traversés par un beau ruisseau. J'ai en vue vingt autres hectares qui bordent la propriété au sud, mais le vendeur qui connaît mes ambitions en demande encore un prix trop élevé. Peu importe, je sais être patient.

Un bruit de pas feutrés derrière moi m'arrache un sourire. Elle se réveille toujours au moment où je suis à cette fenêtre, mon poste de guet matinal. Elle me rejoint pour contempler avec moi ce jardin que nous avons créé. Elle m'entoure de ses bras, et je vois son visage qui se reflète dans la vitre. Vanessa... ma femme.

— À quoi penses-tu ? me demande-t-elle.

— J'ai encore fait ce rêve.

— Toujours le même ?

— Oui.

— Reviens te coucher.

— Dans une minute.

Elle m'embrasse et retourne au lit.

Je soulève légèrement la fenêtre à guillotine, laissant passer un peu d'air frais, pensant à tout ce que j'ai pu apprendre et à tout ce que j'ai encore à découvrir. Cultiver la terre est un travail dur, incertain, et bien nouveau pour moi. Mais il m'a endurci et je suis fier des cals dans mes mains. J'aime cette vie. On y apprend à prendre son temps, à ne pas porter de jugement hâtif, et cela me change beaucoup de mon existence antérieure.

Je n'en reste pas moins le fils de mon père, et il m'est impossible d'échapper aux choix répréhensibles qu'il a pu faire. Je ne lui pardonnerai jamais. Mais le destin, aussi incontrôlable soit-il, n'est pas dénué d'un certain sens de la justice. Ezra a joué avec Barbara, qu'il a manipulée pour satisfaire ses désirs pervers. Il a modifié son testament comme elle l'incitait à le faire, insérant une clause selon laquelle tout enfant de moi hériterait les quinze millions de dollars, au cas où je décéderais. Pour Barbara, c'était en quelque sorte son assurance-vie, et je suis sûr que mon père avait l'intention de revenir sur cette hasardeuse disposition sitôt qu'il en aurait terminé d'avec elle. Mais voilà, elle l'avait tué avant qu'il ne signe le nouveau testament. C'était sans doute là le motif du meurtre, bien que je n'en eusse pas la certitude. Je découvris toutefois, quand je pris enfin connaissance du document, qu'il n'était pas fait mention d'une quelconque date limite. Ainsi, à ma mort, mon enfant hériterait nominalement d'une grande partie de la fortune d'Ezra. Je déposai une demande d'opposition sur ce point précis, dans le but d'obtenir un jugement déclaratoire. Naturellement, Hambly s'y opposa, et perdit sa requête, chose dont il ne s'est pas encore remis. Mais le testament était formel, et le juge accrédita mon interprétation.

Au bout d'un moment, je retourne dans la chambre et me glisse sous les couvertures, dans la chaleur de Vanessa. Elle est couchée sur le côté, et je me colle à elle. Mon rêve prend de la réalité à mesure qu'il se répète, s'attardant de plus en plus longtemps dans mon esprit. Nous marchons tous les trois dans les prés.

Raconte-moi une histoire, papa.

Laquelle ?

Celle que je préfère.

J'entoure Vanessa de mon bras, posant ma main sur son ventre rond. Elle se love contre moi.

— J'espère que c'est une fille, je murmure à son oreille.

— C'est une fille, me répond-elle en posant sa main sur la mienne.

Je ne sais si elle le sait vraiment ou si elle le sent. Mais cela me suffit. Dans mon rêve, j'entends la voix de ma petite fille et contemple toutes ces richesses qui un jour seront les siennes. Je pense une dernière fois à mon père et à son goût des femmes et de l'argent. Il y a bien de l'ironie dans tout ça, et je pense qu'il doit souvent se retourner dans sa tombe.

Je reste au lit encore quelques minutes, mais le jour se lève, et j'ai soudain envie de bouger. J'enfile un jean et un chandail, et Nonos me suit dans l'escalier. Il fait frisquet dehors, et je reste un instant sous le porche, respirant à pleins poumons en contemplant les champs silencieux. Un peu de brume comble les creux. Les collines se dressent à la rencontre du soleil.

Remerciements

Rien ne sort du néant, et la publication d'un roman ne fait pas exception à la règle. Il faut du temps, de la foi, et la route peut être longue. J'aimerais exprimer ma sincère reconnaissance à ceux qui m'ont accompagné.

D'abord, je remercie ma femme, Katie, source de soutien constant et de précieux conseils, et certainement le meilleur œil qu'un auteur pourrait souhaiter sur sa propre écriture. Je t'aime, chérie. Je remercie mon agent et ami, Mickey Choate, qui n'a pas craint de tenter sa chance sur un « nouveau », a cru en moi et m'a appris bien des choses. Merci également à Pete Wolverton, l'homme le plus iconoclaste que j'aie jamais rencontré et aussi le plus capable. Qu'on ne dise jamais que vous ne mettez pas les pieds dans le plat. Merci encore à toi, Katie Gilligan, affûtée comme un rasoir, pour m'avoir supporté ; tu es la meilleure. Et toute ma gratitude à St. Martin Press, St. Martin Minotaur et les Thomas Dune Books qui ont si bien œuvré pour que paraisse ce livre.

Merci à tous ceux et celles qui ont pris connaissance de l'indigeste première mouture et m'ont quand même conservé leur sympathie. Merci à Nancy et Bill Stanback, Kay et Norde Wilson, John et Annie Hart, Charlotte et Doug Scudder, Sterlong Hart, Ken Peck, Annie P. Hart, John et Megan Stanback, Charlotte Kinlock, Mark Santback, Nancy Popkin, Joy Hart, John

Betts, Boyd Miller, Stan et Ashley Dunham, Sanders Cockman, Sean Scapelatto, George Guise, Linda Parker, Darby Henley, Debbie Bernhardt et Allison Wilson, ainsi que David et Jennifer Wilson. Un merci particulier à Clint et Jody Robins, toujours présents, et Mark White, un partisan du bien écrit, qui eut une fort belle idée. Merci à James Randolph, avocat et ami, qui veilla à ce je n'oublie pas trop les questions de droit, et à Erick Ellsweig, qui sait pourquoi. Si j'ai oublié quelqu'un, j'en suis le seul coupable. Que les autres sachent que je sais qui ils sont et qu'ils soient assurés de ma reconnaissance.

Il y eut encore des gens rencontrés en route, et dont la contribution était fort inattendue. Mes pensées les plus chaleureuses à Mark Bozek et Russell Nuce, qui ont acheté les droits cinématographiques, et aux merveilleux auteurs qui ont eu l'amabilité de lire l'ouvrage et me confier leurs impressions : Pat Conroy, Martin Clark, Steve Hamilton, Thomas Perry, Mark Childress et Sheri Reynolds. Quel privilège cela fut pour moi.

Enfin, une reconnaissance très particulière à Saylor et Sophie, mes filles, qui ont su décrocher la lune.

Ce volume a été composé
par Asiatype

Impression réalisée sur CAMERON
par BRODARD ET TAUPIN
La Flèche
en janvier 2008

Imprimé en France
Dépôt légal : février 2008
N° d'édition : 01345/02 – N° d'impression : 44956